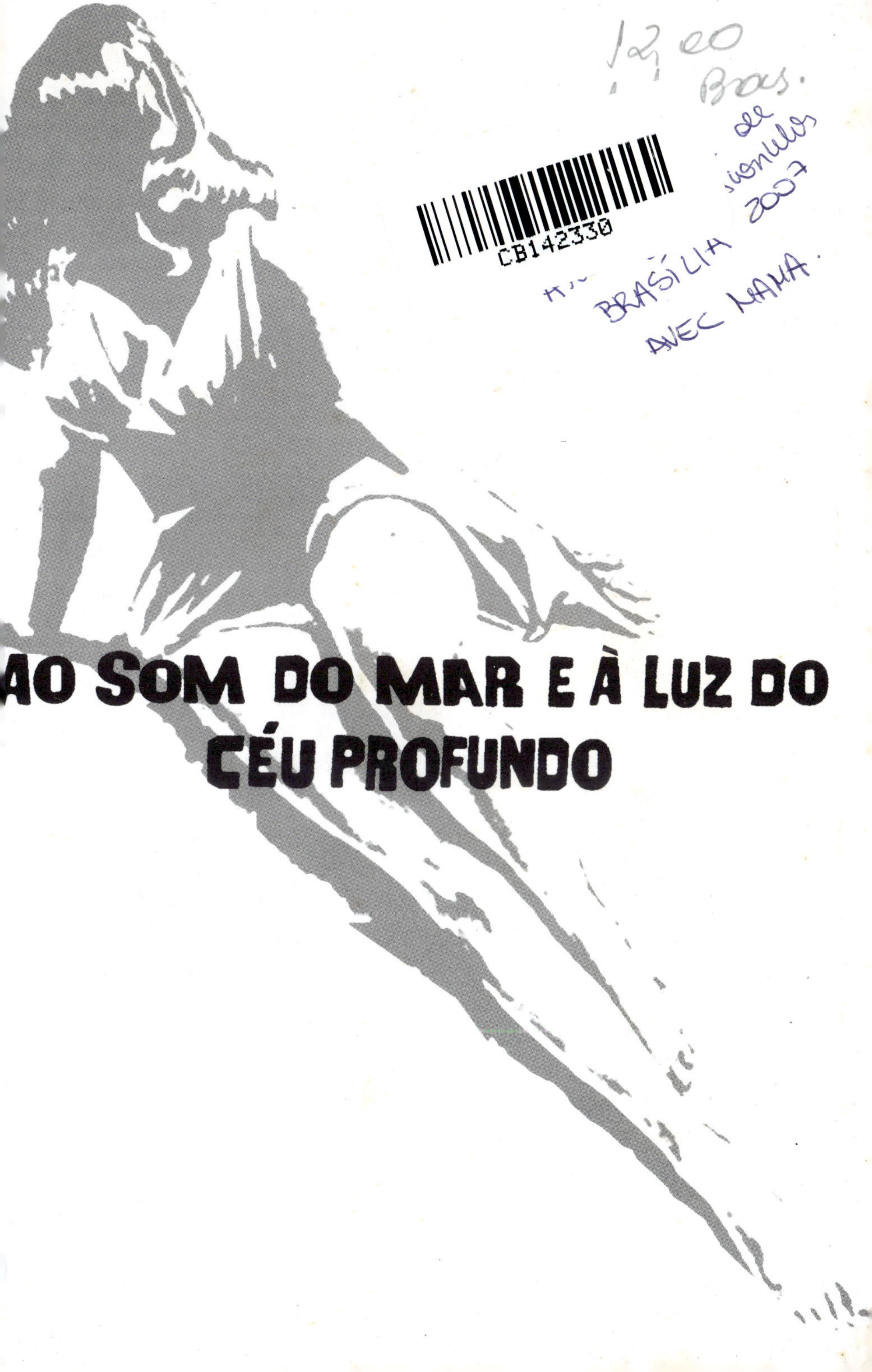

AO SOM DO MAR E À LUZ DO CÉU PROFUNDO

NELSON MOTTA

AO SOM DO MAR E À LUZ DO CÉU PROFUNDO

SUMA de letras

Para meu pai,
mestre do rigor e da doçura

Não fosse isso era menos,
não fosse tanto era quase.

Paulo Leminski

Copacabana, 1960

Zé Roberto engoliu às pressas o macarrão, vestiu a farda cáqui do Colégio Militar, gritou "tchau, mãe" e saiu. Eva tinha uma lojinha de doces na Galeria Menescal — a Bom Bocado — e trabalhava de manhã em casa com a cozinheira Nazaré e à tarde ajudava a sócia Lucila a vender na loja. O negócio ia de vento em popa.

"Tchau filho, vai com Deus."

Quando já estava quase na esquina, Zé Roberto passou a mão na cabeça e se lembrou, merda, tinha esquecido a porra do casquete, sem ele não o deixariam entrar no colégio e tomaria falta. E um baita esporro do pai, talvez uns tapas. Mas já que chegaria atrasado, aproveitaria para matar a primeira aula, de Matemática, fazendo hora no botequim próximo ao colégio. Acendeu um Continental, caminhou sem pressa para casa e na portaria cruzou com Nazaré que saía para fazer a feira. Subiu os três lances de escada e entrou pela porta da cozinha, onde esquecera a porra do casquete. Ouviu a voz da mãe, falando baixo ao telefone da sala.

"Não... não... pode ser perigoso... é melhor em outro lugar..."

Ficou imóvel na cozinha, apurou os ouvidos e sentiu seu coração disparar.

"Não, eu não agüento esperar... tá bom... eu vou", a mãe se desmanchava em dengo, "é em que altura da avenida Copacabana?", fez uma pausa para ouvir, "sei... aquela da praça do Lido... já anotei... 236 apartamento 714... também te amo... um beijo bem gostoso... daqui a pouco estou lá, vai preparando um drinquezinho para nós... beijo", e desligou.

"236, 714, 236, 714, 236, 714", repetindo mentalmente os números fatais, com o coração aos pulos e a respiração acelerada, Zé Roberto se esgueirou pela porta da cozinha contendo o choro. Desceu os três lances de escada correndo e, assim que chegou à rua, pegou a caneta e anotou os números na mão. Em estado de choque com a descoberta, seu primeiro impulso foi entrar no botequim, onde poderia se esconder e tomar um conhaque.

Encostou no final do balcão de onde tinha boa visão da portaria de seu prédio e poderia controlar a saída da mãe. Pensou em segui-la, em pegá-la de porrada na rua, em telefonar para o pai, em chamar a polícia, em matá-la, tomou um segundo conhaque, achou que era melhor esperá-la nas imediações do número 236 da avenida Copacabana. E ver com seus próprios olhos. Torcendo para que tudo fosse um mal-entendido.

Pagou os conhaques e caminhou até a avenida Copacabana, onde pegou um lotação para a praça do Lido. Com a cabeça entre os braços apoiados no banco da frente, chorou em silêncio durante todo o trajeto, até descer no ponto próximo à praça. Enxugou os olhos com as costas da mão e atravessou a rua com o sinal aberto, driblando carros, ônibus e lotações.

Zé Roberto contou 12 andares, o 236 era um prédio de fachada escura e austera, com a portaria de mármore marrom, por onde entrava e saía gente sem parar. Era uma típica cabeça-de-porco de Copacabana, com vinte apartamentos JK — janela-e-kitchenette — por andar, uma boa parte ocupados por *garçonnières* (ou "matadouros", como se dizia na turma) e por putas. Era ali que sua mãe entraria.

Entrou em um botequim e tomou mais um Dreher. Sentou-se em um banco da praça, protegido por uma árvore, e esperou. Torcendo para que ela não viesse.

Mas Eva veio, discretíssima, com um tailleur azul-marinho e uma blusa de seda branca, os cabelos presos em coque e grandes óculos escuros. Saiu de um táxi e entrou rapidamente no prédio. A cada passada, o salto alto e fino de seu sapato furava o coração de Zé Roberto. Pior seria se ele sentisse o perfume que ela exalava. E imaginasse a lingerie transparente que mais revelava do que cobria seu corpo moreno por baixo do tailleur. E como ela soltaria os cabelos e tiraria as meias de náilon pretas para o amante. Como gemeria e gritaria de prazer. Felizmente Zé Roberto não tinha muita imaginação.

Foram 80 minutos lancinantes, os piores de sua vida. Finalmente o pior aconteceu: sua mãe saiu ao lado de um homem alto de cabelos pretos, viu os dois caminhando apressados em direção à rua Belfort Roxo. Zé Roberto atravessou a avenida e seguiu-os a distância. Viu-os entrando num velho De Soto verde-claro e partindo. Chapa DF-3879, anotou na mão. E começou a pensar em como voltaria para casa e encararia a mãe. E o pai.

Não voltaria, inventaria uma mentira, dormiria na casa de alguém. Poderia dormir na praia, em qualquer lugar, mas só voltaria para casa no dia seguinte, depois que ela saísse para o trabalho. Tirou os sapatos, arregaçou as calças e caminhou pela beira do mar até o Leme, depois voltou por toda a extensão da praia até o Posto Seis e de lá retornou ao Lido. O sol avermelhava por trás do Forte de Copacabana, Zé Roberto lavou os pés no chafariz da praça, sentou-se em um banco e chorou.

Não conseguia mais suportar sozinho aquela verdade horrenda. Precisava urgentemente falar com alguém, contar tudo, desafogar. Mas quem? Marina, a irmã um ano mais velha, nem pensar, ela não acreditaria e contaria tudo para a mãe — que o odiaria para sempre. Não teria coragem de dizer ao pai que ele era corno, o coronel jamais acreditaria, lhe daria uma surra e provavelmente o botaria para fora de casa. Nenhum parente era de confiança para conhecer aquele segredo terrível. Amigos? Que amigos? Aqueles bostas do Bairro Peixoto?

Entrou em um bar e ligou para casa. A cozinheira Nazaré atendeu, Zé Roberto mandou avisar os pais que ia dormir na casa do colega Robson e de lá iria direto para o colégio, pediu para chamar Bombril.

Filho de Nazaré, da mesma idade de Zé Roberto, Bombril era um negrinho magrelo e dentuço, feioso mas dotado de grande simpatia e muito talento para o futebol. Crescera junto com Zé Roberto e Marina — sua mãe trabalhava na casa havia 13 anos —, e dividia com Nazaré um beliche no quarto de empregada do apartamento da família Ferreira. Bombril se chamava Ismael e devia à televisão o seu apelido.

Com a precária geração de imagens da TV Tupi e pior ainda da TV Rio, ver televisão era também uma aventura que dependia muito de capacidade técnica dos usuários. Era necessário ajustar os botões de controle horizontal e vertical para que a imagem ficasse estável, equilibrar a luminosidade e o contraste, que variavam de programa para programa, e principalmente encontrar a posição ideal da antena. Uma haste mais ou menos aberta, com a base um centímetro para lá ou para cá, era suficiente para a imagem nítida se transformar em um borrão.

Uma noite, o coronel Kleber viera com uma novidade, um truque tecnológico que aprendera com um colega de Engenharia Militar. Colocou um chumaço de palha de aço na ponta das hastes da antena e prometeu uma imagem clara e nítida. A mágica funcionou, os finos fios de aço facilitavam mesmo a recepção das imagens e sons e evitavam o incômodo abre e fecha e vira e mexe da antena a cada instabilidade do sinal.

No dia seguinte, arrumando a casa, Nazaré achou estranho aqueles chumaços de Bombril — uma marca tão popular que se tornou em genérico para palha de aço — enfiados na antena da televisão. Pensou que era uma brincadeira, tirou e jogou fora. À noite, quando o coronel ligou a TV, o som e a imagem apareceram como um borrão barulhento.

Falou alto e grosso:

"Quem tirou o Bombril daqui? Quem foi? Apresente-se!"

Todos se entreolharam em silêncio.

"Nazaré!", gritou o coronel em direção à cozinha, onde ela lavava os pratos do jantar.

Chegou enxugando as mãos e contou com naturalidade que o tinha levado de volta ao seu lugar — a pia. Estava usando a esponja mas no dia seguinte compraria outra.

O coronel explodiu:

"Amanhã pode estourar uma bomba atômica e nós podemos estar todos mortos, Nazaré! A vida é agora, Nazaré!"

Nazaré saiu cabisbaixa. Zé Roberto aproveitou a deixa:

"Corta um chumaço do cabelo do Ismael e coloca na antena, vai dar o mesmo efeito", recomendou Zé Roberto, explodindo numa gargalhada. O coronel a custo conteve o riso, dona Eva sorriu encabulada e Marina não achou a menor graça e fechou a cara.

"Fala, Bombril, tu pode ficar rico vendendo cabelo para antena", provocou Zé Roberto, rindo e puxando o cabelo de Ismael, que sentiu um ódio profundo e vontade de enchê-lo de porrada. Mas nada disse, de cabeça baixa e com um sorriso abobalhado, levantou os olhos e encontrou nos de Marina o conforto e simpatia de que tanto precisava. Ignorou Zé Roberto, que não parava de rir, pegou uma revista e começou a fingir que lia, remoendo sua raiva e se consolando com a solidariedade de Marina, enquanto o coronel resmungava e ajustava a TV manualmente, como nos velhos tempos pré-Bombril.

O apelido pegou, Zé Roberto repetiu-o o dia inteiro no bairro, para todo mundo, e quanto mais Ismael reclamava, mais os garotos se divertiam. Acabou trocando socos e pontapés com o Magro e descontando nele a raiva que sentia de Zé Roberto e a impossibilidade de espancar o filho do patrão.

* * *

A voz de Zé Roberto tremia e rangia ao telefone. Ou ele estava mesmo muito abalado ou então a linha estava muito ruim, pensou Bombril.

"A coisa tá preta... a coisa tá preta... preciso falar com você urgente... vem para cá... tô pedindo como amigo... estou aqui no Bar Bolero na avenida Atlântica, perto do Lido... estou te esperando."

"Porra, mas logo agora que tá começando o *Espetáculos Tonelux*... não dá para ser mais tarde?"

"Não! Não! Tem que ser agora... vem logo que o caso é sério."

"Mas o que é que aconteceu? Você está preso? Matou alguém? Está machucado? O que é que há? Desembucha logo."

"Não é nada disso... é até pior... mas não posso falar pelo telefone, tem gente esperando para ligar. Te conto tudo depois, mas vem agora", fez uma pausa e Bombril ouviu a respiração pesada de Zé Roberto, "por favor."

Para aquele mandão de merda estar pedindo por favor a coisa devia ser séria mesmo, Bombril disse que estava indo.

Zé Roberto pagou o telefonema e ocupou uma mesa na varanda para esperar Bombril.

Os carros passavam lentamente pela avenida Atlântica, garotos ofereciam cones de papel com amendoim torradinho, um grupo de flauta-cavaquinho-violão divertia uma roda de turistas na calçada. Dois policiais encostados em uma viatura estacionada em frente ao bar fumavam e conversavam animadamente. Pediu um chope ao garçom e olhou o relógio mais uma vez. Começou uma chuva fina.

Vinte minutos depois, Bombril chegou.

Zé Roberto contou tudo. De um jato, como um jorro de vômito. Quando terminou, ofegando e com a voz pastosa, disse que não queria ouvir comentários nem conselhos de ninguém, que queria só desabafar.

"Bom... então posso ir para casa?", Bombril foi se levantando.

“Não, espera aí, vamos tomar um chope, vamos conversar, vamos falar de outro assunto, senta aí”, Zé Roberto quase implorava.

Bombril sentiu pena daquela criatura que quase sempre odiava. Mas também sentiu uma estranha alegria por ele estar sofrendo um castigo tão medonho. Gostaria de dizer-lhe que era melhor ser crioulo de cabelo de bombril do que filho de um corno e uma puta. Mas falou apenas:

“Calma... calma... ninguém vai morrer por isso... isso acontece todo dia com muita gente... é uma coisa da vida... depois tudo se ajeita.”

Essa dona Eva, hein? Quem diria, Bombril pensava mas não dizia. Até que a coroa era gostosona, se cuidava com cremes, estava sempre com os cabelos arrumados e as unhas pintadas de vermelho, mas nunca passara pela sua cabeça que ela pudesse foder com ninguém além do coronel Kleber. Aliás, nem com o coronel. Como seria dona Eva fodendo, será que gritava na hora do gozo? Tentou imaginá-la nua, enquanto Zé Roberto dizia que não podia contar ao pai, que ele poderia matá-la. Mas também não poderia deixá-lo ser corneado impunemente.

“Então manda uma carta anônima pra ele”, Bombril sugeriu, e os olhos de Zé Roberto se acenderam. “Ele nunca vai saber que foi você, vai procurar as provas e vai tomar as providências... afinal, isso é um assunto de marido e mulher.”

Bombril também mandaria uma carta anônima, mas para dona Eva, avisando a de que tinha sido descoberta e corria perigo. Certamente ela acabaria com o amante, ninguém mataria ninguém e a harmonia voltaria ao lar dos Ferreira. Bombril pensava em Marina.

Zé Roberto se arrependia amargamente de ter seguido a mãe, de ter ouvido aquele telefonema, de ter esquecido a porra do casquete.

O marido de dona Eva

Eva Dias Ferreira era uma mineira pacata e de maneiras suaves, casada há 18 anos com o coronel Kleber Weber Ferreira, que conhecera no baile de formatura de sua turma da Escola Normal no Minas Tênis Clube. A jovem professora de 19 anos encantou-se com o garboso capitão de uniforme, 13 anos mais velho que ela, recém-chegado a Belo Horizonte a serviço do Centro de Engenharia Militar. O jovem oficial de olhos verdes e cabelos alourados luzindo de brilhantina ficou louco pela bela morena de cabelos pretos ondulados e corpo roliço, com seus olhos escuros e fundos e seus seios fartos arfando no decote.

A orquestra tocou *Blue Moon*, o capitão apresentou-se e tirou-a para dançar. A distância respeitosa obrigatória permitia apenas que os bicos dos seios de Eva, por trás do sutiã, do corpete e da musselina do vestido, roçassem de leve no peito do capitão, mas o suficiente para lhe provocar arrepios na espinha, um frio no estômago e uma ereção inabalável e constrangedora, que no fim da música o fez sair da pista meio curvado e trançando as pernas, na vã tentativa de escondê-la.

Para inveja das colegas, Eva e Kleber dançaram a noite inteira. No dia seguinte ele mandou flores, convidou-a para um sorvete e um passeio na praça Afonso Penna. Logo começaram a namorar, noivaram e casaram em menos de um ano.

O capitão Kleber, de pai paraibano e mãe descendente de alemães, era alto, magro, e tinha feições duras de caboclo nordestino, em contraste com os olhos verdes e os cabelos claros, que usava emplastados de Glostora. Foi muito bem-vindo ao seio da família mineira, seu futuro sogro estava orgulhoso, a futura sogra mimava-o com pães de queijo e docinhos, a futura esposa estava ansiosa para sair de casa e ter sua própria vida.

Mas seria uma vida muito diferente do que ela imaginara durante o namoro e o noivado.

Mudaram-se para uma casinha acanhada na Vila Militar, que Eva enfeitou como pôde, com vasinhos de flores nas janelas e cortinas coloridas. Dois meses depois estava grávida e, por recomendação médica e decisão do marido, deveria ficar em casa e em repouso, abandonando o seu emprego de professora da Escola Municipal Tiradentes, conquistado em concorrido concurso.

Depois do nascimento de Marina, porque precisava cuidar da filha, não voltou a dar aulas. Um ano depois estava grávida de novo, e quando Zé Roberto nasceu, por decisão do marido, desistiu para sempre de voltar a ensinar crianças — tinha as suas próprias para criar. Não se pode ter tudo, se conformava Eva.

Morou em vilas militares de Porto Alegre, Curitiba e Goiânia, e finalmente se mudou com o major Kleber e os filhos para o Rio de Janeiro, onde foram viver em uma casa apertada de três quartos na Vila Militar, no calorento subúrbio de Realengo.

Mesmo depois que os filhos cresceram, o major Kleber não consentia que ela trabalhasse fora, por mais que Eva insistisse. Nem concurso para o Banco do Brasil, nem para o Ministério da Fazenda, nem para escolas particulares. Lugar de mulher, ainda mais de militar, nos anos 50, era em casa.

Em seus dias longos e vazios, trocava receitas com outras mulheres de militares. Recortava das revistas, experimentava-as na cozinha, testava com as amigas, desenvolvia seu talento para fazer doces e salgadinhos. Descobriu um mundo de texturas e sabores, tornou-se uma artista de forno-e-fogão.

Quando Kleber foi promovido a coronel, com 50 anos, Marina já estava com 15 e Zé Roberto com 14. Um sábado de manhã, sem explicar por quê, Eva levou a família para Copacabana, uma surpresa: um corretor de imóveis os esperava na porta de um edifício no Bairro Peixoto, para lhes mostrar um apartamento.

Sem ninguém entender muito bem o que estavam fazendo ali, subiram os três lances de escada de um prédio recém-construído, com vista para uma praça com bambuzais e uma ruazinha lateral sem saída. Ela vira o apartamento anunciado no jornal e o visitara na véspera com o corretor.

Entrando no apartamento, o coronel disse em voz baixa e seca:

"Mas com efeito, Eva! Você vir sozinha a um apartamento vazio, com um estranho. E o que diria alguém que nos conhece se te visse entrando num edifício em Copacabana com um homem? Como é esse corretor? É solteiro ou casado?"

"Que é isso, Kleber, é um senhor muito sério, disse que está nessa imobiliária há dez anos. O que interessa é que o apartamento é um sonho, não é?"

Marina e Zé Roberto estavam eufóricos, brigando em disputa dos quartos, Eva deslumbrada com a cozinha e os sonhados dois banheiros, o coronel estupefato com o espaço de quase 200 m², com a luz entrando pelas janelas e a vista para o bambuzal da praça, a selva de edifícios de Copacabana brilhando ao fundo. Aquilo deveria custar uma fortuna, pensou. E depois disse em voz baixa para Eva:

"Isso é um apartamento de general, minha cara, meu soldo não dá para isto."

Eram as palavras que ela esperava com as respostas já prontas:

"Primeiro que não é tão caro quanto você pensa..."

O coronel interrompeu-a:

"... nem preciso saber quanto é, com metade desse dinheiro, a gente compra uma casa na Tijuca ou no Grajaú."

"Só que eu não quero morar na Tijuca nem no Grajaú. Eu sei que seu soldo não dá para isto, mas nós podemos conseguir um financiamento na Caixa dos Militares. A Luiza do coronel Pantoja me disse que eles estão comprando uma casa em Botafogo assim, são juros de 6% ao ano, vão descontando do soldo..."

"É", cortou o coronel, "mas eles não têm dois filhos para sustentar."

O corretor se aproximou.

"Então, coronel, o que achou?"

"Bem... sem dúvida é um excelente imóvel. Muito espaçoso, muito claro, vê-se que tem um acabamento de qualidade, a localização é muito boa, muito tranqüila. Mas duvido que esteja ao alcance de um coronel do Exército. O senhor sabe, os militares são muito mal pagos no Brasil."

"Realmente, coronel, também sou filho de militar e sei do que o senhor fala. Uma grande injustiça. Veja bem, 720 mil cruzeiros à primeira vista pode parecer muito, mas é uma pechincha para um apartamento de luxo como este, numa área nobre de Copacabana — que é o bairro que mais se valoriza no Rio. Mas é antes de tudo um ótimo investimento, em dois ou três anos ele vai estar valendo o dobro."

O coronel quase sufocou ao ouvir o preço. Eva puxou-o de lado e, sorridente, falou com voz doce:

"Isso depois a gente conversa em casa, não é, querido?", e virando-se para o corretor e estendendo-lhe a mão, "muito obrigada, seu Guedes, vamos fazer umas contas e depois entramos em contato com o senhor."

"Eu tenho certeza de que vamos encontrar um financiamento que seja adequado para os senhores", o corretor entregou seu cartão ao casal, "é uma oportunidade de ouro, e por isso mesmo exige uma decisão rápida, porque já temos muita gente interessada no imóvel", ameaçou suavemente.

A primeira coisa que o coronel falou quando o corretor se afastou foi:

"Você está louca?"

"Mas, Kleber..."

"Setecentos e vinte mil cruzeiros! Esqueceu quanto eu ganho, com todos os descontos? Ora, faz-me rir, você é uma sonhadora, Eva", o coronel encerrou o assunto.

Entraram no velho Citroën preto e iniciaram a longa viagem de volta a Realengo em silêncio.

Quando chegaram em casa, aos poucos, com muito cuidado, Eva voltou à carga:

"Kleber, presta atenção, eu só levei você para ver o apartamento porque tenho uma maneira de..."

"Não vamos recomeçar, Eva", o coronel cortou, ríspido, "isto é um assunto encerrado."

"Não é não!", a firmeza de Eva o surpreendeu. Ela continuou: "A Caixa dos Militares financia o apartamento em dez anos e o desconto é de 20% do soldo — mas em compensação a gente não desconta mais o aluguel..."

"Ora, Eva, com efeito, o nosso aluguel é baratíssimo, isto não vai fazer muita diferença, nós não vamos viver apertados durante dez anos só porque você quer morar em Copacabana..."

"Kleber, presta atenção: a minha amiga Lucila, mulher do major Rebouças, mora ali perto e foi ela que me falou do apartamento para vender. O pai dela morreu e ela herdou uma loja na Galeria Menescal e me convidou para ser sua sócia numa lojinha de doces e salgadinhos, eu entro com a comida e ela com a loja e dividimos os lucros meio a meio. Ela acha que vai ser um sucesso e que vai me dar, no mínimo, uns 10 mil cruzeiros por mês. E isso dá para as despesas da casa e ainda sobra."

"Eva, Eva, não vamos recomeçar esse assunto. Lugar de mulher é em casa cuidando do marido e das crianças."

"Que crianças, Kleber? Uma moça e um rapaz que daqui a pouco estão saindo de casa? Não se preocupe: eu vou trabalhar em casa, fazendo os doces, ela é que vai ficar na loja vendendo", Eva argumentou. O coronel baqueou.

"Hummm... você disse 10 mil?", eram mais de quatro salários mínimos, mais do que descontaria de seu soldo com o financiamento.

"No começo, Kleber, só no começo, a Lucila disse que pode crescer muito, que não tem nenhuma dessas lojas nas redondezas, e a Galeria Menescal é o melhor ponto comercial de Copacabana. Pensa bem, Kleber, morar naquele apartamento maravilhoso, ir à praia, aos cinemas de Copacabana..."

Na segunda-feira de manhã, Eva ligou para o corretor Guedes para fechar negócio. Eles se mudariam para o Bairro Peixoto em uma semana.

Dois anos depois, na loja de doces e salgadinhos da Galeria Menescal, Eva conheceria o delegado Danilo Noronha, da 12ª DP, seu futuro amante.

Cartas na mesa

Enquanto Zé Roberto sofria na praça, no apartamento 714 do 236 da avenida Copacabana, o delegado Noronha tomava um uísque Mansion House, fumava um cigarro e saboreava a espera por Eva.

Pouco depois ela chegou, entrou apressada e nervosa como sempre, abraçou-se a Noronha e enfiou a cabeça nos seus ombros, ofegante. Estava linda, meias de náilon pretas transparentes, com aquela costura fina que ia do calcanhar ao alto da coxa e enlouquecia o delegado. Sentaram-se na cama, ela tirou os óculos escuros, soltou o cabelo, abraçou-o e beijou-o avidamente como se fosse pela última vez.

"Meu amor, meu amor, que saudade", ela balbuciava entre as línguas que se enrolavam.

Estava perdidamente apaixonada. Queria se separar do marido para ficar com ele. Eva estava disposta a se desquitar do coronel Kleber, já tinha até consultado um advogado, viveria e criaria os filhos às próprias custas — e muito bem, porque a Bom Bocado dava lucros que cresciam a cada mês. Não precisava do coronel para mais nada.

Moraria sozinha com os filhos, e ela e Noronha teriam um ninho de amor tranqüilo em algum outro lugar, sem os sobressaltos e culpas da clandestinidade, à luz do dia. Poderiam ir à praia juntos, se beijar nos cinemas, beber chope nos bares da orla, como apenas mais um casal de Copacabana. Quando os filhos saíssem de casa, se casariam e viveriam juntos, felizes para sempre.

Depois de três meses de paixão incandescente, os sonhos de amor de Eva foram se transformando em uma ameaça para Noronha.

O delegado vivia com a mãe doente, sempre deitada ou na cadeira de rodas, Eva compreendia que ele tinha de cuidar dela. Mas não sabia de suas dificuldades para romper uma história de quatro anos turbulentos com Carmita, uma argentina ex-girl de teatro de revista, feroz e escandalosa. E uma trepada diabólica, que era o que ainda os ligava.

Todas as vezes que tentara terminar com ela, Noronha teve que ouvir — junto com a vizinhança — uma torrente de xingamentos, acusações e ameaças. Uma vez partiu para cima dele com uma faca de cozinha. Outra jogou-lhe um vaso de flores na cabeça, provocando-lhe um corte profundo na testa. Na última tentativa, tomou uma caixa de comprimidos para dormir e foi salva por uma lavagem estomacal urgente no hospital. Pior: desconfiava seriamente que ele estava tendo um caso com alguém. Era louca o bastante para segui-lo ou até para contratar um detetive particular.

"Não adianta se esconder, seu canalha, quando eu encontrar essa vagabunda vou acabar com ela", ameaçava pelo telefone.

Eva estava muito nervosa, cada vez mais. Entregava-se ao sexo com sofreguidão desesperada. Não suportava mais a situação, não agüentava sequer olhar para o marido, sentia náuseas ao dividir a cama com ele, que parecia estar impotente e não a procurava havia mais de um ano. Se o fizesse, ela vomitaria.

Estava decidida. Pronta para enfrentar o marido e os filhos, parentes e amigos. Já tinha contratado um advogado para fazer o pedido de separação de corpos e em seguida a petição do desquite. Aquela seria a última vez que se encontrariam escondidos.

Noronha tomou mais um uísque, acendeu mais um Hollywood e continuou silencioso, ouvindo um sonho transformar-se em pesadelo.

Ela acabou de se vestir, abriu a bolsa e lhe ofereceu um brigadeiro.

Zé Roberto não tinha nenhuma experiência com cartas em geral e muito menos anônimas. Seguiu as instruções de Bombril e, com a mão esquerda e em letra de fôrma, para disfarçar, rabiscou penosamente:

"Tua mulher te trai. Av. Copacabana, 236 ap. 714. Carro — DF-3879."

Bombril mandou acrescentar, com um tom irônico que o filho-da-puta não percebeu:

"Um amigo."

Zé Roberto escreveu, lambeu a cola do envelope, fechou e amassou-o com a palma da mão contra a mesa, como se quisesse torná-lo inviolável para sempre.

Bombril pegou o envelope e escreveu ele mesmo com a mão esquerda e letra de imprensa: "Coronel Kleber Ferreira — confidencial".

"Pronto, agora você enfia na caixa de correio quando ninguém estiver vendo, na hora do jantar é mais seguro, está todo mundo em casa. Você desce até a portaria, solta a bomba e volta."

Zé Roberto enfiou a carta no meio de um livro grosso de Matemática e saiu, Bombril foi para o seu quarto. Sentou-se na cama de baixo do beliche e escreveu com a mão esquerda, disfarçando a letra:

"Cuidado. Seu marido já sabe de tudo."

Fechou o envelope com fita durex e enfiou-o dentro da pasta de couro entre cadernos e livros. No colégio, pediria a alguma colega de confiança, Tininha ou Jandira, para entregá-lo na loja de doces. Teriam de jurar não dizer nem sob tortura quem o enviara.

Jantando na copa com a mãe, Bombril ouviu a voz de Zé Roberto na sala de jantar dizendo que precisava ir até a casa de um vizinho devolver um livro e voltava logo. E ouviu seu tropel escada abaixo.

Zé Roberto voltou pela porta dos fundos, se trancou no quarto e não saiu mais.

De manhã, Nazaré pediu para Bombril comprar o pão, o leite e o jornal e trazer a correspondência. Quando voltou, o coronel e dona Eva já estavam acordados, Marina esperava Zé Roberto sair do banheiro para escovar os dentes, Nazaré fazia o café. Tudo com a água de baldes e panelas espalhados na cozinha e nos banheiros: há dois dias as torneiras estavam secas em Copacabana. A falta d'água e a precariedade dos telefones — às vezes levava-se até cinco minutos para conseguir uma linha — eram as grandes pragas do Rio de Janeiro. Bombril colocou o maço de cartas na mesa posta para o café-da-manhã. Ficaria por perto e atento para não perder a cara do coronel quando lesse a carta-bomba.

Para frustração de Bombril, o corno estava atrasado e levou a correspondência para ler no trabalho. Bombril só veria o capítulo seguinte da novela depois das aulas.

Na sala dos professores do IME, o coronel Kleber colocou o guarda-pó branco e, enquanto tomava um cafezinho, começou a abrir a correspondência com uma espátula de metal, entre um cumprimento e outro a colegas que chegavam.

A xícara lhe caiu da mão e o café se espalhou sobre o guarda-pó imaculado quando leu a carta anônima. Com a mão trêmula, recolheu a xícara vazia do colo e colocou-a na mesa, alguém perguntou: "o senhor está bem, coronel?", mas sua vista se turvou e ele não viu ninguém, apenas ouviu uma voz distante, como um eco. Tocou a sineta, como um alarme de incêndio dentro de sua cabeça.

"O senhor está se sentindo bem, coronel?", era o major Ramos, professor de Física, que com a mão em seu ombro perguntava.

"Estou bem, foi só uma tontura", Kleber agradeceu a atenção e disse que ia trocar o guarda-pó e seguir para a sala de aula. Foi então para o banheiro, onde chorou copiosamente de raiva e abandono. Começou a aula com a voz embargada e os olhos vermelhos e inchados por trás das lentes dos óculos de aros de tartaruga.

De volta à sala dos professores, desabou numa poltrona. Lindalva, a moça do cafezinho, entrou com seu carrinho e ofereceu-lhe uma xícara, toda sorridente como sempre. E se espantou com a palidez e os olhos inchados do coronel.

"O senhor está bem, coronel, está precisando de alguma coisa?", perguntou solícita. Ele respondeu em voz baixa:

"Obrigado, Lindalva, é que hoje eu perdi uma pessoa muito querida."

"Meus pêsames, coronel, vamos rezar por essa alma."

Depois de três aulas teria um tempo livre, faria uma caminhada nas redondezas do IME, pela Urca e a praia Vermelha, para esfriar a cabeça. O momento era grave, exigia decisões firmes, que precisavam de provas. Ele não teria coragem de segui-la, de tocaiá-la naquele endereço, não saberia fazer isto, poderia ser descoberto, seria uma vergonha ainda maior.

Mas talvez fosse tudo mentira, alguém que quisesse difamar Eva por algum motivo obscuro. Talvez uma empregada despedida, como a letra horrorosa da carta parecia indicar, talvez a vingança de um aluno reprovado. Ou inveja de algum colega preterido nas promoções. De certo, só sabia que não poderia resolver aquilo tudo sozinho. Comprou o jornal, foi ao caderno de classificados e na seção de serviços encontrou o anúncio da Agência Tigre — Investigações Particulares Sigilosas. Entrou num botequim e pediu um cafezinho e o telefone.

Voltou para dar a última aula e depois saiu apressado para se encontrar com o detetive Eládio Vasquez num restaurante discreto em Botafogo. Mostrou-lhe a carta, respondeu negativamente a todas as suspeitas de infidelidade levantadas pelo investigador, ofereceu suas hipóteses de vinganças contra ele ou a mulher, insistiu que o mais provável era ser tudo mentira, intriga, mas queria botar as coisas em pratos limpos. Até mesmo para não continuar com aquelas suspeitas que estavam atrapalhando sua vida familiar.

O experiente detetive já tinha ouvido aquela conversa muitas vezes e sabia que a maioria absoluta dos casos terminava mesmo em chifres. O que fazia a diferença era a maior ou menor dificuldade no flagrante, na obtenção das provas, havia mulheres e maridos infiéis que eram verdadeiros artistas da dissimulação, com esconderijos inacessíveis e álibis quase perfeitos. Aquele pobre milico era apenas mais um.

Vasquez fez mais algumas perguntas sobre hábitos da esposa suspeita, horários, amizades, atividades.

"O senhor tem notado alguma diferença no comportamento dela ultimamente?"

O coronel negou, mas em retrospectiva se deu conta de que ela tinha cortado os cabelos, começara a fazer ginástica, comprara roupas novas e dera presentes para todos da casa, inclusive Nazaré e Bombril, sem que fosse Natal ou aniversário de alguém; que tinha mesmo o ar de felicidade das adúlteras que o detetive insinuara calhordamente em sua pergunta, embora Eva atribuísse tudo ao sucesso da loja de doces. Ela e a sócia estavam até pensando em abrir uma filial em Ipanema. Talvez a carta fosse inveja de uma concorrente. Quem sabe até da sócia, para que ele a proibisse de trabalhar e assim ela pudesse ficar com a loja só para si.

Combinou o preço, pediu um desconto e assinou um cheque com o sinal.

Terra à vista

Três meses antes, quando Eva e Noronha se descobriam e se deliciavam com seus primeiros encontros, numa luminosa manhã de agosto, um transatlântico da Delta Line cruzava a barra da baía de Guanabara. A jovem americana no convés estava tão contente que parecia alguém voltando para casa. Caroline via o Rio de Janeiro pela primeira vez.

Era a filha adolescente do novo adido militar-adjunto da Embaixada Americana no Brasil, o coronel Francis W. Simon, que falava português fluentemente, embora com sintaxe e sotaque lusitanos, por conta de seus três anos em Lisboa, durante a guerra, trabalhando para os serviços de inteligência militar sob a cobertura de funcionário da embaixada. Ele também estava feliz de voltar ao Brasil, onde estivera algumas vezes em missões especiais, a última delas seis anos antes, durante a crise política que levara ao suicídio do presidente Getúlio Vargas.

Há quase um ano Simon estava designado pelo Departamento de Estado para o posto na capital brasileira. Mas divergências na Casa Branca sobre a política americana para a região levaram ao adiamento de substituições nas embaixadas em países da América Latina. Melhor para Caroline, que teve bastante tempo para aprender português com um jovem estudante brasileiro, recomendado por um amigo do coronel no consulado brasileiro e contratado para dar aulas à sua filha. De segunda a sexta, às cinco da tarde, no escritório da casa de estilo espanhol em Brentwood, 5 dólares por aula.

Eduardo Ribeiro tinha 21 anos, era estudante do curso de cinema da UCLA, um rapaz culto e educado que falava excelente inglês. O coronel não poderia ter feito melhor escolha, um jovem da geração de Caroline, com muitos interesses em comum, não só tornaria mais fácil e agradável o aprendizado como poderia ensinar muito a ela sobre o Brasil, esse estranho e fascinante país, onde o coronel secretamente acalentava o sonho de se aposentar. Bebendo caipirinha, jogando voleibol na praia, fazendo pesca submarina, cercado de morenas estonteantes.

Em seis meses, Caroline falava um português mais do que razoável, com sotaque carioca carregado, como quem morasse no Rio há muito tempo. Os muito jovens aprendem muito rápido, e para tornar as aulas divertidas Eduardo levava discos, ensinava novas palavras e gírias com as letras das músicas de carnaval e de Ary Barroso, Dorival Caymmi e Noel Rosa. Mostrava-lhe as revistas *O Cruzeiro* e *Manchete*, cheias de fotos das praias do Rio de Janeiro, que pareciam em eterno verão, onde surgiam as primeiras jovens audaciosas com maiôs de duas peças, até então vistos apenas nos teatros de revista e no carnaval.

Caroline ansiava pelo seu primeiro carnaval. Queria ir ao banho de mar à fantasia na praia de Copacabana, ao baile do Teatro Municipal, do Hotel Quitandinha, queria ver os concursos de fantasias, as escolas de samba, e sair nos blocos de sujos no centro da cidade, se fantasiar de pirata e cantar e dançar aqueles sambas e marchinhas esfuziantes que ouvia nos discos de Eduardo, saber que cheiro e que efeito maravilhosos tinha a tal da lança-perfume.

Uma noite foram ao drive-in para ver um filme passado no Brasil, *Black Orpheus*, dirigido por um francês e estrelado por dois negros belíssimos, um brasileiro e uma americana. Era uma adaptação para o morro carioca do mito grego de Orfeu e Eurídice. Eduardo amou as músicas e seu coração bateu mais forte com as imagens luminosas do Rio de Janeiro. A favela colorida e festiva, a visão deslumbrante da cidade a seus pés, a alegria e sensualidade da escola de samba, as praias, o ritmo irresistível das músicas, a trágica história de amor, tudo envolveu Caroline de tal forma que ela não saiu da sala e obrigou Eduardo a assistir a uma outra sessão em seguida.

Caroline voltou para casa eufórica, cantarolando trechos de músicas e conversando em português com Eduardo. Assim que entrou, disse ao pai com vibrante sinceridade:

"Estou louca de saudades do Brasil."

Lá estava ela, ao vento fresco do amanhecer, no convés do navio que entrava apitando na baía de Guanabara, o Pão de Açúcar, o Cristo Redentor, um DC-3 levantando vôo do pequeno aeroporto à beira-mar, os morros de veludo incrustados de barracos de madeira, envolvendo a cidade sob a luz intensa dos trópicos.

Com 17 anos recém-completados, Caroline se sentia uma adulta, uma desbravadora, uma aventureira prestes a iniciar sua grande aventura em terra estranha.

Na cabine, o coronel dormia. Ao contrário da filha, estava cansado de aventuras. Decidira vir de navio para descansar de um ano exaustivo entre Berlim, Zurique e Genebra, às voltas com infiltrações soviéticas nas forças da OTAN, que lhe renderam uma promoção, mas custaram a perda de um querido e antigo companheiro, além de um tiro na coxa direita, que ainda o fazia mancar discretamente. Com um pouco de repouso, fisioterapia e natação logo estaria em plena forma. Simon estava muito bem para seus 43 anos, os cabelos prateados e cortados bem curtos lhe davam um ar maduro e respeitável que combinava com um militar de carreira viúvo e pai de uma bela adolescente. Além de despertar grande interesse nas mulheres a bordo.

Simon falava várias línguas, havia morado em diversos países, tinha muitas histórias para contar. Gostava de cultivar amigos, era parte de seu trabalho seduzir e ganhar a confiança das pessoas, o que fazia com grande competência e prazer, especialmente com as mulheres. Talvez por isso continuasse viúvo, havia mais de seis anos, e não pensasse em casar de novo.

Caroline não reclamava, pelo contrário, filha única, com a morte da mãe, ocupara todos os espaços da casa e do afeto do coronel com desenvoltura. Enquanto o pai esteve na Europa, ficou sozinha em Los Angeles com uma governanta inglesa. Levava uma vida de princesinha, com uma liberdade que raras garotas de sua idade poderiam desfrutar. E agora, finalmente, o Brasil.

O coronel acordou alegre e bem-disposto, devorou um farto *breakfast* no estilo americano, com ovos, bacon e panquecas, acendeu um Lucky Strike e foi para o convés. Antes que colocasse os óculos escuros, a luz dos trópicos ofuscou-o por alguns segundos, fechou os olhos instintivamente e lentamente os abriu. Através das lentes verdes do ray-ban, foi invadido pela imagem deslumbrante do mar azul e das ilhas verdejantes do Rio de Janeiro brilhando ao sol de primavera.

Tanta luz e beleza eram a moldura perfeita para a figura esguia de sua filha debruçada sobre a amurada da proa, com os cabelos ruivos e cacheados esvoaçando ao vento, envolvendo sua cabeça em uma névoa avermelhada. De bermuda quadriculada, suéter bordô da Brentwood High School e mocassins, balançava a cabeça com um rádio de pilha colado ao ouvido e nem notou a aproximação do pai.

O tijolinho falante era a maior novidade tecnológica do momento, seu brinquedo mais querido, que ela levava para onde fosse. Caroline sintonizou o rádio numa emissora que tocava um samba suave mas muito ritmado, com uma linha melódica sinuosa e um cantor com um jeito diferente de cantar. Ver aquela paisagem, ouvindo aquela música, aquele ritmo de violão, a voz doce e suave daquele cantor que, lembrou-se, tinha ouvido em *Black Orpheus*, parecia um filme, era mais do que um filme.

"Good morning lovely princess", o coronel precisou repetir para que Caroline ouvisse e se virasse para ele sorridente. Tirou o rádio do ouvido e aproximou-o do pai para que ele ouvisse o finzinho da música e o locutor anunciando:

"Ouvimos, com João Gilberto, *Chega de Saudade*, de Antonio Carlos Jobim e Vinicius de Moraes, na Rádio Tamoio, são 7h15 no Rio de Janeiro."

No Cadillac preto da embaixada, saíram do Cais do Porto, na praça Mauá, atravessaram toda a imponente avenida Rio Branco, com suas calçadas de pedras portuguesas, seus prédios de arquitetura européia elegante, cruzaram transversais estreitas e seus velhos sobrados, chegaram ao obelisco em frente ao mar da baía de Guanabara, com o Senado ao lado e o Pão de Açúcar ao fundo.

Durante todo o trajeto, Caroline gostava de tudo que via e comentava entusiasmada, o coronel sorria. Seguiram pela avenida Beira-mar, passaram pelos jardins exuberantes do Passeio Público e da praça Paris, tomaram a praia do Flamengo e a enseada de Botafogo rumo a Copacabana, onde morariam pelos próximos quatro anos. Ou talvez pelo resto da vida.

Esperava-os uma ampla casa de dois andares de arquitetura modernista, numa rua calma e sem saída do Bairro Peixoto, que não era um bairro, mas uma área de uns vinte quarteirões, com pequenas ruas arborizadas em volta de uma grande praça de terra batida cheia de palmeiras e bambus, um oásis de casas e pequenos prédios residenciais de três andares, à margem das avenidas fervilhantes cheias de lojas e os edifícios altos de Copacabana. Como uma pequena cidade do interior incrustada na grande metrópole que vivia seus últimos dias como capital da República.

Quando o carro se aproximou, o grupo de garotos parou de jogar futebol na rua em frente à casa. Eram seis adolescentes, só um deles negro, todos sem camisa, que jogavam com uma bola de borracha e os "gols" riscados a giz no asfalto. A casa era uma construção moderna, toda branca, com grandes janelas e portas envidraçadas dando para um jardim com palmeiras e bananeiras e uma piscina, acanhada para os padrões da Califórnia, mas que Caroline sabia ser uma raridade no Rio de Janeiro. Afinal, com tanto mar, quem precisava de piscinas?

Quando Caroline saiu do carro, com suas pernas longas e bronzeadas da piscina do navio, sua cabeleira ruiva e seus peitões pulsando sob o suéter, os garotos contiveram qualquer comentário ou exclamação e apenas se entreolharam, embasbacados. Ainda mais depois que a empregada da casa se adiantou para pegar as malas e saudou o novo patrão, "Bom-dia, coronel Simon", e ele respondeu com simpatia e um forte sotaque estrangeiro.

Militar e gringo, uma combinação que recomendava cautela absoluta. Voltaram ao futebol, mas pareciam desinteressados da bola e distraídos das jogadas, entre olhadas furtivas em direção à casa e sua nova moradora. Caroline atravessou o jardim, parou à porta, virou-se para a rua e acenou sorridente para os garotos, com seus dentes branquíssimos e seus olhos verdes. Assim que ela entrou, os garotos comemoraram como se fosse um gol.

Zé Roberto, Bombril, Ratão, Boi e os irmãos Rolando e Ronaldo, conhecidos como Gordo e Magro, respectivamente, ainda jogaram mais um pouco, sem muito ânimo. Depois vestiram as camisas, pegaram as pastas que estavam amontoadas na calçada e, suados e excitados, tomaram o rumo de suas escolas. Diferente dos Estados Unidos, as aulas no Brasil começavam ao meio-dia e iam até as cinco e meia da tarde.

Ratão era filho único de Dagmar e nunca conhecera o pai. Moravam na favela da Babilônia e ela lavava e passava as roupas da família Ferreira e de outras no bairro. Quando pequeno, Ratão era chamado de Ratinho no morro e no Bairro Peixoto, para onde sua mãe o levava quando passava os dias lavando e passando para as famílias da área. Os dois dentinhos para a frente, as orelhas grandes, os cabelos e sobrancelhas louros quase brancos, lhe davam o indiscutível aspecto de um camundongo, um rato branco de laboratório.

Com 16 anos e quase 1,90m, não poderia mais ser chamado de Ratinho. O nariz crescera desmesuradamente e, pior, as orelhas também, os lábios engrossaram, as mãos ficaram enormes, desproporcionais aos braços longos e finos. Ratão — que se chamava José Ribamar — era teoricamente um albino, apenas com estranhos cabelos lisos, talvez herança das origens indígenas do pai que ele não conhecera. Dagmar lhe dizia que o pai era filho de um cacique que voltara para a selva, mas o mais provável é que fosse um caboclo maranhense sedutor, porteiro de um edifício vizinho à Babilônia, por quem ela se apaixonara perdidamente 17 anos atrás e que voltara para o sertão, deixando-a com o futuro Ratão no bucho.

Ratão penteava os cabelos para trás, colados à cabeça com muita brilhantina e, para piorar, deixou crescer um bigode branco e ralo, que lhe descia pelos cantos da boca e o fazia ainda mais parecido com um enorme rato falante e mal desenhado.

Boi se chamava Ferdinando, odiava seu nome e amava seu apelido, era filho de seu Walter e dona Berta Mayer, imigrantes judeus-austríacos que começaram com uma loja de tecidos em Friburgo e prosperaram com filiais no centro da cidade, em Botafogo e Copacabana. Moravam em uma das maiores casas do Bairro Peixoto, com um terreno grande o bastante para abrigar o sonho de consumo máximo de qualquer adolescente brasileiro — um campo de futebol de verdade, gramado verdinho, com balizas e redes, e até um barraco de madeira que servia de vestiário. Aos sábados e domingos jogava-se de manhã à noite, com seis jogadores de cada lado, seis ou sete partidas entre times de colégios e de clubes de Copacabana e muitos de futebol de praia, como os populares Radar e Copaleme. Boi era uma anta, mas boa gente, e seu irmão mais velho, Franz, o Chico, era metido a galã, mas jogava muito bola.

Os gêmeos Rolando e Ronaldo, um gorducho e o outro magrelo, eram da ilustre família Souza Mello, dinastia fundada por um comerciante de escravos que depois da Abolição fez fortuna como fazendeiro, se tornou político influente e corrupto e teve sua imensa herança dilapidada por várias gerações de descendentes preguiçosos e incompetentes como Roberto Augusto, pai dos gêmeos e marido de Lícia, uma baiana de forte ascendência africana. A família vinha passando por dificuldades nos últimos anos e havia se mudado de um palacete na rua São Clemente para uma casa mais modesta, embora uma das maiores, do Bairro Peixoto, mas ainda tinha motorista, conservava os filhos nos melhores colégios e freqüentava o Country Club, em Ipanema.

O Gordo e o Magro tinham a pele bem morena, os cabelos pretos e rebeldes, a custo domados pelo fixador Gumex. Nos Estados Unidos, por qualquer critério, seriam considerados "negros", mas no Brasil, Caroline nunca entenderia por quê, ninguém ousaria dizer que não fossem "brancos", branquíssimos, o creme da nata. Os gêmeos se comportavam como principezinhos, fazendo a concessão de jogar bola com filhos da plebe.

Naquele estranho país mestiço, o dinheiro conseguia até embranquecer a pele das pessoas, se surpreenderia Caroline, que tinha amigos negros na Califórnia, alguns até de pele mais clara que a dos gêmeos, e sabia como eram segregados e humilhados na escola, nos ônibus, nos restaurantes e em hotéis. Imaginava como reagiriam os aristocráticos Ronaldo Augusto e Rolando Sérgio de Souza Mello se fossem mandados para o lugar reservado aos negros no ônibus.

Assim que entrou na sala, Caroline ligou a televisão em preto-e-branco e viu que só pegava dois canais com imagem trêmula, com os mesmos desenhos animados que passavam na Califórnia de manhã: Pernalonga, Tom & Jerry, Piu-Piu e Frajola. Desligou-a imediatamente. Não tinha mais idade para aquilo. Caroline ainda não sabia que a sua, uma GE de 21 polegadas num móvel de madeira escura, era uma das poucas televisões do Bairro Peixoto, onde a maioria dos residentes desenvolvera o hábito de, depois do jantar, ver televisão na casa do vizinho.

Chamavam-se, carinhosamente, de televizinhos, uma recente instituição carioca. Traziam bolos e salgadinhos, café e biscoitos, comentavam os programas, fofocavam sobre a vizinhança, tornavam-se uma extensão da família. A chegada de um novo aparelho de televisão no bairro era celebrada com alegria e festa pela família felizarda — e pela vizinhança.

Bombril era um televizinho especial, morava com a mãe no quarto de empregada e assistia à televisão na sala com o coronel Kleber, dona Eva, Zé Roberto e Marina. Sua mãe não gostava de televisão, dizia que lhe dava dor de cabeça, preferia as novelas e programas de auditório da Rádio Nacional. Bombril vibrava com as transmissões de jogos de futebol no Maracanã, adorava o musical *Caboclo Aponta o Sucesso*, o *hit parade* semanal patrocinado pelo Café Caboclo, com as grandes estrelas do momento, e principalmente os *Espetáculos Tonelux*, estrelado por vedetes como Angelita Martinez e Virginia Lane, apresentando *sketches* cômicos e belas mulheres de pernas de fora em números de teatro de revista.

Caroline saiu do banho e se olhou nua no espelho, fez uma pirueta como as que fazia como *cheerleader* do time de basquete da UCLA, aumentou o rádio e começou a dançar ao som de um samba sincopado. A luz da manhã invadia o quarto e iluminava o esplêndido corpo bronzeado em movimento. Na janela do banheiro de empregada, de onde via a varanda e o quarto de Caroline, Bombril escovava os dentes e não acreditava no que via.

Ele nunca tinha visto uma mulher nua de verdade, nem de longe, a primeira fora em uma revista sueca de "naturismo" que Zé Roberto comprara no centro da cidade. Pacatos homens e mulheres nórdicos posando em praias e florestas, nus em pêlo, com absoluta naturalidade, sem qualquer vergonha, malícia ou sombra de sensualidade. E ainda por cima a revista era impressa em azul e branco, que piorava ainda mais a já precária definição das fotos. Mesmo assim rodou de mão em mão e endureceu vários paus adolescentes. Volta e meia Zé Roberto se trancava no banheiro com ela.

Depois foi o Magro que apareceu com uma revista inglesa, que um primo lhe trouxera. Era bem impressa em preto-e-branco e papel brilhante, algumas mulheres eram bonitas e outras medonhas, mas todas estavam nuas e faziam poses voluptuosas para a câmera, mostrando peitos e coxas mas, por uma estranha forma de censura britânica, com os pentelhos e as bocetas apagados com borracha ou tinta, deixando-as completamente lisas, o que lhes dava um aspecto de bonecas de louça, sem nada entre as pernas.

Muito melhores que essas fotos eram os "catecismos" de Carlos Zéfiro, histórias em quadrinhos pornô vendidas escondido por jornaleiros, que faziam a alegria e o prazer dos adolescentes cariocas. Mas melhor do que tudo era o que Bombril estava vendo, de olhos arregalados, com a escova de dentes imóvel em uma mão e o pau latejando na outra.

Foi o primeiro a chegar para a pelada que a turma jogava todo dia antes das aulas, na rua sem saída onde moravam os Simon. Logo em seguida o Gordo chegou com a bola de borracha, o Magro estava de castigo em casa, iria direto para a escola. Ratão apareceu arrastando os pés enormes, acendendo um cigarro e reclamando dos tapas que levara da mãe, que o pegara fumando. Começaram a bater bola, dando chutes ao gol, que era a porta da garagem da casa de Caroline, com o Gordo de goleiro, já que era incapaz de dominar e chutar uma bola.

Quando a porta se abriu e Caroline apareceu, a bola parou, todos olharam, ela sorriu e caminhou em direção a eles:

"Bom-dia, eu sou Carol, a nova vizinha de vocês", disse com fluência e um sotaque carioca exagerado, pronunciando "Caróu" em vez de "Quérol", "muito prazer, eu sou americana da Califórnia, meu pai trabalha na embaixada e eu adoro o país de vocês."

Cumprimentou um a um, com um aperto de mão firme e um sorriso. Cada um se apresentou com seu nome verdadeiro, mas os outros logo gritavam o seu apelido e Carol ria. Último da fila, Bombril se apresentou direto com o apelido, tirando a gozação da boca dos outros garotos.

"Muito prazer, Bombril, bem-vinda ao Bairro Peixoto."

De perto era ainda mais bonita, de blusa branca, saia xadrez, meias cinza até o joelho e sapatos pretos, uniforme do Colégio Jacobina, era inesquecível sua imagem dançando nua no quarto, nos olhos de Bombril as duas se misturavam.

O colégio do Gordo ficava a poucas quadras do de Carol e ele imediatamente convidou-se a acompanhá-la. O ponto do bonde era na Siqueira Campos, ele explicou, atravessava o túnel Velho, passava pelo cemitério São João Batista e, em 15 minutos, os deixava na esquina de Voluntários da Pátria com Real Grandeza, a três quarteirões do colégio. Carol agradeceu, mas, como era seu primeiro dia de aula, tinha que chegar mais cedo para apresentar alguns documentos na secretaria, o pai a levaria de carro. No dia seguinte, iria com ele.

Bombril invejou o Gordo mas ao mesmo tempo tranqüilizou-se, o balofo ruim de bola não era concorrente, inveja teria ele se soubesse da janela do banheirinho apertado no apartamento do coronel Kleber.

A empregada abriu a porta da garagem e o coronel Simon, de terno cinza e óculos ray-ban, saiu dirigindo um Bel Air zero quilômetro, exalando aquele cheiro delicioso de carro novo, azul-turquesa e branco, com o estofamento de couro vermelho, um estouro! Carol entrou no carro, acenou para os garotos e o bólido futurista arrancou.

O Gordo voltou para o gol e a linha de passe continuou. Bombril recebeu a bola de Ratão, matou no peito com elegância, fez duas embaixadas com as coxas, deixou rolar para a perna direita e desferiu um petardo mirando não a meta mas o saco do Gordo, desrespeitando o acordo de "não vale bomba" exigido pelo goleiro — e dono da bola. Com o Gordo contorcendo-se em dores e xingando Bombril de crioulo filho-da-puta para baixo, a linha de passe acabou e cada um tomou o rumo de sua escola.

De volta para casa no fim da tarde, tomaram banho, nem todos, e se encontraram, como todos os dias, na praça. A base era nos bancos em frente ao bambuzal, próximos à carrocinha de Bené, onde as meninas vinham comprar pipoca. Quem os via pensava em jovens leões de tocaia no poço onde as gazelas bebiam água. Andavam de um lado para o outro, explodindo de testosterona, desferiam olhares desnudadores não só às garotas mas também às jovens mães e babás que ainda estavam na praça com suas crianças. Naquela tarde-noite, como diziam os locutores de futebol no rádio, só se falou de Carol.

Uma bela amizade

De volta da escola, Carol contou entusiasmada para o pai o seu primeiro dia de aula. Gostou das professoras, as meninas foram simpáticas com ela, algumas brincaram com o seu sotaque e se divertiram ao ouvi-la falar as gírias que aprendera com Eduardo.

"Sou gringa mas não sou otária, morou?", repetiu para o pai, integrando a cadência da malandragem carioca ao seu sotaque californiano.

O coronel se divertia com a alegria da filha, ele também tivera um primeiro dia adorável na embaixada, muito pela graça e simpatia das funcionárias, tanto americanas como brasileiras, e apesar da chatice do embaixador.

Algum dia, provavelmente quando ele se aposentasse, preferencialmente no Brasil, Carol saberia das atividades misteriosas que ocuparam boa parte da carreira de seu pai. Por enquanto era melhor para ela, mais seguro, que se acreditasse filha de um militar de carreira honesto e competente, que prestava grandes serviços ao seu país e merecia todo o orgulho que ela sentia por ele.

Depois do jantar, Carol subiu para seu quarto, escovou os dentes, vestiu uma camisola curta cor-de-rosa e abriu uma grande caixa de madeira cheia de LPs e *singles* de 45 rotações. Para colocar os disquinhos, que tinham um grande furo no centro, pôs o adaptador — um cilindro de plástico grosso — no pino central do toca-discos e empilhou vários *singles*, por ordem de novidade, começando pelos últimos que comprara em Los Angeles: *Let's Twist Again* e *Peppermint Twist*, com Chubby Checker, a dança do momento. Depois o novo ritmo que vinha do Caribe com o jamaicano Harry Belafonte, o calipso *Banana Boat Song*, em seguida a sensação dançante *La Bamba*, com o chicano Richie Valens. Depois da série de novidades dançantes, dois sucessos românticos de novos ídolos da juventude, o rock-balada *Diana*, com o canadense Paul Anka, e *Love Letters in the Sand*, com o bom-moço Pat Boone. O rock and roll de Elvis Presley e Bill Halley, que ela detestava, parecia velho e distante, uma moda que passara, que não tinha futuro.

Apertou o botão de play, aumentou o volume e começou a dançar, como se estivesse no Peppermint Lounge de Nova York, o templo do *twist* onde nunca pusera os pés, girando as pernas, os quadris e os ombros em frenética sincronia, com as pernas se alternando para a frente e para trás, o pé esfregando o chão como se esmagasse uma barata. Com o rebolado treinado pela prática intensiva do bambolê, Carol tinha muita facilidade para dançar o *twist*, o calipso e o latino, todas aquelas novas danças que exigiam quadris soltos, equilíbrio e ritmo. Enquanto rebolava com Chubby Checker, pensava que o bambolê também a ajudaria com o samba.

Pela janelinha do banheiro, com a luz apagada, Bombril olhou mais uma vez para o quarto de Carol, que continuava escuro. Até que finalmente se iluminou e a vizinhança ouviu a marcação de um ritmo de bateria e a voz de Chubby Checker convocando o público:

"Come on everybody, clap your hands..."

O ritmo cresceu, entraram piano, baixo e guitarra, o *twist* vertiginoso invadiu a noite silenciosa do Bairro Peixoto. O coração de Bombril bateu mais forte ao ver Carol dançando de camisola contra a luz que recortava sua figura, rebolando os quadris, girando as pernas, balançando o tronco para a frente e para trás na pulsação do *twist*. Era muito melhor que a televisão.

Durante 15 minutos, ela dançou sem parar, diante dos olhos arregalados e do pau intumescido de Bombril. Depois dos rebolados furiosos do *twist*, ondulou sensualmente os quadris com o calipso de Belafonte, balançou os peitos e sacudiu a bunda como as rumbeiras ao ritmo de *La Bamba* e, mal Paul Anka começou a cantar seu rock-balada, tirou um par imaginário para dançar e saiu rodando pelo quarto em seus braços invisíveis, exatamente onde Bombril se imaginava quando seus devaneios foram interrompidos pelas batidas vigorosas da mãe na porta do banheiro.

"Tá aí há meia hora, Ismael, tá fazendo o quê, menino?"

"Tô cagando, mãe, tô com uma caganeira danada."

"Da minha comida não foi, deve ser essa porcariada que você come por aí. Sai logo que eu tô apertada."

Com a voz doce e romântica de Pat Boone cantando *Love Letters in the Sand*, Carol imaginou-se escrevendo cartas de amor nas areias das praias do Rio, colou o rosto no do seu par e seu corpo ao dele, puxou-o para si, abriu os lábios e beijou o ar, Bombril explodiu em gozo tapando a boca com a mão para não fazer barulho.

Quando o coronel Kleber, incomodado com a altura — e péssima qualidade — das músicas, se preparava para descer e bater na porta do seu colega americano para exigir respeito, Carol desligou a vitrola e entrou no banheiro. Bombril imaginou-a tirando a calcinha, levantando a camisola, sentando-se no bidê e se entregando aos prazeres do chuveirinho — maravilha que não existia nos Estados Unidos, onde era considerado um instrumento não de higiene íntima mas de prazeres proibidos, um pecaminoso equipamento de bordéis, indigno de estar em qualquer banheiro de família.

O bidê, já no dia da chegada, fora uma das primeiras e mais prazerosas descobertas de Carol no Brasil. O jato de água morna massageando e acariciando seu grelo em poucos minutos a levara a um gozo intenso e delicioso, de uma maneira que ainda não conhecia. Tão logo seu corpo parou de tremer e sua respiração acelerada se normalizou, Carol abriu de novo o chuveirinho.

Bombril teve grande dificuldade em pegar no sono, rolava de um lado para o outro na cama de cima do beliche que dividia com a mãe no quartinho apertado e calorento. Carol se enfiou nos lençóis macios da grande cama de casal, aninhou seu corpo no colchão de molas e dormiu como um anjo, sonhando que estava no Brasil.

O coronel Kleber foi deitar irritadíssimo com o incidente da vitrola de Carol, já prevendo dificuldades futuras que poderiam colocá-lo em confronto com o seu colega de armas americano. Nacionalista radical, para ele era quase uma questão de soberania nacional, as Forças Armadas brasileiras não poderiam se curvar diante do imperialismo ianque. E de seu lixo musical.

Marina não gostava de televisão e estava lendo em seu quarto, deitada na cama só de calcinha, quando a música começou. Levantou-se num salto e foi para a janela, de onde conseguia mais ouvir do que ver o quarto aceso no outro lado da rua. Ouviu fascinada aqueles ritmos contagiantes, seu corpo tomado por uma irresistível vontade de dançar. O ângulo adverso e uma cortina lhe permitiam apenas ver uma sombra em movimento da garota americana de que tanto falara o Zé Roberto. Precisava conhecer logo aquela menina.

O coronel Simon ficou até tarde em seu escritório, com as portas envidraçadas dando para o jardim tropical iluminado, lendo informações confidenciais sobre o Brasil, sobre os políticos que estavam no poder e suas posições diante dos Estados Unidos. Como militar, ele era especialista em armamentos e tinha especial interesse em quem os vendia, quem os comprava e principalmente o que faria com as armas.

Os barbudos de Sierra Maestra haviam tomado Havana e derrubado a ditadura de Fulgencio Batista. Outros tiranos da América Central, apoiados pelos Estados Unidos, estavam ameaçados por movimentos revolucionários armados. Havia uma forte preocupação em Washington, quase uma paranóia, que Cuba fosse atraída para a órbita soviética e que a rebeldia se alastrasse para outros países da América Latina.

Mas isso não ameaçava o Brasil, avaliava Simon, onde um novo governo democrático estava modernizando o país e construindo uma nova capital no Planalto Central. Ao contrário do que dissera em Washington, relatando a presença de agentes do KGB e o crescimento do tráfico de armas na região para assegurar o posto que tanto ambicionava, o coronel Simon não tinha maiores preocupações quanto à influência soviética nos rumos do Brasil. O povo estava satisfeito com o governo, o país se modernizava vertiginosamente e parecia imerso em uma onda de otimismo. Conquistas esportivas, industrialização, novidades tecnológicas, vibrante cena cultural, os brasileiros pareciam estar apaixonados pelo futuro e pela democracia. Não haveria espaço para uma ditadura, avaliava, muito menos do proletariado. Além de tudo, o Brasil era muito católico, o maior país católico do mundo.

Na manhã do dia seguinte, Carol tomou um café forte e de aroma intenso, em nada parecido com o café aguado que tomava em Los Angeles. Adorou o pão doce com açúcar cristalizado e os sonhos recheados de creme que a empregada trouxera ainda quentes da padaria. Encontrou na inesperada doçura do suco de laranja-lima um sabor desconhecido e delicioso.

"Good morning, lovely princess", o pai beijou-lhe a testa, sentou-se e comeu seus ovos mexidos com bacon, suas panquecas com mel, bebeu seu suco de laranja, como se estivesse em Los Angeles, fez uma careta ao provar o café e pediu um chá.

Carol subiu para fazer os deveres da escola atrasados, ela perdera uma semana de aulas do segundo semestre. Antes de se sentar à escrivaninha, saiu à varanda de frente da casa.

Ao ver Carol na varanda, Bombril acenou-lhe com entusiasmo, ela sorriu e acenou de volta, os outros garotos abanaram as mãos e a bola voltou a rolar. Bombril ignorou os parceiros e fez uma série de embaixadas com os pés, joelhos, coxas, ombros e cabeça, arrematando com um chute de letra para o gol, que estourou na porta de metal da garagem com estrépito, tudo só para se mostrar para Carol. Ela aplaudiu com entusiasmo, deu um adeusinho a todos e entrou no quarto. Os garotos vaiaram e xingaram, Bombril sorriu feliz, e Marina viu tudo de sua janela.

De volta das aulas, Bombril entrou, beijou a mãe na cozinha, deixou a pasta cheia de livros e cadernos em cima da cama, tomou um copo de mate gelado e foi para a rua. Não para os bancos da praça em frente ao bambuzal, mas para o botequim, para estar por perto da casa de Carol quando ela estivesse chegando do colégio. Pouco depois a viu atravessando a praça e entrando na rua. Saiu do botequim e encontrou-a na esquina, como se estivesse passando ali por acaso. Cumprimentaram-se e seguiram caminhando em direção à casa dela.

"Não sabia que você era tão bom de bola, hein, Bombril? Gostei de ver! Me ensina?"

"Que é isso, Carol, futebol é jogo para homem."

"Não sei por quê, mulheres não têm pernas? Não têm pés? Cabeça? Então qual é o problema? Chutar uma bola?"

"Não é bem isso... é um jogo meio violento... de vez em quando sai porrada... tem muito palavrão... não é lugar de garotas."

"E eu lá tenho medo de palavrão? E de garotos? Já briguei muito e já bati bastante em muito garoto onde eu morava. Vinham para levantar a saia da gente e levavam logo um chute no saco."

Bombril estava espantado com a fluência e com a espontaneidade de Carol. E com a segurança que demonstrava. Realmente a menina era forte, tinha ombros largos, pernas e braços musculosos, devia ter mais ou menos a altura dele, 1,72m, mas parecia bem maior.

"Sempre joguei basquete no time do colégio e faço natação desde os 10 anos, ganhei muitas medalhas, fiz muita aula de dança, gosto de mexer o corpo, tenho muita energia para gastar", Carol explicava sua exuberante forma atlética.

Bombril olhava tanta saúde e vigor e acreditava que, tirando Ratão, é claro, Carol era capaz de encarar qualquer garoto da turma e dar-lhe umas boas porradas. Não, ele não se importaria de levar umas porradinhas dela, se depois ganhasse uns beijinhos de desculpas. De repente passou por sua cabeça de palha de aço uma idéia aterradora: e se ela fosse paraíba, mulher-macho, fanchona que gostava de mulher?

"Vamos fazer um trato: você me ensina a jogar bola e eu te ensino a falar inglês, topa?", propôs Carol sorridente, em frente ao portão de casa.

Proposta irrecusável. Seria uma moleza para ele ensinar a garota a jogar bola, ela não aprenderia nunca e logo desistiria. As aulas de inglês seriam um pretexto maravilhoso para estar sozinho com ela e aprofundar a amizade.

"Tá no ré", aceitou Bombril estendendo a mão.

Carol apertou a mão de Bombril e um calafrio percorreu a espinha do neguinho.

"Segundas, quartas e sextas depois do colégio a gente se encontra aqui em casa para a aula de inglês. Terças, quintas e sábados, você vem me ensinar a jogar bola. Tá no ré?", propôs Carol.

"Combinado. Amanhã a gente começa."

"Quer entrar para tomar um suco de laranja-lima? Um cafezinho?", convidou Carol abrindo o portão.

"Obrigado, tenho que ir para casa fazer um trabalho do colégio", se despediu Bombril, tentando disfarçar a euforia que se apossava dele, "amanhã a gente se vê."

"Até amanhã", se despediu Carol, "pode deixar que eu vou comprar uma bola de couro para nós, não quero essa porcaria de borracha que vocês jogam, parece bola de criança."

Bombril foi para a praça encontrar o pessoal, com o coração explodindo no peito, louco de vontade de contar para todo mundo, mas não disse uma palavra. Ficou só ouvindo Zé Roberto desfiando suas mentiras, o Gordo contando piadas sem graça, o Ratão reclamando da mãe, o Magro falando de um baile de formatura na Hípica, nunca os achou tão idiotas, tão crianças, tão chatos. Bombril se sentia um adulto ali no meio daqueles garotos metidos a machinhos, quase tinha pena deles.

Só falou quando Zé Roberto disse que a garota americana podia até ser bonita mas era muito musculosa, parecia uma machona.

"Machona é a puta que o pariu", reagiu instantaneamente Bombril, "tu não entende nada de mulher, fica falando só porque sabe que não leva chance com ela. Quem desdenha quer comprar."

"Olha só quem fala, logo quem nunca viu uma mulher nua de perto. Eu já comi a Lindaura, já fui várias vezes ao puteiro da rua Alice com meu pai, sei fazer uma mulher gozar. A mulher que tu conhece é só aquela argentina, a Palmita de la Mano", Zé Roberto debochava.

Todo mundo sabia que era mentira, ele nunca tinha ido a um puteiro, muito menos com o pai, mas era verdade que comera a Lindaura, uma garota do interior que trabalhava na casa do coronel. Mas comera à força, descabaçou a garota, que ameaçou fazer um escândalo, e dona Eva a mandou de volta para Macaé, com uma mala de roupas e três meses de salário na bolsa, exigindo silêncio e torcendo para não se tornar avó a contragosto. Embora condenasse severamente a atitude de Zé Roberto, o coronel puniu-o com apenas dois fins de semana de cana, sem sair de casa, mas intimamente se sentira orgulhoso do filho.

"Só porque sabe fazer uns truques com a bola, ele fica se achando o gostosão. Deixa de ser trouxa, meu chapa, para ela tu é um mico de circo e olhe lá", Zé Roberto tripudiou.

Bombril ferveu por dentro. Pensou em Carol dançando pelada em frente ao espelho. E sorriu.

Medo e mistério

Depois do almoço, Eva foi à Bom Bocado com Nazaré, levando duas grandes caixas cheias de casadinhos, quindins, brigadeiros, barquinhas de morango e olhos-de-sogra feitos pela manhã. Recebeu o envelope de Lucila, abriu, leu a terrível advertência e começou a chorar, com o papel tremendo nas mãos. Quando tentou esconder já era tarde, a sócia já tinha lido. Lucila puxou Eva para si, abraçou-a e consolou-a. Eva não sabia, mas ela também tinha um amante.

"Calma, amiga, calma, pode se abrir comigo, eu sou uma mulher experiente, você pode confiar em mim."

Eva contou tudo, aos soluços, tomando goles da água que a confidente lhe serviu. Poderia viver muito bem dos lucros da loja, a amiga a encorajou, e com o homem que amava, afinal ainda era jovem, estava com os filhos criados, tinha o direito de ser feliz.

"Tenho certeza de que ele não sabe, porque se soubesse me matava, eu conheço o Kleber. O melhor é entrar logo com o pedido de desquite, já falei com o advogado, prefiro resolver as coisas por bem", Eva tinha esperanças, Lucila nem tanto.

Foi até a loja de roupas vizinha e pediu para telefonar: "É rapidinho."

"Fique à vontade", a dona do telefone foi simpática.

Depois de esperar uma eternidade por uma linha, Eva ligou para a delegacia e pediu para chamar o Dr. Noronha. Deu seu próprio nome e o delegado atendeu imediatamente. Com a voz trêmula, pediu que ele passasse na galeria urgentemente, tinha acontecido uma coisa séria, se encontrariam em frente à sapataria. Noronha iria em meia hora, estava registrando uma ocorrência.

Para o investigador Vasquez, o caso parecia uma galinha morta, um tutu mole de ganhar. Tinha o endereço, a chapa do carro, só faltava uma fotografia do casal, se possível em ação. As ilusões do coronel não durariam muito. Com as fotos de Eva que o coronel lhe mandara por um recruta-mensageiro foi para o botequim em frente à pracinha esperá-la sair de casa. Aproveitou e telefonou para um amigo no Departamento de Trânsito e lhe passou a chapa do carro, logo saberia quem era o dono e seu endereço.

Eva saiu com uma negra forte, cada uma carregando uma grande caixa de papelão. Era mesmo uma coroa bem apanhada, com uma boa bunda e ótimas pernas, um bom bocado. E o coronel, coitado, sua experiência profissional lhe dizia que não estava mais dando no couro. Seguiu as duas a distância, atravessou a praça, percorreu dois quarteirões pela rua Anita Garibaldi até a Barata Ribeiro e viu-as entrar na Galeria Menescal. Eva ficou na loja e a empregada voltou para casa.

Com um jornal aberto e o pé apoiado na parede, Vasquez armou sua campana na entrada da galeria, com uma perfeita visão da loja de doces, onde Eva conversava com outra mulher, que deveria ser a sócia. Estava chorando e parecia muito nervosa. Depois saiu e entrou numa loja de roupas.

Voltou para a loja e meia hora depois viu Eva sair e se encontrar com um homem que a esperava na entrada da galeria. Ela mostrou-lhe um papel, ele leu e guardou-o no bolso do paletó. Seguiram apressados pela avenida Copacabana e entraram em uma confeitaria. Vasquez sentou-se a uma mesa ao fundo, não muito distante dos dois pombinhos e pediu um frapê de coco. Ela arrulhava sem parar, ele tentava acalmá-la.

Quando o delegado Noronha leu a carta anônima, sua intuição e sua experiência profissional lhe asseguraram que só poderia ser coisa de Carmita. Caralho, se a gringa tivesse descoberto tudo, a cobra ia fumar em castelhano. Esperava que ela estivesse desconfiada, jogando verde, blefando, tentando apavorar Eva e tirá-la do seu caminho no susto. Menos mal assim. Por tudo que conhecia de Carmita, se ela tivesse mesmo certeza, já teria informado ao marido da rival, dado uma surra na vagabunda e outra nele. Noronha vigiava nervosamente a porta, como se Carmita pudesse entrar a qualquer momento cuspindo fogo.

Tentou tranqüilizar Eva dizendo que deveria ser coisa de alguma vizinha invejosa, de uma fofoqueira, que não parecia algo sério, uma chantagem, uma ameaça. Eva estava nervosíssima e chorava muito, queria decidir tudo imediatamente, não agüentava mais a situação. Era tudo ou nada. Só voltaria a encontrá-lo quando o juiz da Vara de Família oficializasse a separação de corpos na ação de desquite.

"Aí nós vamos ser felizes, meu amor, não vamos ter mais que nos esconder", sussurrou para ele, com aquela boca carnuda e úmida que tirava seu sono. Noronha estava louco por Eva, não admitia a possibilidade de perdê-la, mas só pensava em Carmita. Maus pensamentos. Ela conhecia muitos policiais, todos naturalmente queriam comê-la, poderia convencer algum traidor, mediante compensação carnal, a informá-la sobre os passos de Noronha. Seria fácil para um profissional. E a polícia estava cheia deles, loucos para mostrar serviço para uma morena gostosa e fogosa. Carmita era mulher até para contratar um detetive particular. Todo cuidado seria pouco, estaria de olho vivo e faro fino.

Noronha entendera o recado de Eva: ou fode ou sai de cima. Estava fodido.

Deu toda a razão a Eva, lhe daria todo o apoio, o mais discretamente possível, é claro. Um marido corno — e fardado e armado — pode ser bastante perigoso. Destacaria um tira de sua confiança para acompanhá-la a distância, o colocaria de plantão no botequim em frente à casa dela, pronto a intervir se o coronel se tornasse violento. Pelo menos até que tudo se tranqüilizasse e ela saísse de casa. Eva queria deixar o apartamento com tudo que havia dentro para o marido e os filhos, não queria nada, só a sua liberdade.

Meninas e meninos

Marina e Carol se encontraram pela primeira vez no ponto do bonde. Trocaram sorrisos, se apresentaram e subiram juntas. Marina estudava no Anglo-Americano, na praia de Botafogo, iriam juntas até a São Clemente com Real Grandeza, onde Carol saltaria, depois Marina seguiria mais alguns pontos até a praia. Teriam bastante tempo para conversar.

Nem chegaram a começar, assustadas por gritos aflitos de "Pára! Pára essa porra!", e viram o Gordo esbaforido, correndo pela rua com uma enorme mala de couro na mão, tentando desesperadamente pegar o bonde em movimento. O motorneiro não teve pena, tocou o sininho e não diminuiu a velocidade, o trocador, pendurado no estribo, com um maço de notas dobradas ao meio entre os dedos, se divertia. As garotas também, mas um providencial sinal vermelho acabou salvando o Gordo. Apertado no paletó de brim cinza com o escudo do Colégio Santo Inácio, bufando e banhado em suor, subiu no bonde e aboletou-se ao lado de Marina e Carol.

Não tiveram sossego até a Real Grandeza, Marina fechou a cara e abriu um livro, Carol fingia ouvir o Gordo e se divertia com a velha novidade: não havia bondes em Los Angeles, só carros, muitos carros, todo mundo tinha carro lá. Bondes, mesmo assim fechados, só em San Francisco, pintados de vermelho vivo, subindo e descendo ladeiras. No bonde carioca, aberto e pintado de verde-escuro com bancos de madeira, olhava fascinada os homens e garotos que viajavam nos estribos e saltavam com o veículo em movimento, para fugir do trocador ou para se exibir para as moças.

O salto exigia coragem, técnica e equilíbrio — proporcionais à velocidade do veículo: lançar-se no espaço, de braços abertos, em direção contrária à do bonde, o corpo quase paralelo ao chão, flexionando os joelhos e aterrissando no asfalto veloz como em uma prancha de surfe — o corpo parado e a rua correndo. Carol não via mulheres saltando do bonde andando, mas aprenderia.

Marina riu da idéia de Carol, nunca lhe passara pela cabeça nem tinha a menor vontade de saltar do bonde andando, mas encorajou-a a tentar, a encontrar quem lhe ensinasse, porque parece fácil mas para quem não sabe — e até para quem sabe — é perigoso, pode resultar em quedas feias no asfalto duro, com o risco de ser atropelado por carros que venham atrás do bonde, como Marina já tinha visto. Carol convidou Marina para ir a sua casa depois do jantar ouvir discos.

"Ótimo, eu detesto televisão e adoro música", Marina aceitou sorridente.

"Eu também, então traz uns discos brasileiros, tá?", Carol saltou do bonde.

Para a volta, a alternativa mais rápida ao bonde era o lotação, microônibus de vinte e poucos lugares, pintado em cores vivas e com muito mais mobilidade que os pesados ônibus regulares. Conhecidos e temidos pela truculência de seus motoristas — que para enfrentar o calor usavam as calças arregaçadas até os joelhos, as camisas abertas no peito e uma flanela no pescoço como uma espécie de uniforme —, lotações ziguezagueavam como bólidos pela cidade, eram os reis da rua. Proibidos de levar passageiros em pé, viajavam superlotados de moças e rapazes agachados no chão entre os bancos, entre eles, Carol, que viveu seus primeiros momentos de perigo e emoção no Rio de Janeiro quando o lotação, em alta velocidade, ultrapassou um bonde em uma curva, invadiu a calçada e milagrosamente conseguiu se desviar no último segundo de um carro que vinha no sentido oposto. O motorista foi entusiasticamente aplaudido pelos passageiros.

À noite, na varanda de Carol, Marina viu a janela de seu quarto apagada, a silhueta de Nazaré na cozinha acesa e, na outra lateral do prédio, a janelinha escura do banheiro de empregada. O apartamento dos Ferreira ficava na esquina da ruazinha dos Simon com a praça, no terceiro e último andar de um edifício revestido de pastilhas brancas e azuis. As duas salas davam para a praça e o quarto de Zé Roberto para um terreno baldio ao lado. Imóvel na escuridão do banheiro de empregada, Bombril esfregou os olhos, respirou fundo e pensou que sua prioridade máxima seria conseguir um binóculo.

Aquelas músicas maravilhosas, Carol ensinando passos de *twist* a Marina na varanda, o ar quente no banheiro apertado, o coração pulando no peito, o pau latejando na mão, foi uma noite inesquecível para Bombril.

Para Marina e Carol também. Além do desprezo pela televisão e do amor à música, se descobriram complementares em seus sonhos: o de Marina era conhecer os Estados Unidos e o de Carol descobrir o Brasil. Por isso mesmo tiveram muitas divergências acaloradas, que sempre terminaram em gargalhadas. Marina só sonhava com a parte boa da vida americana, os filmes, a música, as universidades, o progresso e a tecnologia, além dos chicletes de bola que no Brasil eram artigo de luxo e só chegavam de contrabando — os nacionais eram apenas goma de mascar.

E também os blue jeans, ah, os blue jeans americanos, que todos chamavam de calça-lí, que com as lavadas iam descorando e ficando cada vez mais bonitos. Além disso eram justos nos quadris e nas pernas, ao contrário das calças-rancheiras nativas, largas, retas e de brim grosso e vagabundo, de um azul-marinho como o dos uniformes escolares, que se mantinha indelével até que o tecido se gastasse e puísse nos joelhos e na bunda.

Carol, que conhecera vários países viajando com o pai, falou a Marina que a América também tinha um lado detestável, tinha o racismo e a segregação, a Ku Klux Klan queimando igrejas e matando negros, o conservadorismo e a hipocrisia, a ameaça comunista e o terror atômico. E sobretudo a idiotice dos rapazes de sua idade, mesmo na Califórnia. Por isso ainda não tivera um namorado, só dera uns beijos e uns amassos com alguns garotos.

No Brasil, pelo que aprendera com Eduardo e nos livros, discos e revistas, tudo parecia mais calmo, mais alegre, mais caloroso. Ninguém cogitava na possibilidade de um holocausto nuclear, nem que os comunistas tomassem o poder à força; havia até uma razoável convivência inter-racial, brancos e negros se integravam muito mais do que na América, geravam os mestiços que eram grande parte da população que se via pelas ruas.

"Eu só tive um namoradinho, mas acabei logo, os garotos aqui são mais idiotas ainda", concordou Marina. "Eu tenho um ótimo exemplo em casa, o meu irmão Zé Roberto, um ano mais novo que eu, acha que manda em mim porque é homem, vive trancado no banheiro tocando punheta com revistinhas de sacanagem, está no Colégio Militar e seu maior sonho é ir para uma guerra de verdade, um idiota completo. Acha que os negros nasceram para servir os brancos e vive encarnando no Bombril..."

"Encarnando?", Carol não conhecia a nova gíria.

"É, encarnando, sacaneando, debochando, perseguindo", explicou Marina sorrindo.

"Pois eu achei o Bombril muito simpático, muito educado, gostei dele, daquele jeito de andar de malandro, gostei do sorriso dele, com aqueles dentões de coelho, gostei até da cabeleira arrepiada, ele tem uma cara tão engraçada..."

"Ele é mesmo um garoto muito legal, é filho da nossa cozinheira, a Nazaré, e mora com a gente desde pequeno, nós crescemos juntos e somos muito amigos. Me dou muito melhor com ele do que com o Zé Roberto."

"Nós fizemos uma troca, ele vai me ensinar a jogar futebol e eu vou ensinar inglês para ele, vamos começar amanhã", Carol abriu um sorriso.

Marina emendou o espanto com uma gargalhada:

"Você quer jogar fu-te-bol? Você está louca, menina. E vai jogar com quem? Duvido que os garotos aceitem uma menina no futebol deles."

"Você vai ver, com o Bombril me ensinando, com o meu preparo atlético, com a minha força, logo eu vou aprender e aí eles vão ver que eu sou fogo na roupa", sorriu Carol, oferecendo a Marina um rolinho cor-de-rosa de chicletes de bola Bazooca, com seu aroma artificial delicioso e inconfundível.

E mais: Carol procurou numa gaveta e achou um maço de cigarros Lucky Strike subtraído do coronel e uma carteirinha de fósforos de papel da Delta Line. Elas eram tão recentes e raras no Brasil que a garotada as disputava para suas coleções, as estrangeiras eram as mais valorizadas. Ofereceu um cigarro para Marina e acendeu o seu.

Marina não fumava, mas pediu a carteirinha de fósforos azul e vermelha com a bandeira da Delta para sua amiga Lucinha, dona de uma coleção de mais de cem, caprichosamente montadas em um álbum.

Carol achava coleções uma bobagem, não guardava nada, usava bastante e, quando enjoava, dava ou jogava fora. Não tinha muitas roupas, gostava de usar blue jeans, camisas masculinas que roubava do pai, bermudas, tênis de lona com sola de borracha. Também adorava mocassins de índios americanos, de pele de gamo, com franjinhas e bordados de miçangas.

"Espera aí que vou te dar um presente", Carol foi até o armário, tirou uma calça-lí e entregou-a a Marina, que relutou em aceitar.

“Fica com ela, eu tenho outras, posso mandar vir pela embaixada”, olhou Marina de alto a baixo, “é, eu sou um pouco mais alta que você, mas acho que de cintura nós somos parecidas, é só dobrar a barra. Experimenta”, Carol estendeu-lhe a calça.

Marina desabotoou a saia de algodão cru estampado — que Carol tinha adorado — e ofereceu-a em retribuição:

“É capaz de ficar meio curta em você, mas experimenta.”

As pernas de Marina eram alvas e roliças e sua calcinha rosa, de algodão, cobria da cintura ao alto da coxa. A de Carol, preta, de náilon transparente, bem menor, mostrava a sombra dos pentelhos ruivos. Marina entrou sem dificuldades nos sonhados blue jeans, que com duas dobras na barra pareciam sob medida.

A saia estampada ficou perfeita na cintura e nos quadris de Carol, mas realmente bem mais curta do que as meninas cariocas, ou californianas, usavam. Mas ficou linda nela, valorizando suas pernas longas, fortes e bronzeadas, cobertas por uma penugem dourada.

Assim trocadas, as duas se olharam, riram uma para a outra e se abraçaram. Os olhos de Bombril quase saltavam das órbitas.

Despediram-se com dois beijinhos na porta de casa, Marina atravessou a rua, Carol fechou as cortinas e Bombril respirou fundo e foi dormir. Exausto.

O aprendizado

Assim que saiu do colégio, Carol foi às compras em Botafogo e depois pegou um lotação para casa. Tomou um copo de suco de laranja-lima que a esperava na geladeira, subiu para o seu quarto, prendeu os cabelos e trocou o uniforme colegial pelo short branco e a camiseta vermelha e preta que usava no time de basquete da sua escola em Los Angeles.

Abriu a sacola de lona e tirou, como um coelho de uma cartola, uma bola de futebol de couro nº 5, Drible G-18 oficial, com 18 gomos, cheirando a couro novo. Aspirou profundamente aquele aroma delicioso, sentou-se na cama, tirou as meias fedorentas e os sapatos, vestiu uma meia de futebol listrada de branco e preto e calçou as chuteiras número 38, com a sola e as travas de couro vermelho.

Amarrou firme os cadarços, trançando-os por baixo do pé como lhe ensinaram na loja. Deixou-se cair deitada de costas no colchão de molas e esperneou como um bebê feliz. Levantou-se da cama e, mal as travas das chuteiras tocaram no assoalho encerado, escorregou para trás e esborrachou-se de bunda no chão, com as pernas para o ar. Assustada com o barulhão, a empregada subiu correndo as escadas e a encontrou às gargalhadas.

Pouco depois chegou o professor. Bombril ainda estava de uniforme azul e branco da escola pública e com os sapatos Vulcabrás que odiava. Eram horrendos, com solas de borracha vulcanizada — embora ninguém soubesse o que fosse isso —, mas o fabricante garantia impermeabilidade e durabilidade. Para economia dos pais e desespero dos garotos obrigados a usá-los, eram praticamente indestrutíveis.

Bombril invejava os mocassins de cromo e camurça que o Gordo e o Magro, seguindo a tradição paterna, encomendavam sob medida na sapataria Moreira, na travessa do Ouvidor. Também sob medida e em modelos parecidos com os da Moreira, mas muito mais em conta, eram os da Motinha, na rua Mem de Sá, onde Zé Roberto mandou fazer um em preto-e-branco, com uma correntinha dourada no peito do pé, cafajestíssimo.

Ainda esfregando a bunda dolorida, prudentemente Carol desceu a escada só de meias e calçou as chuteiras já sentada em um banco debaixo da mangueira. Com um muro branco ao fundo e duas grandes mangueiras ao lado da casa, o gramado era bem tratado, aparado com cortador de grama americano elétrico. Um bom espaço para uma quadra de vôlei ou de basquete, perfeito para uma linha de passe e suficiente até para uma pelada com três de cada lado. Com a vantagem de proporcionar na seqüência um mergulho na piscina de água, como se dizia, azul-piscina. Carol tinha planos.

A empregada abriu a porta para Bombril e o encaminhou ao jardim, onde Carol o esperava sorridente, com o peito empinado e o pé em cima da bola, de preto e vermelho como o Flamengo, com meias vascaínas e de chuteiras.

Bombril se sacudia de tanto rir. Carol não entendeu bem por quê, desmanchou o sorriso e logo murchou. Esperou que ele terminasse de rir.

"Não sei o que você viu de tão engraçado. Será que é a minha coxa que é muito mais grossa que a sua? Ou a minha perna que é muito mais forte que a sua? Ou o meu pé que é maior que o seu?"

Bombril pensou em suas canelas finas, baixou a bola e a cabeça e se desculpou:

"É que eu nunca vi uma mulher de chuteiras. Quer dizer, até vi, mas só em programa cômico na televisão, mas ali era para fazer graça, a mulher era um canhão, de perna cabeluda e bigode", fez uma pausa e tentou um meio sorriso, "o que não é o seu caso — muito pelo contrário."

"Quer dizer que só mulher feia, bagulho, bruaca, pode usar chuteira, meu chapa?", rebateu com seu sotaque delicioso, sorrindo e demonstrando familiaridade com as gírias que nunca lhe caberiam.

O neguinho abriu um sorriso dentuço, pura malandragem.

"Que é isso, Carol? Tu é uma uva, uma garota enxuta, um estouro de broto, morou?"

Baixou a cabeça meio encabulado e só não ficou vermelho porque era negro.

"Vamos rolar esse caroço!", de repente Bombril se animou e com a ponta do pé, como uma mão de gato, roubou a bola que estava entre os pés de Carol, puxando-a para si e levantando-a no ar para uma série de embaixadas com o Vulcabrás.

Adentrou o tapete verde tocando o balão de um pé para o outro, desceu pelo costado da cancha, prendeu a bola entre os pés e levantou-a pelas costas, por cima da cabeça. Girou o corpo para matá-la no peito, deixou descer pela coxa até o pé, deu um drible num zagueiro invisível, fez uma embaixada e antes que a bola tocasse o chão desferiu um petardo de canhota contra um gol imaginário no muro branco. Levantou os braços e correu para o abraço. Carol aplaudiu e abraçou-o com entusiasmo. Bombril fez as apresentações, indicando com um gesto de mão:

"Carol, Bola; Bola, Carol."

"Regra número um", Bombril fingiu que estava sério, "a bola só gosta de quem gosta dela, trate bem dela que ela vai fazer tudo que você quiser. Nunca chute de bico, não chute com raiva, não maltrate a bichinha, chute com força mas com carinho. Ela gosta de ser chutada ou com os lados ou com o peito do pé. De bico, jamais. Então vamos lá."

Recuou dois passos e tocou a bola de leve para o pé direito de Carol, que devolveu com o lado de dentro do pé. Bombril rolou-a para a canhota de Carol, que teve mais dificuldade para devolver. Direita, esquerda, direita, esquerda.

Aos poucos, Bombril foi se afastando de Carol e chutando com um pouquinho mais de força, tornando o controle da bola mais difícil. Mas a aluna correspondia, séria como uma atleta americana. Uma hora depois, Bombril deu por encerrada a aula inaugural e passou o dever de casa: usar o muro branco para treinar o chute. Sempre com o lado de dentro e o peito do pé. Cem chutes — com cada pé — estava bom para começar. O jogador completo bate com as duas.

"OK. Tomorrow is our English class."

"Hein?", Bombril se espantou.

"Nossa aula de inglês, professor", Carol sorriu, levou-o até a porta, deu-lhe dois beijinhos e "good night".

Tun-tun, tun-tun, tun-tun, os chutes na bola ecoavam na memória e se misturavam às batidas do coração de Bombril, deitado de costas no beliche, olhando para o teto e sonhando acordado — como se visse um filme — com todos os detalhes de tudo que acabara de acontecer, gestos, frases, cenários, barulhos, cheiros. Só depois de rever tudo pela terceira vez, conseguiu dormir.

No fim da tarde, Bombril chegou em casa suado de uma pelada na quadra da escola porque o professor de Geografia havia faltado no último tempo. Seu time, com ele e mais quatro, goleou o adversário com seis garotos. Entrou apressado, beijou a mãe e foi direto para o banho. Passou Leite de Colônia no sovaco, talco nos pés, trocou o abominável Vulcabrás pelo sapato de camurça marrom de amarrar que dona Eva tinha lhe dado de aniversário. Não ia jogar bola, ia falar inglês.

Quando chegou, Carol estava tomando um lanche na copa, convidou-o a sentar e a comer um sanduíche feito no Rapid Toast, uma forma de metal na ponta de duas hastes, onde o sanduíche de queijo era colocado e levado ao fogo. Três minutos depois, saía prensado, tostado e com o queijo derretido escorrendo pelos lados e foi devorado por Bombril em segundos, acompanhado de uma Coca-cola gelada.

"Agora não se fala mais uma palavra em português, senão você não vai aprender nada", Carol se encaminhou para a escada, "let's go, move your ass."

Subiram para o quarto de Carol. Por dentro, o quarto era bem maior do que parecia visto da janela, tinha uma parede de armários embutidos, uma cama de casal e um grande espelho na parede. A porta entreaberta mostrava parte de um banheiro de mármore rosado. Sobre uma cadeira, o short e a camiseta do futebol, no chão, as chuteiras e a bola. Carol tirou as roupas e jogou-as na cama, puxou a cadeira para Bombril e sentou-se em outra, em frente à escrivaninha cheia de gavetas.

"Sit down", convidou, "let's start". Abriu uma cartilha e apontou as letras, dizendo cada uma em inglês e fazendo Bombril repetir. Depois começou a cantar, uma musiquinha infantil daquelas que crianças cantam no primário. Cantou um pedaço, parou, apontou o dedo para Bombril dizendo: "Let's sing together. C'mon." E começou a cantar de novo esperando que Bombril a acompanhasse.

Caralho, que coisa ridícula, imagine se o pessoal me visse aqui, que palhaçada, pensou Bombril enquanto tentava repetir a musiquinha, com Carol apontando para as letras:

"Ei-bi-ci, di-í-éf-djí,
Eitch-ai-djei-quei
El-ém-en-ou-pí..."

Bombril se sentiu o mais patético dos mortais, mas olhou para Carol, ela sorria e ele cantava. Logo decorou música e letra, mas cada vez que cantava dava um ritmo diferente, transformando o tatibitate num samba de telecoteco batucado na escrivaninha. Carol ria e cantava junto "The ABC Samba".

Depois começou a apontar e dar nome a objetos, ball, table, bed, door, window, bathroom, shorts era shorts mesmo, Bombril repetia feliz. Pronomes, verbos básicos mostrados por gestos, Bombril adorou o "to kiss", Carol fazendo bico de beijo e sibilando como uma cobra. Uma hora depois Bombril estava em outro mundo quando Carol disse "OK, the class is over" e levantou.

"Muito bem, Bombril, foi ótimo, você leva jeito, vai aprender logo, eu vou te ensinar da maneira que aprendi português em Los Angeles, com as revistas, os discos, os jornais, vou te ensinar todas as gírias, vai ser divertido. Lots of fun, Bombril."

Levou-o até a porta, trocaram dois beijinhos nas bochechas, Carol se despediu:

"See you tomorrow", e Bombril repetiu. Voltou para casa repetindo sem parar, como um mantra, um estribilho carnavalesco, sí-iú-tumórol, sí-iú-tumórol, sí-iú-tumórol...

Nosso homem no Rio

Dirigindo seu Chevrolet Bel Air azul-turquesa e branco com placa do Corpo Diplomático, o coronel Simon saiu cedo para a embaixada. Desceu pela rua Santa Clara até a praia de Copacabana e seguiu pela beira do mar por Botafogo e Flamengo até o início da avenida Rio Branco, onde funcionava a chancelaria. Um belo início de dia, com o sol ofuscante do Rio iluminando a paisagem através do ray-ban, a brisa do mar entrando pelas janelas abertas do carro, misturando os cheiros fortes da maresia e do couro novo do estofamento, o rádio sintonizado na Rádio Ministério da Educação tocando música clássica, a cidade exuberante passando pelos vidros esverdeados do Bel Air.

"Bom-dia, coronel", a recepcionista gorducha e de cachinhos o saudou. Cumprimentou-a com um sorriso e, depois de retribuir a continência dos dois *marines* que montavam guarda na portaria, entrou no elevador.

"Good morning, coronel", a severa solteirona Miss Walker, secretária do embaixador, estava sendo substituída por uma moreninha espevitada, brasileira certamente, de batom e unhas vermelhas, que recebeu Simon sorridente na ante-sala do embaixador. Olhou-a nos olhos e abriu um sorriso de anúncio de pasta de dentes.

O adido militar gostosão era o assunto do momento entre o corpo de funcionárias da embaixada, principalmente depois que circulou a informação de que ele era viúvo. Um peixão daqueles, pensou Janete, lançando anzol e isca: caminhou rebolando levemente até um armário, equilibrando-se em saltos altíssimos e com a certeza absoluta de que ele olharia para sua bunda. Virou-se apenas o suficiente para, por cima do ombro, seus olhos encontrarem os do coronel Simon, cinza-azulados ou azul-acinzentados, e trocarem sorrisos. Janete achou que o coronel estava se abrasileirando rapidamente.

Naquela manhã, o embaixador estava preocupado não só com a sua sonhada transferência para Madri, mas com a notícia do reaparecimento — depois de dez anos na clandestinidade — do líder comunista Luiz Carlos Prestes, que tinha comandado uma insurreição fracassada em 1935 e fora preso e perseguido implacavelmente desde então. Aproveitando a tolerância e as relativas liberdades democráticas do governo JK, Prestes reaparecera em público sem ser molestado — embora vigiado de perto — pelos órgãos de segurança.

Para Simon era uma ótima notícia, uma grande contribuição para sua tese do "perigo vermelho iminente" no Brasil — que tanto preocupava o Departamento de Estado e a CIA e garantira seu sonhado posto no Rio de Janeiro. Viera com a missão de impedir que os comunistas tomassem o poder no gigante da América Latina, arrastando países vizinhos e desestabilizando a região.

Ao contrário do falso espião Jim Warmold de *Nosso Homem em Havana* — um pacato vendedor de aspiradores em Cuba que se torna um espião de araque trabalhando para o Serviço Secreto inglês, envolvendo-se em grandes trapalhadas — o coronel Simon era profissional, um oficial de informações que durante 25 anos arriscara a pele a serviço de seu país. Inspirado pelo personagem de Graham Greene, com boas pesquisas e imaginação fértil, montara cuidadosamente o seu plano para levá-lo a alguns anos de sossego no Rio de Janeiro antes da merecida aposentadoria nos trópicos.

Por isso o coronel Simon informara em seu relatório confidencial que havia uma conspiração comunista em movimento no Brasil, naturalmente estimulada e armada por Moscou. Grupos guerrilheiros se concentrando nas florestas e nos sertões, jovens capitães do Exército prontos a sublevar suas unidades, comunistas infiltrados nos sindicatos, no governo e até nos serviços secretos.

Era mesmo preocupante. Seus superiores concluíram que ele seria o homem certo no lugar e na hora certos.

Os comunistas jamais tomariam o poder no Brasil, Simon sabia. Era inconcebível imaginar aquele povo sensual, exuberante e indisciplinado submetido aos rigores e à rigidez do regime soviético. Aí sim, poderia haver uma revolta popular, refletia o coronel, enquanto fingia compartilhar as preocupações do embaixador com a volta de Prestes, acrescentando informações sobre a infiltração comunista nas Forças Armadas brasileiras. Reunião encerrada, despediu-se prometendo novo relatório e foi para sua sala no 12º andar.

Abriu as janelas para uma vista de cartão-postal da baía de Guanabara, com o Pão de Açúcar, a igreja da Glória e o Aeroporto Santos Dumont reluzindo no azul intenso da manhã. Folheou o jornal e depois de uma rápida leitura da primeira página foi direto à coluna de Stanislaw Ponte Preta, muito divertida, cheia de piadas e gozações que revelavam mais do Brasil do que centenas de relatórios confidenciais, além de trazer todos os dias a foto de uma gostosona — geralmente vedetes do teatro de revista e atrizes — de pernas de fora e fazendo biquinho em poses sensuais. Eram as "Certinhas do Lalau", com seus bundões e coxões, atributos que as levariam a ser chamadas de gordas nos Estados Unidos, mas que no Brasil faziam delas objetos de desejo e símbolos sexuais. Ao contrário da obsessão mamária dos americanos, várias "Certinhas" tinham peitos pequenos e os brasileiros não se incomodavam, desde que a cintura fosse fina e as bundas e coxas grandes e roliças. Como Simon gostava. O coronel se abrasileirava rapidamente.

* * *

Carol tomava um suco de laranja e bocejava à beira da piscina, de óculos escuros gatinha e maiô de duas peças de látex preto, quando Marina tocou a campainha. Na cozinha do apartamento, Bombril ouviu e foi para a janelinha do banheiro. Escondido atrás da cortina, viu Marina, de saída de praia e tamancos coloridos, entrar e se encontrar com Carol. Trocaram beijinhos, Marina tirou a saída e mostrou seu corpo branco, um maiô estampado — inteiro. Só passando sobre o cadáver do coronel Kleber a sua filha usaria um duas-peças.

Já a do coronel Simon ainda não estava satisfeita com o tamanho do seu. Espalhando óleo pelo corpo, reclamou do excesso de tecido e, para ampliar a superfície a ser bronzeada, repuxou a lateral da calcinha para o alto da coxa e enrolou o cós, enfiou-a mais entre as nádegas e puxou o sutiã quase até os bicos dos peitos. Então lambuzou-se de Coppertone. Ofereceu um duas-peças para Marina, que aceitou relutante, mas entusiasmada. Subiram para o quarto, Carol entregou uma calcinha e um sutiã vermelhos de bolinhas brancas para Marina e desceu. Reapareceu com sua barriguinha deliciosa ainda mais alva do que as pernas e braços rosados.

Marina ria, cobrindo a barriga com as mãos, encabulada com a sua brancura.

"Não adianta, eu não pego cor, fico no máximo vermelha, pareço gringa. Minha mãe é bem morena, e o Zé Roberto no verão é praticamente um crioulo. Mas eu pareço uma alemã, que nem meu pai."

Carol, cada vez mais bronzeada, se divertia:

"E eu estou virando uma mulata brasileira... é só pintar o cabelo de preto e sair sambando."

Com aquele corpo e aqueles olhos verdes seria uma mulata de fechar o comércio. De sua janelinha, Bombril escovava os dentes e olhava sem ser visto.

Logo chegaram mais duas colegas de colégio de Carol, duas irmãs muito simpáticas, de maiôs inteiros e recatados.

O coronel Simon acordou depois das 11, tomou café, deu bom-dia à filha e às suas convidadas e se espalhou numa espreguiçadeira à beira da piscina com os jornais. Depois iria à praia e almoçaria no Clube dos Marimbás, no Posto Seis. Era doce a vida nos trópicos.

No domingo, depois do almoço, Bombril tocou a campainha. De camisa do Flamengo, vinha buscar Carol para levá-la ao Fla-Flu. Não havia melhor oportunidade para conhecer o Maracanã e aprender com os mestres, no campo de jogo, a arte do futebol. Bombril levou um susto quando Carol desceu as escadas, de calça Lee desbotada, tênis azul e branco e uma camisa bordô, branca e verde-garrafa do Fluminense.

Carol apontava para Bombril e se escangalhava de rir, o neguinho estava perplexo, sem saber se a xingava ou se a abraçava. Só conseguia balançar a cabeça:

"De araque, Carol, de araque! E desde quando você é Fluminense?"

"Gostei das cores e comprei, pronto! Por enquanto eu não sou Fluminense, nem Flamengo, nem nada, ainda não escolhi, vou começar a experimentar. Hoje é um bom dia, não é?"

"Mas não é assim, Carol, você tem que escolher um e pronto. Uma vez Flamengo, Flamengo até morrer", exasperou-se Bombril.

"Nada disso, vamos assim mesmo, isso não é uma guerra nem uma religião, OK, baby?"

"É sim, Carol, é sim!", protestou Bombril, "assim o futebol não tem graça, a gente não pode ficar nem na torcida do Flamengo nem na do Fluminense — senão leva porrada. E o bom é ficar lá no meio da galera, gritando junto, torcendo junto, abraçando desconhecidos, sacaneando o inimigo."

Carol se convenceu. Subiu e voltou com o uniforme rubro-negro do time de basquete da universidade. Experimentaria torcer pelo Fluminense em outro jogo — e em outra companhia.

As aulas de futebol e os domingos no Maracanã se sucediam, o tempo esquentava, o verão, o Natal e o Carnaval estavam chegando. Os súditos de Momo aqueciam seus tamborins, o rádio enchia o ar de sambas e marchinhas. Carol não teria que esperar muito pelo seu primeiro Carnaval: a partir de dezembro, quando já estaria de férias, começavam na cidade os bailes pré-carnavalescos. Alguns eram à noite, como geralmente são os bailes, mas muitos aconteciam à tarde, das 14 às 20 horas, geralmente em boates de Copacabana e eram freqüentados maciçamente por homens casados, noivos e namorados de mulheres que ainda não comiam ou que não comiam mais.

O mais famoso era o "Caju Amigo", promovido pelo legendário Clube dos Cafajestes e com uma grande densidade de brotos bonitos na pista, onde se bebia — e como! — exclusivamente uma mistura explosiva de vodca e suco de caju.

Não era lugar para mocinhas como Carol, advertira Marina. Os noturnos, talvez, alguns eram em clubes familiares, como o Fluminense e o Botafogo, que tinham bons salões e freqüência selecionada. O que não livrava garotas bonitas do assédio dos cafajestes de todas as idades, dos garotos idiotas e dos velhos safados que estavam sempre nos salões, fantasiados de piratas ou de árabes, na expectativa de amarrar alguém. Ou pelo menos de aproveitar o aperto para esfregadas "acidentais" e para a mão-boba generalizada.

"Que dia é seu aniversário?", perguntou Carol.

"Dezoito de dezembro", disse Marina, "tá bem perto."

"Yes!", Carol quase gritou, "o meu é no dia 15, o seu é três dias depois. Que tal se a gente comemorasse juntas com um pré-carnavalesco de arromba na minha casa?"

Marina demorou algum tempo para responder, tão surpreendente era a proposta. Nunca acontecera um baile de Carnaval no Bairro Peixoto. Muito menos na casa de uma vizinha! Nunca passara pela sua cabeça comemorar 18 anos com um baile de Carnaval. Seria uma maioridade de arromba.

"Você me ajuda a organizar e a convidar? Acho que podemos chamar umas... cem pessoas. O que você acha?"

Não deu tempo para Marina responder:

"De que se precisa para um baile de Carnaval?", Carol queria ser prática. Marina também:

"Primeiro os músicos, sei lá, pelo menos uns sete ou oito, tocando instrumentos de sopro e de percussão. Em bailes grandes são orquestras, com muitos ritmistas e até com *crooners* carnavalescos. Mas a música de carnaval quem canta são os foliões, se tiver uns trompetes e trombones puxando as melodias e uma batucada animada já está de bom tamanho."

"Isto não deve ser muito caro", Carol não achava nada muito caro no Brasil, o coronel era bastante generoso, em dólares, com a filha única. Para a sua festa de 18 anos, ela teria tudo que quisesse. E Marina pegaria uma bem-vinda carona.

"Além disso é cerveja e refrigerante e pronto", Marina começava a se animar.

"E vamos mandar fazer um tablado de madeira para colocar em cima do gramado do coronel, senão, com cem pessoas pulando em cima, vai virar poeira", Carol, na verdade, se preocupava mais em manter em bom estado o tapete verde do futebol.

"Você não acha muito cem pessoas? Pode aparecer um monte de penetras", Marina se preocupava.

"Ah, não tem festa de Carnaval sem penetra, eles são a alegria da festa, pode ficar tranqüila que meu pai vai convidar também uns amigos dele e com certeza vai botar dois *marines* aqui na porta. Você sabe o que é um *marine*, não é?", Carol sorriu, Marina sabia, tinha visto nos filmes de guerra que detestava — e Zé Roberto adorava — e o pai a obrigara a ver durante anos.

"A gente pode mandar imprimir os convites, fica mais seguro, não é?", Carol propôs e Marina concordou.

"Ei, você aí, me dá um dinheiro aí,
me dá um dinheiro aí."

A marchinha contagiante enchia o ar de Copacabana, popularizada por um mendigo abusado de um programa humorístico da TV. Era divertida, aprendia-se na hora, imitavam-se os gestos agressivos do mendigo estendendo a mão, seria um sucesso no Carnaval.

Era aproveitar enquanto durasse, recomendava Marina, nos jornais e revistas todo mundo dizia que o Carnaval estava decadente, que as músicas e os bailes estavam piorando, que tudo estava se comercializando. Carol só pensava nas caras que fariam seus amigos da Califórnia se vissem a sua festa de aniversário.

Logo que terminassem as provas, comemorando o início das férias, o baile de Carnaval de Carol e Marina sacudiria o Bairro Peixoto.

A volta ao lar

Eva caminhou de volta para casa como quem vai para o matadouro. Encontrou Kleber de cara fechada, o que não era novidade, lendo jornal na poltrona da sala. Talvez fosse impressão, por tudo que tinha acontecido, mas a cara parecia ainda mais fechada que o habitual. Recebeu um "boa-noite, Eva" seco, retribuiu no mesmo tom e foi para o quarto.

Trancou-se no banheiro, tirou a roupa, olhou-se nua no espelho e gostou do que viu. Tinha feito uma dieta heróica — sem doces nem salgadinhos — e perdido três quilos, estava em plena forma. Olhou desconsolada os baldes cheios de água e a cuia de madeira pousada na borda da banheira.

Eva detestava água fria e sempre pedia que fosse esquentada na cozinha antes do banho, mas não teve ânimo de pedir a Nazaré, ocupada com o jantar. Entrou na banheira com um balde cheio, encheu a cuia e, antes de despejar a água fria sobre a cabeça, com um gesto mecânico e sem esperança abriu as torneiras do chuveiro seco. A água jorrou como uma cachoeira sobre seu rosto e seus peitos, desceu por suas coxas e pernas até os pés, o aquecedor se acendeu, aos poucos a água começou a esquentar. Era tudo de que Eva precisava depois daquele dia, estava se sentindo suja, suada, pegajosa, queria se lavar por dentro e por fora. Depois encheu a banheira com água bem quente, derramou meio vidro de sais de banho e se afundou na água perfumada.

O clima no jantar estava tenebroso. Comendo um bife à milanesa com batatas fritas na copa, Bombril ouviu muito pouca conversa na sala. Ninguém falava nada além de "passa a salada", só Marina — que não sabia de nada — contava um filme que tinha adorado, mas ninguém prestava atenção. Bombril sentiu pena da amiga. Mas não seria ele a dar-lhe a terrível notícia. O coronel recomeçou a ler o jornal e Marina sentou-se diante da televisão. Dona Eva foi para o quarto com dor de cabeça e Zé Roberto para a rua. Bombril sentou-se no sofá ao lado de Marina para ver o *Grande Teatro da Imperatriz das Sedas* e deu graças a Deus por não fazer parte daquela família.

Eva não conseguiu dormir a noite inteira, só quando o dia já clareava, e não apenas por causa do ronco do coronel. Estava muito preocupada: não só com o silêncio hostil dele, mas também com Noronha, que andava bem estranho ultimamente. Sua reação de desprezo com a carta, de não dar importância, fora bem esquisita. Ele também não parecia tão feliz quanto ela com a possibilidade dos dois assumirem publicamente o namoro. Homens têm horror a assumir compromissos — talvez por isso prometam tanta coisa que não vão cumprir. Acordou exausta e com olheiras escuras, abriu a torneira do chuveiro e viu desalentada algumas poucas gotas d'água pingarem na banheira.

Voltou para a cama e cochilou. Quando acordou, todos já tinham saído, e Dagmar estava cantando e passando roupa na área de serviço.

"Eu sou o samba,
a voz do morro sou eu mesmo, sim senhor,
quero mostrar ao mundo que tenho valor,
eu sou o rei dos terreiros..."

Sempre cantando e sorrindo, Dagmar era uma mulata da idade de Eva, muito simpática, de braços fortes e dentes branquíssimos, que lavava e passava para várias famílias da vizinhança. Morava no morro da Babilônia com o filho Ribamar, que os meninos chamavam de Ratão, e prestava serviços a dona Eva desde que ela se mudara para o Bairro Peixoto. Dagmar falava muito, gostava de contar suas aventuras. Eva, Marina e Nazaré se divertiam ouvindo suas histórias de encontros e desencontros amorosos, geralmente muito engraçadas, pontuadas por "eu, hein, Rosa!" e "comigo não, violão!".

"Bom-dia, patroa", Dagmar saudou-a sorridente.

"É, Dagmar, estou precisando mesmo de um bom dia, uma boa semana, um bom mês...", Eva tentou ser simpática.

"Vou passar um café para a senhora, a Nazaré foi à feira."

Na cozinha, Dagmar falava com grande entusiasmo de um certo Pai Jacinto, um vidente que morava na ladeira dos Tabajaras, a poucas quadras do Bairro Peixoto. O homem era um assombro, sabia o passado e o futuro, muita madame de Copacabana estava freqüentando as sessões. A patroa estava com a cabeça longe dali.

Eva tomou o café sem açúcar e comeu um pão com manteiga em silêncio. Dagmar pôs um balde de água no fogão para o banho da madame e recomeçou a cantar:

"Eu sou o samba,
sou natural aqui do Rio de Janeiro,
sou eu quem leva a alegria
para milhões de corações brasileiros."

Como Dagmar cantava bem! Como parecia se sentir feliz com tão pouco, como vivia com tanta liberdade, admirava-se Eva sob o chuveiro seco, tomando banho de cuia. Vestiu-se e se perfumou, pegou uma grande caixa de coxinhas de galinha e bolinhos de bacalhau deixada por Nazaré, se despediu de Dagmar e saiu.

A poucos metros dali, tomando uma cerveja no balcão de um boteco, o detetive Vasquez deu um telefonema para seu contato e recebeu as informações que pedira. A boa notícia era o nome e endereço do dono do carro; a ruim, que o homem era um tira da 12ª DP.

Sururu no matadouro

Quando Eva voltou à loja, Lucila lhe disse que Noronha tinha procurado por ela e pedido que telefonasse. Foi à loja de roupas e ligou para a delegacia, nervosa.

Ele também parecia ansioso e queria se encontrar com ela imediatamente. Eram assuntos importantes que não podiam ser falados ao telefone. Olhos nos olhos, Noronha pretendia contar-lhe tudo sobre Carmita, seu temperamento turbulento, a dificuldade de romper com ela. Antes que alguma merda maior acontecesse. Mas reafirmaria seu amor e sua decisão de ficar com Eva, pediria apenas um pouco de paciência e de confiança. E também estava louco de saudades de seu corpo, seu perfume, seus gemidos de prazer. Seu sotaque mineiro.

Eva não queria se encontrar com ele no apartamento do Lido de jeito nenhum. Não antes do juiz do desquite decretar a separação de corpos. Noronha insistiu, era urgente, muito importante, queria apenas conversar, cara a cara, no apartamento seria mais seguro, na rua estariam muito mais expostos.

Também estava com saudades. E com medo, muito medo. Em meia hora, Noronha estaria lá, esperando por ela. Louco de tesão.

Atrás de seu jornal, encostado na entrada da galeria, o detetive Vasquez viu quando Eva saiu apressada e pegou um táxi. Pegou outro e seguiu-a sem dificuldade até as proximidades da praça do Lido. Viu-a entrando no prédio 236 da avenida Copacabana, fotografou-a com sua Leica, esperou alguns minutos, entrou no edifício e apertou o botão do oitavo andar no elevador. Desceu alguns degraus da escada e se posicionou entre os andares de onde poderia controlar, e com alguma sorte talvez fotografar, as entradas e saídas do apartamento 714.

Dez minutos depois, a porta do elevador se abriu e surgiu uma bela morena, muito maquiada, com a cabeleira negra dura de laquê e apertada em um vestido justo que lhe marcava os seios fartos e a enorme bunda. Encaminhou-se decidida para a porta do 714, Vasquez recuou alguns degraus e preparou a Leica. A morena tocou a campainha.

"Abre essa porra, Noronha, que eu sei que você está aí com essa vagabunda", gritava com um sotaque castelhano, enquanto apertava o dedo na campainha e esmurrava a porta ao mesmo tempo. Vasquez quase teve pena do tira infiel, mas também sentiu — considerando aquela morenaça e dona Eva — profunda inveja.

Estava tão furiosa e fazia tanto barulho que nem notou quando Vasquez esgueirou o braço com a câmera por trás da parede e clicou-a várias vezes, de costas e até de meio perfil. Para quê, não sabia, seu cliente era o marido da outra, talvez por vício profissional, por amor eterno à bisbilhotice e ao voyeurismo.

Sem camisa e sem sapatos, só de calças que mal escondiam sua resistente ereção, Noronha hesitava diante da porta; na cama, Eva fechava o vestido apressada e trêmula, fazia força para não chorar. Noronha pegou o revólver na mesinha-de-cabeceira e abriu a porta com um puxão. Carmita quase caiu dentro do apartamento, foi amparada pelo cano preto e frio da Beretta enfiado entre seus peitos. Noronha afastou-se com o revólver apontado para Carmita, que logo se recuperou do susto e despejou sobre Eva uma enxurrada de palavrões em português e castelhano.

"Fecha essa porta", ele ordenou, "e cala essa boca."

Carmita encarava um e outra e espumava de ódio. Eva olhava perplexa e decepcionada para Noronha, com os olhos marejando e o coração cheio de raiva e de medo. O delegado olhava para as duas mulheres de arma na mão, sem saber o que fazer. Jamais daria um tiro em Carmita. Talvez uns tapas, ela merecia. Mas não era o melhor momento para resolver uma situação tão delicada. Depois explicaria a Eva tudo que queria ter explicado antes. E se livraria de Carmita de uma vez. Perguntava-se como ela tinha chegado ali, quem o teria denunciado. Apesar de suas precauções, alguém o traíra, provavelmente um tira, mas acabara lhe fazendo um serviço, que ficasse com Carmita.

"Agora sai, meu amor, vai para casa", falou em um tom carinhoso para Eva, que ouviu com os lábios trêmulos de medo e fúria contida, "depois eu converso com você e explico tudo. Eu preciso ter uma última conversa com esta louca", e apontou a arma para Carmita, que bufava de raiva:

"Mi amor? Mi amor??? Mi amor é o caralho, sua piranha!"

E avançou de unhas vermelhas em riste para Eva que passava de cabeça baixa em direção à porta.

Antes que Noronha conseguisse separá-las — dando uma gravata em Carmita —, Eva foi derrubada pela argentina e quase teve os olhos arrancados por suas unhas. Defendeu-se como pôde, mas quando se levantou tinha vários riscos sangrentos no rosto e no pescoço.

Saiu apressada e chorando, tentando cobrir o rosto com um lenço. Nem se deu conta de que fora fotografada várias vezes por Vasquez no corredor e em frente ao elevador.

No apartamento, Carmita se desmanchava em lágrimas e, aos pés de Noronha e sob a mira do revólver, lhe pedia perdão e repetia "mi amor... mi amor...".

De volta ao escritório, na Cinelândia, onde revelaria as fotos, Vasquez pensava no que diria ao pobre coronel. Certamente o pouparia dos detalhes sórdidos, que só o machucariam, lhe entregaria um dossiê seco e objetivo, com as fotos fatais e um pequeno relatório dos passos de sua esposa, comprovando a sua infidelidade e justificando os seus honorários. Não mencionaria a gringa nem diria o nome do amante, apenas que era um policial. Era tudo que o coronel precisava saber — para tomar suas providências. Dali por diante era um assunto de marido e mulher.

Lucila levou um susto quando Eva entrou na loja ferida e sangrando e desabou em prantos nos seus braços.

"O que foi isso, Eva? O que é isto? Vamos para o pronto-socorro já! O que foi, minha querida? O que aconteceu com você?"

Além da dor, da raiva e da humilhação, Eva ainda teria que voltar para casa. Diria que caiu sobre o balcão de vidro da loja e se cortou, pensava a caminho do pronto-socorro, abraçada com Lucila.

Os ferimentos foram limpos e desinfetados. Eva saiu com um colar de gaze lhe envolvendo as feridas do pescoço e o rosto com vários cortes pintados de mercurocromo. Pediu à amiga que telefonasse para sua casa, para preparar o terreno. Avisasse que ela tivera um pequeno acidente na loja, mas estava bem e logo estaria em casa.

Marina e Nazaré a aguardavam preocupadas na porta do prédio, o coronel olhava da janela. Subiram as escadas devagar, Kleber as esperava com a porta aberta e só conseguiu dizer: "O que foi isso, Eva?", em um tom mais inquisitório do que preocupado. Eva apenas olhou para ele com desprezo. Lucila disse que a amiga caíra sobre o balcão da loja, mas estava medicada e precisaria de repouso absoluto, o doutor lhe receitara analgésicos e calmantes. Marina levou-a para o quarto. Eva vestiu uma camisola, se deitou e tomou três pílulas para dormir. E esquecer.

À uma da tarde, quando Eva ainda dormia, o coronel se encontrava com o investigador Vasquez e recebia um envelope pardo com um dossiê sobre sua esposa.

* * *

No restaurante Chalé, num sobradinho colonial na rua da Matriz, o coronel Kleber abriu o envelope, leu as duas páginas do relatório e viu várias fotos com olhos incrédulos e marejados. Ouviu a voz baixa de Vasquez, em um tom solidário e compungido:

"Infelizmente as suspeitas se confirmaram, coronel."

Kleber cobriu instintivamente o rosto com o guardanapo. Vasquez pediu uma água mineral e um café ao garçom. Caso encerrado.

Piedosamente Vasquez omitira qualquer informação sobre Carmita e apenas identificara o amante como um ex-policial. Era tudo que o coronel precisava — mesmo que não quisesse — saber. Com suas mais de duas décadas de experiência e prática, desenvolvidas em centenas de flagrantes e numa infinidade de conversas como aquela com maridos traídos e ultrajados, Vasquez se considerava um doutor em cornitude, um ilustre cornologista. Adoçou o tom da voz:

"Se o coronel me permite — com meus vinte e tantos anos de experiência —, eu diria que, apesar de doloroso — reconheço que é extremamente doloroso —, é apenas um acidente comum, que ocorre todos os dias, em todos os lugares, com gente de todas as raças e credos. E mais: na maioria absoluta dos casos, os casais acabam se recompondo, às vezes até melhorando o relacionamento. Porque entendem que a carne humana é fraca, que perdoar é mais fácil do que carregar o saco do ódio e do ressentimento, ou pior, da vingança, pela vida afora."

O coronel ficou em silêncio. Vasquez sentiu que estava na hora de ouvi-lo falar, como todos, de sua honra, de sua dignidade, da traição imperdoável. E ele falou de tudo isso, como todos os outros. O desabafo era natural. Depois viriam as ofensas, cachorra, vagabunda, puta, geralmente seguidas de choro. Vieram, mas o coronel não chorou, cuspia fogo pelos olhos. E rosnava: "Logo com um meganha... um tira... essa cadela me paga...".

Vasquez se inquietou:

"Calma, coronel, ninguém vai saber disto, eu lhe garanto sigilo absoluto, o senhor é um homem de respeito e vai continuar sendo.

Com a minha experiência e a sua licença, eu me permito lhe sugerir que reflita bastante antes de qualquer decisão, o senhor tem uma família, uma carreira. É verdade que, quase sempre, um corretivo é necessário e eficiente, as mulheres precisam sentir que há alguém no comando. Mas não mais do que isto, coronel. Depois se vira a página e a vida continua. Geralmente melhor do que estava antes. Pense bem, coronel, o senhor não está sozinho."

Assumiu um tom cúmplice e abaixou a voz para mentir melhor:

"Até eu já fui vítima de um acidente desses, coronel."

Kleber não disse nada, preencheu um cheque com o restante dos honorários de Vasquez, se sentindo como quem paga o médico de um doente que morreu.

Sábado

Carol fazia grandes progressos no futebol. Tinha um corpo musculoso e flexível, já dava chutes fortes e treinava dribles e desarmes com Bombril, daria pelo menos uma boa zagueira. Claro, jogava como uma mulher, nunca jogaria igual a um homem, mulheres têm corpo diferente, correm diferente, podem até jogar bem futebol, acreditava Bombril, mas do seu jeito. E imaginava que no futuro surgiriam times só de mulheres, de mulheres lindas que jogariam nuas numa praia deserta, só para ele.

No gramado, Carol treinava chutes e embaixadas, trocava passes em velocidade com Bombril, saltava para cabecear, certamente já tinha mais intimidade com a bola do que o Gordo, o que não era lá grande vantagem. Carol estava ansiosa para jogar de verdade, uma pelada de três contra três, jogaria até no gol, mas queria jogar, implorou a Bombril.

Não seria difícil convocar meia dúzia de idiotas, pensava Bombril, de preferência que jogassem bem mal, e atraí-los para o gramado verdinho, as balizas brancas com redes e o "courinho" alaranjado nº 5, profissional, com 18 gomos. O Gordo seria o primeiro convocado, para o gol. Carol começaria como goleira, para não assustar; depois de algum tempo, iria para a linha. E ia dar muito drible e fazer muito gol naqueles mocorongos.

Para o sábado seguinte, às oito da manhã, Bombril chamou o Gordo e o Magro, Ratão, Zé Roberto, Marquinhos, filho de dona Marta costureira, que era magrelo e não jogava nada. Não disse a ninguém que Carol jogaria. Também contava com Boi, que era um grosso, um cego de bola. Só não podia contar que o irmão dele, Chico, que jogava bem, era titular do Radar e os considerava uns pirralhos desprezíveis, ouvisse a conversa e se enturmasse:

"Eu também estou nesse racha na casa da americana, me disseram que é um estouro de broto, vou lá dar um show para ela ver. Essas gringas são todas calças-frouxas, vão logo abaixando."

Bombril sentiu ódio dele, mas não disse nada, só se despediu e foi para casa em silêncio e de cara fechada, ruminando uma raiva infinita.

No sábado, um pouco antes das oito, Carol já estava acordada, uniformizada e tomando café. Esperava ansiosa por Bombril e os outros garotos para sua primeira pelada "oficial". De camisa do Flamengo, Bombril chegou um pouco antes e os outros logo em seguida. Boi foi o último a chegar e disse que Chico estava dormindo, não sabia se viria. Bombril torcia em segredo para que ele tivesse desistido. O Gordo chegou de joelheiras e com uma camisa de goleiro — já que esse era seu destino, pelo menos tinha conseguido do pai um uniforme todo preto com o número 1 nas costas, como o de Castilho do Fluminense ou o do legendário russo Yashin, o Aranha Negra.

Os garotos adentraram o jardim como se entrassem na floresta mágica. Olhavam em volta e admiravam as grandes árvores, as bananeiras, as palmeiras, as flores, o gramado cortado rente e macio como um tapete, as duas balizas branquinhas com suas redes balançando ao vento, a piscina azul redonda brilhando ao sol, a casa envidraçada e silenciosa.

"Vamos quicar este caroço", Bombril chamou com autoridade no meio do gramado, com o pé em cima da bola.

Separou os dois times: um com Zé Roberto, Magro e Ratão, com o Gordo no gol. E outro com Boi, Marquinhos e ele. E Carol no gol. Foi visível o mal-estar entre os garotos — Carol e Bombril trocaram olhares cúmplices —, mas ninguém disse nada, afinal eram convidados. Carol se encaminhou para a baliza e avisou a turma:

"Pessoal, está muito calor, depois da pelada vamos cair na piscina, tá?"

Quase foi aplaudida. A água azul-turquesa da piscina brilhava e refletia o sol forte de início de verão. O Gordo já estava suado dentro de sua camisa de goleiro e, como sempre, advertiu:

"Não vale bomba!"

Os outros, além do mergulho na água fresca e transparente, aguardavam o prazer de ver aquele broto delicioso de maiô duas-peças, com a barriguinha de fora. Bombril via como olhavam para Carol, odiava todos aqueles tarados punheteiros.

Entrou em campo como se fosse uma final de Copa do Mundo, disposto a golear impiedosamente os adversários, a humilhá-los para vingar Carol. Debaixo da baliza, Carol não pensava em qualquer vingança e se divertia com os dribles de Bombril e suas arrancadas rumo à meta do pobre "Aranha Gorda" — como Rolando passou a ser chamado depois da audácia de ter citado o legendário goleiro russo indevidamente.

Em mais um ataque fulminante, Bombril quase marcou, escorregou na hora H, a bola sobrou para Zé Roberto que deu um chutão para a frente, a bola atravessou todo o campo e quicou na frente de Carol. Ainda caído na área adversária, Bombril gritou:

"Vem com ela! Vem com ela!"

Carol dominou o bolão, deixou-o rolar para o seu pé direito e arremeteu em direção à área adversária tocando a bola com o lado externo do pé, como Bombril ensinara. No meio do campo, plantado à sua frente, Ratão parecia muito maior do que já era, de pernas e braços abertos, sólido como uma rocha, pronto para desarmá-la. Na bola ou na canela.

Carol parou à frente do gigante, jogou o corpo para a esquerda sem tocar na bola, ele acompanhou o movimento, e ela gingou rapidamente para a direita, deixando-o desequilibrado e partindo vitoriosa com a bola dominada. Bombril se deslocou para a ponta e pediu a bola, Carol rolou redonda para o pé direito dele, que deu um corte seco no goleiro que saía em desespero e enfiou mais uma no barbante. Mais uma balançada no véu da noiva. E correu para o abraço.

Carol e Bombril se abraçaram efusivamente, seus companheiros de time não se entusiasmaram tanto: Boi e Marquinhos quase não tinham tocado na bola, o crioulo estava jogando sozinho. E pior: quando recebia um passe, era da garota! Muito pior era a situação do Ratão, levando drible de mulher na frente de todo mundo. Bombril temia que Ratão se vingasse da humilhação com uma entrada violenta em Carol e advertiu-o. Ratão não gostou:

"De araque! Futebol é jogo para homem, meu chapa."

Uma hora depois, estremunhado, bocejando e arrastando os pés nas sandálias de praia, de short e camiseta, Chico tocou a campainha da casa.

Bombril viu Chico na porta e torceu para que ele tivesse ido chamar o Boi para alguma coisa. Ele vivia mandando o Boi fazer alguma coisa. Surpreendeu-se quando ele disse que ia integrar o time adversário, Ratão passaria para o time da casa e Marquinhos sairia. Todo mundo de chuteiras, só Chico descalço.

"Isso aqui não é uma pelada? Pelada se joga descalço, morou? Mas vou logo avisando, se alguém me pisar de chuteira vai entrar na porrada."

Pelo sim pelo não, acostumado a obedecer às ordens do irmão, Boi começou a desamarrar as chuteiras. Em seguida, todos os outros tiraram as suas e ficaram descalços, Bombril e Carol hesitaram um pouco e foram os últimos. Chico não tirava os olhos das pernas de Carol sem as meias e de seus pés de dedos finos com as unhas pintadas de vermelho.

Na saída de bola, confronto entre Bombril e Chico, o neguinho gingou e conseguiu passar a bola entre as suas pernas, mas foi derrubado com uma rasteira. Falta clara, até numa pelada sem juiz, apesar dos protestos de Chico. Com Zé Roberto, Magro e Chico na barreira, Bombril ajeitou a bola com carinho, alisou-a de leve, tomou distância e desferiu uma bomba, acertando a barriga de Chico, que caiu gemendo de dor.

"Porra, desculpa, hein, Chico, peguei mal na bola", Bombril foi ajudá-lo a se levantar. Chico apertava a barriga com uma careta de dor e começava a se arrepender por ter se misturado com aquela pirralhada. Imagine se o pessoal da Miguel Lemos soubesse que ele estava jogando contra um time que tinha uma menina. Mas o broto era uma gostosura mesmo, um estouro! Valia o sacrifício.

Quando a partida estava 9 a 8 para o time da casa, Carol gritou para o Boi:

"Agarra um pouquinho que eu também quero jogar."

Ele fingiu que não ouviu. Ela gritou de novo, com autoridade:

"Agarra aqui, meu chapa, esqueceu que eu sou a dona da bola?"

E caminhou decidida para o meio-de-campo, enquanto Boi seguia resignado para o gol. Chico se esqueceu de Bombril e passou a marcá-la homem a homem, no caso, a mulher. Bombril se desdobrava em atacante, meio-campista e defensor para não deixar a bola chegar perto de Carol, com Chico colado nela. Nas poucas vezes que disputaram Chico fez o possível para misturar suas pernas com as de Carol, para fingir que caía sobre ela, para esbarrar acidentalmente os braços nos peitos dela. Bombril fervia de raiva.

Ganhou uma bola no meio-de-campo, passou facilmente pelo Magro e lançou para Carol, que se deslocou rápido nas costas de Chico. Quando percebeu, ela já tinha recebido livre na frente, dominado a bola e ameaçava o Aranha Gorda com uma bomba. Quando ele virou de costas, apavorado, Carol apenas colocou com um leve toque no canto do gol vazio. E correu para o abraço. Mas, antes, sacaneou o Gordo caído no chão:

“Não vale bomba! Não vale bomba!”

Bombril correu para abraçar Carol, o resto do time o seguiu aos gritos e aproveitou para se esfregar nela e para sarrá-la enquanto Bombril tentava protegê-la entre os braços. Até Chico veio, devagar, arrastando o pé, marrento. Não se misturou com os pirralhos que tentavam passar a mão nela na comemoração do gol. Apenas estendeu a mão para cumprimentá-la e olhou-a nos olhos, como James Dean fazia em *Juventude Transviada*:

“Parabéns, um belo gol, você leva jeito, garota.”

Carol agradeceu. Chico disse que tinha que sair para um encontro na praia mas que ia dar a ela um presente:

“Vou te levar hoje à noite a uma festa de rock da turma da Miguel Lemos. Venho te buscar às nove de lambreta. Já andou de lambreta?”

Carol já tinha pilotado uma Harley-Davidson do pai na Califórnia, várias vezes.

“Muito obrigada, mas eu não gosto de rock and roll... é uma coisa velha, uma onda que já passou... quando quiser, vem bater uma bola aqui com a gente.”

Chico quase desmanchou e saiu cabisbaixo, Bombril virou de costas para não ser visto rindo, Carol se despediu com um adeusinho.

Depois que Chico saiu, ela pegou a bola e chamou a turma:

“Por hoje chega, pessoal. Foi muito legal. Semana que vem tem mais. Agora vamos para a piscina?”

A empregada trouxe uma bandeja de guaraná, Coca-cola e Grapette, e outra com sanduíches de queijo e presunto no pão de forma. Carol tirou a camiseta suada, baixou o short pelas pernas douradas e apareceu num maiô de duas-peças estampado, que modelava seus peitos redondos e mostrava a sua barriguinha coberta por uma penugem de pêssego. Soltou os cabelos presos num rabo-de-cavalo, deu uma corrida e mergulhou na água azul-piscina. Aos olhos dos garotos era uma sereia voltando para casa. Bombril odiava todos aqueles tarados punheteiros.

Mar e montanha

De óculos ray-ban, camisa havaiana, short de náilon e sandálias de couro italianas, com uma toalha bordô pendurada no ombro como um centurião romano, Simon apareceu na piscina. Pronto para a praia.

"Bom-dia, filha, bom-dia meninos, sejam bem-vindos", cumprimentou-os sorridente, com seu sotaque luso-californiano.

Na piscina, Carol cutucou Bombril e cochichou alguma coisa em seu ouvido. Ele sorriu e chutou de primeira:

"Gud mórning, sâr", os garotos pasmaram, Carol cochichou, ele continuou: "Ténks fór réving ûs."

"You're very welcome, guys", o coronel respondeu sorridente. "What's your name, son?"

"Mai neim iz Bombril", nem precisou Carol cochichar nada. Como o jogador que faz uma última firula antes de chutar para o gol, ainda teve a chinfra de pronunciar seu nome como Carol o chamava de brincadeira nas aulas, "Bómm-brrrilll", carregando no sotaque americano. A molecada explodiu numa gargalhada selvagem e partiu para cima dele aos gritos de "Bómm-brrrillll". Sob uma chuva de tapas e cascudos, o artilheiro bilíngüe submergiu. Carol e o pai gargalhavam. Era alegre a vida nos trópicos.

Simon beijou a filha na porta da casa, botou um chapeuzinho Nat King Cole de lona azul, acendeu um Lucky Strike e saiu arrastando os chinelos para a praia. Cruzou despreocupadamente a pracinha, atravessou a Galeria Menescal e andou mais dois quarteirões sob um calor sufocante até a praia fervilhando de gente.

Seguiu pela areia e se encontrou com um grupo de homens e mulheres espalhados debaixo de barracas coloridas, ao lado de uma rede de vôlei e de um *cooler* cheio de cervejas.

Na beira do mar, a massa era compacta, cortada pelos que passeavam pela orla molhando os pés na água fresca.

À vontade, cheio de vitalidade, Simon corria, gritava, pulava e se jogava na areia de um dos lados da rede de vôlei. Não demonstrava a idade que tinha. Algum tempo depois, o jogo terminava com a vitória do seu time e uma bela morena vinha rebolando com o troféu: um balde de água fresca, que despejou na cabeça de Simon, banhado de suor. Ele agradeceu, pegou-a pela mão e correram juntos para o mar. Misturaram-se ao mar de gente que nadava e brincava nas águas verdes do Atlântico.

Quinze minutos depois, Simon e a morena saíram da água e se estiraram em toalhas na areia quente.

Ela se deitou de bruços, oferecendo ao sol e aos olhos de Simon as longas pernas, a bunda redonda e a cascata negra de cabelos molhados que lhe descia pelos ombros. Estendeu um vidro de óleo de bronzear para Simon, que lambuzou abundantemente e sem pressa toda aquela superfície morena e macia. Quando terminou, deitou-se de costas, de cara para o sol. Cobriu o rosto com o chapéu e pouco depois sentia uma mão suave e lambuzada de óleo deslizando por seu peito e seu pescoço, descendo pela barriga, coxas e pernas. Mesmo tolhido por um "suporte atlético" — proteção elástica que os esportistas usavam debaixo do calção, que os brasileiros chamavam de "culhoneira" — um volume crescia sob o short. A morena sorria.

Simon e a morena, já de camisas e sandálias, atravessaram de mãos dadas as areias escaldantes, cruzaram a avenida Atlântica e tomaram o rumo do Posto Seis. Caminharam duas quadras e entraram pela porta de banhistas de um edifício imponente com fachada de mármore branco.

O coronel Kleber levantou bem cedo e saiu antes de Zé Roberto acordar. Marina gostava de dormir até tarde. Eva tinha passado o dia anterior na cama, com Marina e Lucila se revezando na loja e no quarto. Não comeu nada o dia inteiro, recebeu uma visita rápida do médico, que refez os curativos e lhe deu um analgésico, tomou duas pílulas para dormir e só despertou depois de duas da tarde.

Dagmar passava as roupas atrasadas e cantarolava baixinho um samba-canção, quando Eva entrou meio zonza na copa, de robe de chambre acolchoado, com os olhos inchados de tanto chorar e dormir, com aquele pescoço de múmia e o rosto cheio de cortes. Dagmar tentou não demonstrar espanto nem pena, mas seu coração apertou.

"Bom-dia, Dagmar, que bom que você está por aqui", disse em voz baixa e sombria.

"Bom-dia, dona Eva, eu soube do acidente, a senhora está se sentindo melhor?"

"Ainda estou meio tonta, há dois dias só faço dormir", bocejou.

"Marina acabou de sair para a praia, quando eu cheguei não tinha mais ninguém em casa. A senhora quer um café? Vai ajudar a acordar."

"Ai, Dagmar, acordar dói tanto...", a voz de Eva era puro desconsolo.

"Vamos lá, dona Eva, a senhora é uma mulher de muito valor, de coragem, isto tudo vai passar, tenha fé, dona Eva, o vento vai virar."

"Deus te ouça, Dagmar", Eva suspirou.

"Hoje é folga da Nazaré, ela foi visitar a família em Três Rios, se a senhora quiser, eu posso dormir aqui."

"Obrigada, Dagmar, você é um anjo."

* * *

Kleber pegou o Citroën e subiu por Laranjeiras e pelo Cosme Velho até o alto de Santa Teresa. Sem camisa, de calça verde-oliva e coturnos de campanha, com um cantil militar na cintura, se embrenhou pela Floresta da Tijuca, sua velha conhecida. Caminhou horas, até não saber mais quantas, pelas trilhas que serpenteavam na exuberante mata atlântica. Com a luz do sol vazando pelo rendilhado das ramagens, aspirando o aroma inebriante de plantas e flores e envolvido pela polifonia de pássaros e insetos, Kleber andou a esmo pelo chão úmido coberto de folhas. Esperava de alguma forma, nem que fosse pela exaustão, encontrar as respostas para perguntas tão incômodas. Homem sem fé, racional e materialista, buscava na natureza inspiração para as graves decisões que precisava tomar.

Não acreditava mais em nem uma palavra de Eva. Antes de subir para a floresta, passara na loja de doces da Galeria Menescal e constatara o que já suspeitava: o balcão de vidro estava intacto, não acontecera acidente algum. Telefonou para Vasquez, irritado. Pensou em passar uma descompostura no detetive pela omissão. Cobrou-o bruscamente e ouviu o que não queria, entendeu que tinha sido vítima de uma caridade. O detetive lhe poupara a visão ultrajante de sua mulher, mãe de seus filhos, rolando no chão com uma vagabunda na disputa por um meganha.

Só quando o sol já descia vermelho no horizonte, Kleber deixou a floresta. Do alto de Santa Teresa, respirou fundo diante da clássica paisagem de cartão-postal — a cidade espraiada aos pés das montanhas e a baía de Guanabara e o Pão de Açúcar ao fundo —, tão banal nas fotos, tão linda e emocionante ao vivo. Comeria alguma coisa na Churrascaria Parque Recreio, no Flamengo, e iria para casa, depois de se certificar de que Marina e Zé Roberto já teriam saído para a festa de sábado à noite. A decisão estava tomada.

Eram mais de nove da noite quando Kleber entrou discretamente em casa. Os filhos estavam num baile de formatura e a empregada de folga. Eva sozinha em casa, Dagmar pedira para ir à sessão das oito no Metro Copacabana, voltaria pouco depois das dez. Kleber sabia tudo que diria e faria, estava calmo, precisava manter o sangue-frio, mas suas mãos tremiam e seu coração batia acelerado.

"Quem está aí?", Eva perguntou do quarto.

Ouviu passos, a porta se abrindo e Kleber aparecendo.

"Sou eu", disse secamente, "já está melhor do...", fez uma pausa e tentou um tom irônico, "... acidente?"

Eva apenas olhava, deitada e coberta até o pescoço. Morrendo de medo.

"É...", continuou Kleber, tentando um tom mais casual. "Eu passei por acaso pela sua loja e vi que já está tudo consertado... esses vidraceiros estão trabalhando muito rápido hoje em dia."

Eva sentia que estava perdida. Mas não imaginava o quanto ele sabia.

"Não adianta negar nada. Só vai me fazer te desprezar mais ainda", voltou ao tom duro e seco. Eva sentia o ódio fervendo dentro dele e brotando de seus olhos. "Você vai ter o que merece, sua cadela vagabunda", gritou arrancando o cinturão militar da calça.

Com um movimento rápido, levantou as cobertas da cama. Eva se encolheu como um feto protegendo o rosto com as mãos. Kleber baixou o braço e o cinto estalou nas coxas da mulher, que trincou os dentes de dor e gemeu abafado contra o travesseiro.

Kleber não dizia nada, só grunhia, rosnava, rugia, enquanto chicoteava Eva de olhos fechados, cego de ódio e de rancor. Nos braços, pernas, cabeça, pés, costas, o cinto estalava em todo o corpo de Eva, que chorava e gemia e mordia o travesseiro. Exausto, Kleber saiu do quarto e entrou no banheiro. Debaixo do chuveiro frio, chorava e soluçava, lavava sua honra.

Vestiu-se e saiu. Iria para o Clube dos Oficiais. Para um bar qualquer. Dormiria em um hotel. Em qualquer lugar. Não voltaria para casa. Precisava esfriar a cabeça, beber, conversar, se distrair, descansar, tinha feito o que tinha que ser feito, queria passar o domingo inteiro dormindo e só acordar segunda-feira.

Eva tremeu quando ouviu o barulho da porta da rua se abrindo. Ouviu passos e se encolheu de medo. Na moldura da porta do quarto, contra a luz do corredor, viu a cara sorridente de Dagmar se transformando numa careta de espanto ao ver sua camisola de algodão branco toda riscada de sangue. E seu rosto inchado de choro e vergonha, banhado em suor e lágrimas que se misturavam ao mercurocromo e ao sangue coagulado das unhadas de Carmita.

Dagmar encheu a banheira de água quente e ajudou Eva a se levantar e a tirar a camisola manchada de sangue e suor. Dava pena ver o invejável corpo da patroa, todo lanhado, inchado e cheio de vergões vermelhos que começavam a arroxear. Apoiou-se em Dagmar e entrou na banheira, a água quente lhe envolvendo os pés e as pernas numa sensação de conforto, foi se abaixando devagar e sentindo o contato da água com os ferimentos, doloroso e aliviante ao mesmo tempo. Lentamente afundou o corpo até os ombros na água quente, com cuidado encostou as costas feridas no fundo da banheira. Descansou a cabeça em uma toalha dobrada e fechou os olhos.

Pediu a Dagmar um chá de camomila e tomou-o com um analgésico e um calmante. As chicotadas ardiam e latejavam, queimavam por dentro — e tanto que a faziam esquecer-se das unhadas de Carmita. Seu coração batia a contragosto. Com a cabeça recostada e de olhos fechados, Eva queria ficar naquela água para sempre.

Tomando café na cozinha, Dagmar levantou ao chamado de Eva, que não parecia de uma patroa mas de uma amiga que pede um favor, de uma pobre-coitada que precisa de ajuda. Ajudou-a a sair da banheira, envolveu-a com cuidado em uma toalha e enxugou todo o seu corpo dolorido com suaves pressões das mãos. Tirou devagar a toalha e untou com pomada de arnica todos os ferimentos que marcavam o corpo de Eva.

"Eu não quero ficar aqui nem mais um minuto, quero ir embora, Dagmar", pela primeira vez falou em um tom decidido. De patroa.

"Mas ir para onde, dona Eva?"

"Para qualquer lugar, para longe daqui, eu quero ir agora, Dagmar."

Vestiu rapidamente um vestido leve e calçou sapatos baixos, jogou algumas peças de roupa e uns poucos objetos de uso pessoal dentro de uma sacola. Não poderia aparecer para ninguém, daquele jeito, àquela hora. Não queria ver nem ser vista pelos filhos, muito menos explicar-lhes o que tinha acontecido. Queria sumir, desaparecer, se esconder do mundo, pelo menos até que as feridas de fora cicatrizassem e as de dentro doessem menos.

"Vamos para sua casa, Dagmar, você me recebe? Vai ser só por uns dias", ordenou, pediu e implorou na mesma frase.

"Mas... dona Eva... não é nem uma casa, é um barraco de madeira com teto de folha de zinco, não é um lugar... para uma pessoa como a senhora."

"Para mim vai ser o melhor lugar do mundo, onde ninguém me conhece, onde ninguém vai me procurar nem me achar, é disso que eu preciso agora, Dagmar, por favor."

"A senhora é muito bem-vinda, mas sabe como é, não tem nenhum conforto — é água da lata e luz de lampião, fogareiro Jacaré — mas, se a senhora quer, mesmo, vai ter muito carinho e proteção, pode ter certeza. Vamos?"

Pegaram um táxi até a encosta do morro da Babilônia. Apoiada em Dagmar, que carregava a sacola, Eva subiu penosamente o caminho de terra que serpenteava morro acima até o barraco onde a lavadeira morava com seu filho José Ribamar, o Ratão.

Ninguém em casa

Marina e Zé Roberto voltaram juntos do concorridíssimo baile de formatura do Colégio Anglo-Americano, nos novos salões do Clube Monte Líbano. Para uma agremiação e um quadro social de origem árabe, a nova sede em frente ao Jardim de Alah era mais do que apropriada.

Eram quase três da madrugada quando ela, de vestido azul-piscina, longo e decotado, e ele, de smoking alugado e bêbado de hi-fis e cubas-libres, caminharam até a Visconde de Pirajá e pegaram um ônibus para o Bairro Peixoto. Viajaram em silêncio, Zé Roberto cabeceando e Marina tensa porque pressentia que o irmão poderia vomitar a qualquer momento.

Zé Roberto só vomitou em casa, depois de subir cambaleante as escadas, amparado por Marina. Lavou o rosto e saiu do banheiro ainda trôpego, viu a porta do quarto dos pais aberta e a cama vazia.

"Marina! Marina!", Zé Roberto abriu a porta do quarto da irmã, assustado.

"Porra!", gritou Marina só de calcinha, cobrindo os peitos com os braços, "já disse mil vezes para bater antes de entrar, que merda!", e bateu a porta.

"É que o papai e a mamãe sumiram, não tem ninguém em casa", gaguejou o irmão atrás da porta.

Ele temia pelos efeitos de sua carta-bomba, sentia cheiro de merda no ar, de sangue; a irmã apenas imaginava que teriam viajado para algum lugar tranqüilo, talvez a casa do tio, em Petrópolis, para que a mãe descansasse do acidente. Devem ter deixado um bilhete, Marina disse vestindo a camisola e indo para o banheiro.

Não havia bilhete algum, Zé Roberto procurou pela casa toda. Abriu e fechou gavetas. Olhou debaixo dos móveis. Atrás de armários.

Bateu na porta, aflito:

"Não tem nada, já procurei em tudo que é canto."

"Você não acha que eles já têm idade para saber aonde vão?", Marina respondeu escovando os dentes, cuspiu e continuou: "Ou será que eles têm que pedir autorização a você?"

Saiu do banheiro, encontrou-o com cara de quem viu assombração, parecia mais bêbado ainda.

"Boa-noite, Zé Roberto. E bons sonhos."

Foi dormir tranqüila. Ele vagou como uma alma penada até o dia começar a clarear, bebeu várias doses de uísque puro e tombou exausto no sofá da sala.

Na praça do Bairro Peixoto, nada parecia se mover na manhã quente e sem vento, nem o bambuzal ou as folhas das árvores — ou então se moviam muito lentamente, como duas velhas beatas que se arrastam rumo à missa, enquanto a cidade acorda no domingo ensolarado.

O coronel Kleber chegou em casa com o dia clareando, depois de perambular por inferninhos do Lido e da Prado Júnior. Completamente bêbado, como não acontecia há décadas, entrou no quarto cambaleando, viu a cama vazia e imaginou que Eva tivesse fugido com o amante. Sentou-se no leito conjugal, enfiou os dedos pelos cabelos, sentiu tudo rodando, um enjôo, um bolo lhe subindo pela garganta e não teve tempo de chegar até o banheiro, foi vomitando pelo corredor.

Emborcado no sofá da sala, Zé Roberto roncava. Kleber tirou as roupas sujas, entrou debaixo do chuveiro e abriu a água fria — mas apenas umas poucas gotas molharam o seu corpo nu, respingado de vômito e ódio. Não lhe restava nada além de um humilhante banho de cuia.

Como era domingo, Marina acordou quase às duas da tarde. Tomou um banho de cuia, esquentou arroz, feijão e um bife de panela, comeu e saiu. Nem notou Zé Roberto emborcado no sofá da sala. Quando voltou do cinema Art Palácio e do lanche no Scaramouche com as amigas, Zé Roberto já havia saído, e Marina achou a casa estranhamente silenciosa. A porta do quarto dos pais continuava fechada. Bateu de leve, chamou baixo, "mãe". Bateu de novo. O pai abriu a porta estremunhado, mesmo com as duas pílulas soníferas que tomara as náuseas da ressaca não o deixavam dormir, sua cabeça estourava.

"Oi, pai, desculpe, eu não sabia que você estava dormindo. A mamãe saiu?"

"Eu não passei bem à noite, filha, mas já estou melhor, preciso só dormir um pouco. Acho que sua mãe saiu, mas não sei para onde."

Fechou a porta, passou a chave e se enfiou debaixo das cobertas. Marina tirou os sapatos, ligou a televisão e se deitou no tapete com a cabeça apoiada no sofá. Zé Roberto certamente estaria na casa de algum boçal como ele vendo as lutas de boxe do TV Rio Ring. Ela poderia ver em paz o *Teatro Wallita* da Tupi.

Era quase meia-noite quando Marina desligou a televisão. Nem Zé Roberto nem a mãe haviam chegado, o pai continuava trancado no quarto. Deitou-se e ainda leu durante uma hora diversas crônicas do novo livro de Rubem Braga antes de dormir, sem que nenhuma chave tivesse girado na porta.

Procurando Eva

Na segunda-feira de manhã, quando acordou para a escola, Marina procurou pela mãe para que assinasse a sua caderneta e lhe desse a sua semanada, estava a zero, não tinha dinheiro nem para o lotação. A porta do quarto estava aberta, o pai já tinha saído, mas não havia nenhum sinal da mãe. Telefonou para o pai na sala dos professores da Escola de Engenharia Militar. Deixou recado para que ele ligasse para casa. Foi acordar Zé Roberto com a remota esperança de que ele tivesse uns trocados para lhe emprestar.

Em vão. Ele acordou assustado, projetou-lhe um bafo de álcool azedo na cara, que fez Marina marear. Apenas resmungou:

"Cadê a mamãe?"

"Não sei, liguei para o papai. Ele está em aula. Mas não posso esperar por ela. Acorda, vagabundo! Vai perder a hora."

Depois das duas primeiras aulas, o coronel Kleber recebeu o recado na sala dos professores, esperou longos minutos por uma linha e ligou para casa. Talvez fosse Eva. Ninguém atendia, os filhos já estavam no colégio e a empregada não chegara da folga. Aguardou impaciente outra linha, tomando um cafezinho. Tentou de novo. Deixou tocar. Até que soou a campainha para a aula.

E se fosse Marina, ou Zé Roberto, querendo saber da mãe, o que diria?, pensava caminhando para a sala de aula. Onde estaria Eva?

Depois das aulas, telefonou para o investigador Vasquez. Estava nervoso e precisava de ajuda. Marcaram encontro no restaurante em Botafogo. Morto de vergonha e de humilhação, acabou contando tudo, mas aos pedaços, aos trancos, às golfadas, sem nunca olhar no rosto do detetive, um experiente profissional acostumado às intempéries dos sentimentos humanos. Principalmente o ódio, o ressentimento e a vingança.

Como vários outros, o corno dera uma coça, aparentemente não muito violenta, ou pelo menos sem cortes profundos ou ossos quebrados. Nada de novo. Chicotadas são um clássico da infidelidade conjugal desde a Antiguidade. Depois ela sumira sem deixar rastro, ninguém sabe, ninguém viu. Os filhos estão preocupados. Tudo tem que ser conduzido discretamente, a vizinhança, a maledicência, o comando militar, o coronel implorou ao detetive. Desnecessariamente: no seu ramo de trabalho, pensava Vasquez, tomando notas, a investigação vale metade dos honorários, os outros 50% pagam o sigilo.

Pediu licença, levantou e se despediu:

"Calma, coronel, o mundo não acabou, ninguém morreu...", fez uma rápida pausa, o suficiente para se arrepender da frase e emendar: "Bem, vou trabalhar, fique tranqüilo, coronel, nós vamos encontrar dona Eva, é só uma questão de tempo. Isto se ela não voltar para casa antes, quando passar a raiva, é uma reação natural. Se o senhor quer saber, na minha experiência, 80% das mulheres acabam voltando."

Pensando nos outros 20%, Kleber pediu mais um cafezinho e a conta. Precisava esfriar a cabeça e pensar no que fazer. Telefonou para casa para avisar que teria uma reunião de professores e só voltaria para o jantar.

Nazaré, que voltara de sua folga, atendeu e imediatamente disse que Marina queria falar com ele.

"Alguma notícia da mamãe?", Marina estava aflita. O coronel encurralado.

"Filha... não... eu ainda não sei onde ela está mas... ela vai voltar logo..."

"O que é que houve, pai? Vocês brigaram? O que aconteceu, pai? Você está dizendo que ela fugiu de casa?"

"É... nós tivemos uma briga feia...", não queria dizer que a mulher tinha um amante. "Ela me ofendeu muito e... eu acabei reagindo... perdi a cabeça...", e emudeceu.

"Você bateu nela?", o tom de Marina era incrédulo e indignado.

"Nós brigamos... ela me desrespeitou... eu me descontrolei..."

"Você bateu nela! O que você fez com ela? Onde está a mamãe?", Marina fazia força para conter o choro. Para ela, nenhuma ofensa ou desrespeito, nem mesmo um amante, justificava uma agressão.

"Você é um monstro!", Marina explodiu no choro, "covarde", soluçou, e bateu o telefone.

Nazaré correu aflita:

"O que aconteceu? Alguma notícia de dona Eva?"

Marina abraçou-se à cozinheira soluçando. Nazaré consolou-a.

"Sua mãe está bem?"

"Não sei, Nazaré, não sei... eles brigaram e ela saiu de casa... desde sábado à noite..."

"Calma, minha filha, se foi isso mesmo, então ela vai voltar logo, deve estar com raiva, depois passa, briga de casal, minha filha", Nazaré abraçou-a mais forte.

"Eu vou passar na Bom Bocado e falar com a Lucila... vou ligar para os nossos parentes de Belo Horizonte... eu vou à polícia, Nazaré", Marina estava decidida.

Chegou chorosa e nervosa à loja de doces. Lucila passara o fim de semana em Petrópolis e não sabia de nada. Estivera com Eva pela última vez depois do acidente com o balcão da loja. Sabendo o que sabia, Lucila ficou muito preocupada, temendo pelo pior. Dois dias fora de casa? Será que fugira com o amante? Por alguns segundos, quase invejou a amiga.

De casa, Marina ligou para tias e primas em Belo Horizonte, tentando não provocar alarme e pânico, dizendo que a mãe estava na cidade e que planejara visitar alguns parentes de surpresa. Pediu que dissessem a Eva para ligar para casa. Nada sério. Apenas alguns problemas na loja.

Passado o espanto inicial, Marina estava mais calma, se acostumava à idéia de que a mãe voltaria, ou pelo menos faria contato, mais cedo ou mais tarde. Pediu um sanduíche a Nazaré, comeu e foi para a 12ª DP, na rua Hilário de Gouveia.

Foi atendida muito gentil e solicitamente pelo subdelegado Sérgio Vespasiano, conhecido como Sérgio Cavalo. O tira tinha um fraco por brotos bonitos, principalmente quando iam em busca de proteção. A mãe tinha sumido, tadinha. A garota entregou-lhe algumas fotos de uma morena apetitosa, deu-lhe nome, endereço e telefone. Hesitou em contar que os pais tinham brigado. Acabou contando, em meias-palavras, que fizeram o policial sorrir por dentro. Briga de casal, velha conhecida, a mulher devia ter levado uma coça do marido, acabaria voltando, acalmou a menina, falou sério para impressionar:

"Nós vamos começar a busca imediatamente, vamos passar um rádio para todas as delegacias e para a polícia rodoviária com uma descrição de dona Eva, vamos copiar e distribuir uma foto. Pode ficar tranqüila, nós vamos achar sua mãe."

De campana no botequim da esquina, o detetive Vasquez começou pelo começo: seguindo o amante. Tomou dois cafezinhos e fingiu que lia meio jornal até a chegada do homem que vira só de calça na porta do apartamento de Copacabana. Fechou o jornal, pagou a despesa, atravessou a rua e entrou na delegacia. Olhou em volta, viu o seu homem numa sala com a placa "Delegado Danilo

Noronha", foi até o balcão e perguntou por um imaginário investigador Paranhos, agradeceu a resposta negativa e saiu. Então era pior: o homem era delegado. Voltou ao botequim e pediu uma média com pão e manteiga.

"Alguma novidade?", Noronha perguntou a Sérgio Cavalo tirando o paletó e colocando a arma em cima da mesa.

"Nada importante. Só uma mulher desaparecida. A filha é um brotinho delicioso. Parece que foi briga de casal, besteira." E jogou as fotos de Eva sobre a mesa de Noronha.

"Caralho!", pensou o delegado, fingindo olhar as fotos com indiferença.

"Uma morena enxuta, hein, chefe? É de quem achar primeiro", Cavalo riu obscenamente com seus dentes eqüinos. Noronha teve vontade de matá-lo.

Esperou que Cavalo saísse, leu suas anotações, olhou demoradamente para as fotos de Eva com preocupação e saudade. Ligou para Marina. Identificou-se, fez-lhe cuidadosamente algumas perguntas mais leves e indagou se poderia fazer-lhe uma visita para mais informações, evitaria, assim, que fosse à delegacia. Queria também ouvir o irmão, o pai e a empregada. Entraria na toca do leão ferido.

"Meu pai não sabe que eu fui à polícia, delegado. Eles brigaram e meu pai bateu nela, por isso ela fugiu. Acho que ele não quer falar com a polícia com medo do escândalo, ele é coronel do Exército e professor, é um homem muito sério. E muito bravo. Ele está fora e só vai voltar para o jantar. Mas por favor o senhor não conta nada para ele."

"Pode ficar tranqüila que nós vamos manter isto em sigilo total", Noronha era o principal interessado. Meia hora depois, estava tocando a campainha do lar que ele ajudara a explodir. Sempre tentara imaginar como seria o quarto de Eva, seus armários onde guardaria suas roupas, seus sapatos. Poderia pelo menos sentir o seu perfume. Foi recebido por Nazaré, que lhe ofereceu um copo d'água e um cafezinho, levando-o até Marina na sala.

O abominável Cavalo tinha razão. Era mesmo um estouro de broto, como se fosse a mãe em tamanho menor e trocando tudo que era moreno e escuro em uma por claro, louro e azul na outra. Ia fazer 18 anos e estava com ódio do pai.

Vasquez seguiu-o discretamente até o Bairro Peixoto, observando a nada discreta deselegância do delegado. Pediu um café no botequim e bebeu em pequenos goles, afastando o corpo do balcão e tomando cuidado com o impecável terno de tropical inglês azul-marinho, com o desdém de quem se orgulha de seu vasto guarda-roupa cortado com esmero pelo alfaiate Molina, do Largo da Carioca.

Também no seu ramo, pensava Vasquez, embora a discrição fosse aconselhável, uma boa aparência despertava menos suspeitas. Vasquez gostava de seu disfarce de fino cavalheiro, facilitava sua vida, impunha mais respeito e confiança. Dava mais segurança aos clientes, autorizava preços mais salgados.

Na sala, sentados no sofá, Noronha conversava com Marina e tomava café e notas. Ela falou-lhe do acidente com o balcão da loja e dos ferimentos da mãe. Depois do que acontecera, começava a desconfiar que aquilo tinha relação com seu desaparecimento. Noronha anotou apenas uma letra “C” e se perguntou pela milésima vez “quem me entregou para a Carmita?”.

Pobre garota, estava sofrendo, envergonhada, humilhada e decepcionada com o pai e a mãe. Dava vontade de contar-lhe tudo e jurar que ia encontrar Eva e que viveriam todos juntos felizes para sempre. Não era bem o que Noronha queria — e podia — no momento. E, pelo último encontro, estava longe do que desejava Eva. Noronha temia já ser uma carta fora do baralho: Eva estava fugindo não só do marido mas dele também. Desde o sururu com Carmita não atendia seus telefonemas nem respondia a seus recados.

Noronha tinha medo de que a questão não fosse mais casar ou largar, que talvez já fosse tarde demais, mas morria de saudades do corpo moreno, do calor e do sotaque mineiro de Eva, mais delicioso ainda quando ela se descontrolava, enterrava as unhas nas suas costas e gemia um monte de putarias no seu ouvido. Depois que gozava, parecia que voltava de um desmaio, ou acordava de um sonho, como quem não sabe onde está nem o que aconteceu. Noronha ficava louco com aquela cara de Eva.

Marina não via brigas freqüentes entre os pais, apenas testemunhava um progressivo distanciamento, cada vez se falavam menos, mas não brigavam. O pai era um homem de poucas palavras, duro e seco, coisa de militar, Marina imaginava, mas ultimamente parecia mais irritado e impaciente. Noronha não seria sórdido o suficiente para perguntar-lhe se ela achava que sua mãe tinha um amante. A garota não sabia de mais nada, deu o telefone de algumas amigas de Eva e perguntou se Noronha conhecia a Bom Bocado.

Era a duas quadras da delegacia, o delegado até já comera doces deliciosos ali, mas não sabia que era de Eva, mentiu. Anotou o nome da sócia, Lucila. Agradeceu a Marina, pediu-lhe calma e um pouco de paciência, logo teria sua mãe de volta, desejou sinceramente. Pediu que chamasse a empregada.

"Ela estava de folga no fim de semana, viajando, não sabe de nada." Uma última coisa: Noronha pediu-lhe para lembrar em detalhes a última vez que vira a mãe.

"Ela estava de cama, por causa dos ferimentos, tomou muitos sedativos e dormiu direto até mais ou menos duas da tarde, quando acordei e fui para a praia. A Nazaré já tinha saído para a folga e a Dagmar, que é a lavadeira e passadeira, estava chegando."

"Posso falar com ela?"

Na pequena área de serviço, com o ferro quente na mão, Dagmar tremeu por dentro. Seu coração disparou.

"Parece que a senhora foi a última pessoa que esteve com dona Eva no sábado. A senhora se lembra a que horas ela se levantou? Recebeu algum telefonema? Foi procurada por alguém? Ela se queixou de alguma coisa? Disse que ia a algum lugar? Ela pediu alguma coisa? A senhora viu quando ela saiu? Viu em que direção foi? A senhora estava em casa quando o coronel chegou?"

Não, não, não, ela não sabia, dona Eva não tinha dito nada, só reclamara dos ferimentos, ela trocara os curativos, fizera um lanche, não vira o coronel nem ninguém; quando saiu, a patroa ainda estava em casa, não sabia de mais nada.

Não era preciso ser um investigador profissional para saber que ela estava escondendo alguma coisa. Felizmente para Dagmar e para Eva, o porteiro Nereu estava de folga naquela noite. Ninguém vira as duas saindo. Precisava avisar dona Eva urgente, o cerco estava se fechando. Pediu licença, voltou à área de serviço, colocou as roupas que faltava passar num cesto, desligou o ferro e saiu. Noronha perguntou sobre ela em voz baixa e Marina respondeu:

"Dagmar é de toda confiança, a mãe gosta muito dela."

Despediu-se, deixou o telefone com Marina e voltou para a delegacia.

Ave-Maria no morro

Eva levou um baita susto e chegou a pensar que estava tendo um pesadelo quando acordou no barraco de Dagmar, afastou a cortina de pano estampado que separava os dois pequenos cômodos e viu um gigante vestido de vermelho tomando café sentado num banquinho.

Era Ratão, em seu uniforme do Serviço de Cobranças Vermelho, se preparando para o primeiro dia de trabalho. Trabalho duro. O serviço recrutava homens fortes, bem-dispostos e persuasivos para a árdua tarefa de cobrar e receber dívidas difíceis, tentando convencer — nos limites da lei — os maus pagadores a cumprirem com seus deveres e contratos.

Sem violência. A estratégia era intimidar pelo escândalo e pelo constrangimento. Daí a farda toda em vermelho vivo, incluindo um chapeuzinho redondo como o dos boys de hotéis. Mais que um uniforme, era uma fantasia destinada a atrair o máximo de atenção para os cobradores, cuja tática básica, depois de algumas tentativas de cobrança amigável, era postar-se na porta do edifício onde morava o inadimplente e informar a toda a vizinhança os motivos de sua presença ali.

O passo seguinte era procurar o devedor renitente em seu trabalho e informar a sua situação aos chefes e colegas. A simples presença de um "vermelho" procurando por alguém já era o suficiente para o veneno se espalhar e cobrir de vergonha o devedor relapso. Muitos, na primeira visita do cobrador, preferiam fazer um acordo e pagar a correr o risco de uma completa desmoralização na vizinhança, no trabalho e até entre a sua turma de praia, onde a eventual presença de um "vermelho" logo atraía uma roda de curiosos. E sádicos, ávidos por desfrutar de um espetáculo de humilhação pública ou então da fúria do cobrado partindo de porrada para cima do cobrador, freqüentemente em desvantagem, já que força, dureza e persistência eram requisitos fundamentais para os "vermelhos", que apenas se defendiam.

Ratão pegou sua pasta, também vermelha, e saiu para fazer suas primeiras cobranças em Botafogo. Eva se levantou de camisola, com o corpo todo dolorido, lavou o rosto e escovou os dentes usando uma jarra de água e uma bacia que Dagmar deixara sobre a mesinha do pequeno cômodo. Passou uma escova nos cabelos mas evitou se olhar no espelho pregado na parede de madeira, ao lado de uma capa de revista com a foto de Ângela Maria, a Sapoti. O sol brilhante entrava pela única janela do barraco. Eva esquentou um pouco de água no fogareiro e fez um café forte.

Debruçou-se na janela, viu lá embaixo Copacabana banhada pela luz da manhã, os prédios, as praças cheias de árvores, as praias com suas barracas coloridas. Uma brisa fresca e suave vinha do mar, brincava com seus cabelos, lhe dava uma sensação agradável de paz e segurança. Uma senhora passava com uma lata d'água na cabeça, crianças desciam para as aulas com seus uniformes azuis e brancos da escola pública, um homem subia carregando uma cadeira de balanço, o rádio tocava um samba para o próximo Carnaval.

A caminho da delegacia, Noronha passou na Bom Bocado e não precisou insistir muito para que Lucila lhe confidenciasse que a sócia tinha um amante e que fora agredida pela mulher dele na quinta-feira. Lucila temia que o marido de Eva, um homem violento, tivesse descoberto tudo e a matasse. Noronha também. Lucila tinha esperança de que a amiga tivesse fugido com o amante. Noronha não.

O corregedor ligou três vezes, o secretário de Segurança cobrava resultados na investigação da morte de um repórter policial chantagista. Ligaram de novo. Noronha não atendeu, avisou que sairia em diligências. Caminhou até a praia e sentou-se num bar da avenida Atlântica, pediu uma cerveja e tentou organizar seus planos, se é que havia algum, naquele turbilhão em que estavam mergulhados sua cabeça e seu coração.

Às seis da tarde, parecia que todos os rádios do Bairro Peixoto — que acompanhavam as empregadas lavando e passando roupa, cuidando das crianças e fazendo o jantar — tocavam ao mesmo tempo na mesma estação. Sobre os acordes da *Ave-Maria* de Gounod, a voz de Júlio Louzada levava sua mensagem de fé e esperança aos ouvintes. O sino da igrejinha de São Paulo Apóstolo tocava ao longe, quase como um eco, ficava soando no ar.

Trancada em seu quarto, Marina se sentiu envolvida pela tristeza da melodia que vinha das áreas de serviço do prédio e começou a chorar com o rosto enfiado no travesseiro. Pelo rádio do bar da avenida Atlântica, Noronha também ouvia e era invadido por uma melancolia lancinante, vendo o sol mergulhar no mar atrás do Forte de Copacabana.

No alto do morro da Babilônia, com a tarde se alaranjando sobre a cidade e ouvindo a *Ave-Maria* pelos rádios ligados nos barracos em volta, Eva sentiu uma estranha paz, uma sensação de conforto e segurança. Na janela do barraco, foi cumprimentada com cordialidade por homens e mulheres que voltavam do trabalho e nem sequer a conheciam, apenas por estar na casa de Dagmar.

A *Hora da Ave-Maria* acabou, entrou um jingle das Pílulas de Vida do Dr. Ross, que fazem bem ao fígado de todos nós, e depois um samba de Carnaval. Felizmente a água tinha voltado, Marina tomou uma farta chuveirada, esfregou todo o corpo com uma bucha áspera até sua pele alva ficar vermelha, como se quisesse tirar uma sujeira que não se via e que não saía. Vestiu-se e foi para a casa de Carol.

Os primeiros lampiões e lamparinas se acendiam no morro quando Dagmar chegou, nervosa mas tentando aparentar calma para não apavorar a patroa. Trouxe um suco de manga e uma marmita com pastéis, bife à milanesa, arroz e feijão feitos por Nazaré e teve a agradável surpresa de encontrar a patroa tranqüila e sorridente, conversando com uma vizinha sobre receitas de doces.

Eva lhe disse que estava se sentindo muito melhor. Os cortes eram superficiais, estavam cicatrizando rapidamente; as marcas das chicotadas desinchavam e os hematomas começavam a se dissolver. Por dentro, estava mais difícil, mas a beleza do cenário e a tranqüilidade amistosa do ambiente onde ninguém a conhecia estavam colaborando para a sua recuperação.

Enquanto esquentava a comida, Dagmar sentiu que a patroa estava com um ânimo diferente e falou-lhe como amiga.

Eva, que admirava a simplicidade e a sinceridade, a sabedoria de vida de Dagmar — que conseguia ser feliz com tão pouco —, ouviu com atenção.

O mundo não acabou, disse Dagmar, ninguém morreu nem foi para a guerra. Ainda tinha muita juventude mas já bastante experiência, seus filhos estavam criados, era uma mulher independente financeiramente, uma raridade na sua classe social. Não se sentia tão gostosa quanto Dagmar descrevia, mas estava com um bom corpo; sabia que não era linda como ela dizia, mas ultimamente vinha se achando bem bonitona no espelho.

Tinha uma imensa fome de viver, de descontar os longos anos em prisão domiciliar como dona de casa e mãe de família. Poderia começar uma nova vida, sem homem nenhum para dar satisfações. Ou melhor, tendo os homens que quisesse, corrigiu Dagmar com uma risada.

Eva comeu com grande apetite, saboreando cada garfada.

"Você não comentou nada com a Nazaré, não é?"

"Claro que não, não falei nada com ninguém, nem com a Marina coitadinha que está tão aflita..."

Eva abaixou a cabeça e teve vontade de chorar, toda a sua fortaleza se dissolvia diante do sofrimento da filha.

"Ela ficou tão aflita que foi à polícia, dona Eva, aí é que está o problema. Um homem da 12ª DP esteve lá na sua casa conversando com a Marina, depois ia voltar para falar com o coronel, o Zé Roberto e o Ismael, e também me fez umas perguntas que eu nem sei se respondi direito. Acho que o homem está meio desconfiado. Por mim não tem nenhum problema, mas não sei se a senhora está muito segura aqui."

"É por muito pouco tempo, Dagmar, vou dar um jeito de avisar Marina que estou bem, para ela se tranqüilizar, você leva um bilhete para ela, mas vou pedir que ela não conte nada ao Kleber nem à polícia. Assim que melhorar um pouco, vou alugar um apartamento, entrar com o desquite e começar uma vida nova. E quero a Marina morando comigo, já o Zé Roberto, tadinho, se ele já sabe do que aconteceu, com certeza vai querer ficar com o pai. Eles são bem parecidos."

Eva fazia força para não pensar em Noronha. Para não chorar. Nem em seus sonhos, ou pesadelos, ela o imaginaria em sua casa, vasculhando seu quarto, revirando suas roupas. Não passava pela sua cabeça que o policial que falou com Marina e Dagmar fosse ele.

Sentada numa cadeira em frente ao barraco, Eva se perguntava onde estaria Noronha, se ainda a amava. Novamente levou um susto com o homenzarrão todo de vermelho que se curvou sobre Dagmar, ao seu lado.

Ratão envolveu a mãe com seus braços intermináveis e cobriu-a de beijos enquanto ela ria e ele lhe fazia cócegas.

"Pára, Ribamar, pára, menino", ordenou sem a menor convicção. Eva os invejou, pensou em Marina e chorou com o rosto entre as mãos. Dagmar acudiu:

"O que é isso, dona Eva? A senhora estava tão bem, aconteceu alguma coisa? Ou são esses pensamentos malignos que invadem a cabeça da gente? Isso é encosto, inveja, coisa-feita contra a senhora. Assim que a senhora melhorar, vamos ao Pai Jacinto fazer um descarrego e pedir uma orientação. Agora o pior já passou, a senhora está com todas as cartas na mão."

Jogo de fogo

Carol estava obcecada pelo futebol. Treinava todos os dias, com ou sem Bombril, um pouco antes de ir para o colégio e logo que voltava. Chutes, corridas, cabeçadas, dribles em banquinhos, tiros a gol, cobranças de faltas e de escanteios, com os dois pés.

Não se contentava mais em jogar só com aqueles cabeças-de-bagre, queria formar um time de verdade, de seis jogadores, para enfrentar outros times no campinho dos Mayer. Mesmo considerando que Carol tinha jeito para o futebol, que era forte e vigorosa, Bombril achou uma insanidade. Imaginem uma menina jogando contra o Radar ou o Copaleme.

Voltou aos argumentos iniciais, quando convencera Bombril a lhe ensinar os mistérios da bola. Para ele a situação era muito diferente, ela não era mais a dona da bola nem do campo, nenhum time aceitaria jogar contra uma garota. Por quê? Carol não entendia. Não tinha duas pernas, dois braços e uma cabeça? Era obrigatório ter pau para jogar bola? Ou será que era medo de levar um drible ou tomar um gol de uma menina, ou pior, perder o jogo? Que machos são esses?, provocava Carol. Bombril não se convenceu.

Carol imaginava que, com Bombril e Chico, dois craques, e vá lá, Boi e Ratão na defesa, além dela no meio-de-campo, poderiam formar um bom time. Bastava encontrar um goleiro decente para o lugar do Aranha Gorda e dava para enfrentar de igual para igual pelo menos alguns daqueles times cheios de pernas-de-pau que ela vira jogar, babando de inveja, no campinho dos Mayer.

Se convencesse Chico, seria mais fácil dobrar Bombril, raciocinava Carol, com os dois no time o resto seria secundário. Quando saiu para o colégio, os garotos ainda batiam bola em frente à sua casa. Chamou Boi e mandou um recado para Chico, queria falar com ele. Bombril ouviu e sentiu um calafrio de terror. Pronto, Chico vai levá-la a uma festa de rock, enchê-la de birita e depois comê-la. Boi vibrou.

No fim da tarde, Chico chegou de lambreta e Carol convidou-o para entrar. A empregada trouxe sucos. Ela gesticulava muito, Chico parecia se divertir. O coronel Simon daria as camisas, já tinha mandado fazer na Superball, azul-marinho e amarelo com listras horizontais, para não parecer nenhum clube carioca. Números vermelhos nas costas, calções e meias pretos. Chico gostou do uniforme mas riu quando entendeu que Carol também queria jogar no time. Ela não se intimidou e continuou argumentando.

Chico estava de ótimo humor, simpatizava com a garota, que, além de tudo, era um xuxuzinho. Divertia-se imaginando a cara da turma no campinho de sua casa, ao saber que no novo time jogaria uma garota. Explicaria que era uma brincadeira, que a garota jogava de igual para igual, agüentava porrada, e até levava jeito para o futebol. Era só uma partida de meia hora. Afinal, além de ser respeitado como jogador, Chico era o dono da bola e do campo. E, por que não, num futuro próximo, da garota americana?

De olhos fixos nos peitões de Carol que arfavam debaixo da camiseta, Chico aceitou a proposta dela mas impôs uma condição, um batismo de fogo. Carol se preparou para o pior, mas se surpreendeu quando Chico disse o que queria. Uma bobagem, coisa rápida, junto com o time no vestiário antes do jogo.

Chico abriu um sorriso cúmplice.

"O time vai jogar mais animado."

"Fechado", Carol estendeu a mão, séria. Chico apertou sorridente.

Logo que Chico saiu, Bombril chegou para a aula de inglês. Carol lhe deu as boas-novas: Chico tinha achado ótima a idéia do time e ia jogar. Bombril desmontou. Carol estava eufórica:

"O Chico vai falar com o Boi. Quem fala com o Ratão, eu ou você? E quem vai ser o goleiro? O time vai se chamar Carioquinha."

Não adiantava reclamar, era melhor assumir suas responsabilidades e lutar para impedir que Carol caísse nas garras de Chico, antes que fosse tarde demais. Afinal, não era nenhuma final de Copa do Mundo, seria uma simples pelada, como todos os sábados, e além disso, um time com ele e Chico — e quaisquer outros três jogadores — já impunha respeito. Poderia até ser divertido, tentava se convencer, mas em vão. Começou a aula arrasado e distante.

"Bombril! Fuck!", Carol bateu na mesa, estava brava. "Where are you? Are you at home? Are you in town? Do you have a problem?"

"Aim sóri, aim sóri", Bombril balbuciou.

"Let's move on", Carol continuou.

No sábado, treinaram o dia inteiro no seu gramado, ela, Bombril e Chico contra Ratão, Boi e Zé Roberto, ataque contra defesa. Zé Roberto nem jogaria no domingo, era reserva e estava só completando o time. Para Carol foi uma festa. Como era bom estar no time com quem joga muito bem, como Bombril e Chico. Como tudo parecia fácil com eles, recebendo os seus passes precisos, seus centros perfeitos, suas bolas enfiadas que a colocavam cara a cara com o goleiro. Carol fez vários gols, correu o tempo todo, atacou e defendeu, deu e levou porrada, xingou e foi xingada, terminou exausta. Mas feliz.

Foram todos para a piscina, onde a empregada serviu sucos e sanduíches. Bombril não conseguia disfarçar o desconforto. Carol não ficou muito tempo, disse que ia tomar uma chuveirada — Simon acabara de mandar instalar uma enorme caixa-d'água, que estava sempre cheia — e descansar para o jogo de domingo.

"Até amanhã às oito, eu levo as camisas", se despediu.

No domingo, Carol acordou às seis da manhã, escovou os dentes, tirou a camisola e só de calcinha desceu as escadas, atravessou o jardim e mergulhou na piscina. O sol começava a subir por trás dos prédios da avenida Atlântica. Carol nadava e olhava as montanhas que verdejavam no lado oposto ao mar. Pensava no futuro, naquela terra maravilhosa, no mundo de novidades em que estava imersa.

Às oito, já estavam todos esperando em frente à casa dos Simon. Carol saiu pela garagem carregando uma grande sacola de lona com os uniformes, deu um bom-dia geral e apressado e, como quem comanda um batalhão, fez sinal para que subissem a Maestro Francisco Braga em direção ao tapete verde dos Mayer.

Chico veio recebê-los e levou-os ao casebre de madeira que servia de vestiário. Carol estava nervosa. Bombril também. Chico, amável e sorridente, fechou a porta. Carol começou a distribuir as camisas. Primeiro a do goleiro Orlandinho, um mulato magro, alto e aparentemente mudo, que Bombril tinha recrutado no colégio. Depois a 2 para Boi, a 3 para Ratão, a 5 para Bombril, a 6 para o dono da casa e a 4 para ela mesma.

Os olhos de Carol encontraram os de Chico. Ele fez um sinal afirmativo com a cabeça e sorriu, encorajador e malicioso. Os garotos começaram a tirar as camisas para vestir os uniformes. Carol respirou fundo e cumpriu a promessa. Com um movimento rápido, tirou a camiseta de malha e os garotos se paralisaram com a visão estonteante de um par de seios alvos e redondos com os bicos rosados, contrastando com a pele bronzeada do seu corpo. Foram apenas alguns breves segundos, conforme combinado, Chico sorria satisfeito, logo Carol vestia um sutiã branco e a camisa azul e amarela do Carioquinha, e o time protestava num "ooohhh" uníssono. Com a exceção de Bombril, mudo e perplexo, com o coração partido.

Aproveitando o choque dos garotos, Carol concluiu seu batismo de fogo tirando rapidamente a calça Lee apertada e proporcionando a fugaz visão de suas coxas fortes e roliças e uma nesga de calcinha branca cobrindo sua bocetinha que os garotos imaginavam rosada como seus peitos e com pentelhos ruivos como seus cabelos. Vestiu rapidamente o short preto e sentou-se no chão para colocar as meias e as chuteiras sob um "ooohhh" já mais fraco. Trêmula e aliviada, Carol levantou os olhos e encarou a turma. Ratão e Boi riam como bobos e logo desviaram o olhar, o goleiro Orlandinho olhava para Bombril sem entender o que acontecia, Chico olhou-a no fundo dos olhos com um sorriso canalha e ela desviou o olhar para Bombril, que tinha a expressão de um cachorro abandonado e parecia prestes a chorar.

Com um nó na garganta, Carol fechou os olhos e se levantou. Zé Roberto, o reserva, sem uniforme e com o olhar de um lobo faminto, estava ao lado e aproveitou para passar a mão espalmada pela bunda de Carol. Ela girou rapidamente e deu-lhe uma joelhada entre as pernas que o fez cair se contorcendo em dores, antes que os garotos entendessem o que acontecera. Chico e Bombril foram os primeiros a rir, a gargalhar, apontando para Zé Roberto caído no chão de terra, foram seguidos por todos os outros, até Orlandinho, que não sabia do que estava rindo. Carol se sentia outra, a de sempre. Chamou o time com voz de capitã:

"Vamos lá, moçada, vamos encher esses putos de gols", saiu do barraco e adentrou o gramado seguida pelo resto do Carioquinha Futebol Clube.

O outro time era de moradores da Galeria Menescal, que jogavam no pátio cimentado do edifício e na praia. Era a primeira vez que jogariam num campo de verdade, gramado. Mas só quando já estavam lá, com suas camisas vermelhas desbotadas e seus calções azuis, foram avisados de que haveria uma menina no outro time. Ensaiaram um protesto, Chico argumentou, como dono da casa e da bola, que era só uma brincadeira, o primeiro jogo do dia, não tinha ninguém vendo, a garota era boa-praça e agüentava o tranco. Para não perder a viagem nem o prazer de jogar num gramado com balizas e redes, o Menescal Futebol Clube aceitou o desafio.

E se arrependeu. Logo na saída de bola, Carol, com o coração batendo na boca, tocou para Bombril, que avançou pelo costado da cancha, deu um drible desmoralizante em um adversário, fechou para o meio e fingiu que ia chutar a gol, mas enganou o zagueiro com uma ginga de corpo e abriu um passe perfeito para Chico que entrava em velocidade pela ponta direita e apenas tocou para as redes na saída do goleiro. Carol correu para abraçar Bombril, o craque sentiu um calafrio ao ser envolvido por aqueles braços dourados e quentes, ao sentir aqueles seios macios se apertando contra o seu peito. Logo Chico e Boi correram para eles e todos se abraçaram e foram envolvidos pelos braços intermináveis de Ratão.

Dada nova saída, em rápida troca de passes Chico e Bombril chegaram à área adversária, Carol acompanhava a jogada pela ponta esquerda, Chico chutou forte, o goleiro espalmou, a bola quicou diante de Carol que completou para as redes. O time correu para abraçá-la e os adversários ainda tiveram que aturar as gozações de Ratão, que enfiava as mãos enormes dentro da camisa e falseava dois peitões pulsantes, para lembrar-lhes que tinham tomado gol de uma mulher.

O Carioquinha aplicou impiedosa goleada no Menescal. Chico e Bombril humilharam os adversários com seus dribles, Carol fez três gols, um de cabeça, e viveu um dos dias mais felizes de sua vida. Voltou para casa de chuteiras, arrastando o saco com as camisas suadas e pensando no futuro: o sábado seguinte, novos jogos, novos gols.

Novos segredos

Junto com o jantar, Dagmar trouxe a *Última Hora* e a revista *Manchete*. Sentada na cama, sob a luz mortiça do lampião pendurado no teto, Eva folheou a revista sem muito interesse. Futebol, concurso de misses, Brasília, bossa nova, cirurgia plástica. Mas assim que abriu o jornal seus olhos foram atraídos para uma notícia na primeira página — "Reviravolta no caso do jornalista assassinado: confissão de bandido pode ser falsa"—, e logo abaixo uma foto em que apareciam o secretário de Segurança Pública, o chefe da Polícia e, ele mesmo, seu querido delegado Noronha.

A reportagem dizia que as investigações sobre o assassinato do repórter policial Ranulfo Soares tomavam um novo rumo e que o delegado encarregado do inquérito, Dr. Danilo Noronha, tinha voltado a interrogar as testemunhas e encontrado muitas contradições nos seus depoimentos.

Eva escreveu um bilhete curto para Marina dizendo que estava bem e logo entraria em contato, e pediu a Dagmar para colocar o envelope na caixa de correio do prédio.

Deitada de costas no colchão de palha, olhando o teto de zinco do barraco, Eva pensava na vida. Ao seu lado, em um colchonete no chão, Dagmar dormia profundamente, ressonava e sorria. Através da cortina de chita estampada, vinha do outro cômodo o ronco de Ratão, que se alternava com assovios e fungadas, até que finalmente o gigante dormiu em paz. Na noite escura e silenciosa do morro, além dos grilos e cigarras, Eva ouvia ao longe um rádio tocando um bolero, um cachorro latindo e outro respondendo, um galo cantando fora de hora, quando os primeiros pingos de chuva começaram a cair sobre o teto de zinco em um ritmo suave e constante. Embalada pela música da chuva, Eva cobriu-se com o lençol, suspirou e dormiu.

O dia começava a clarear sobre Copacabana quando Dagmar acordou, fez um café no fogareiro, se vestiu com cuidado para não fazer barulho e saiu para trabalhar, levando o bilhete de Eva para Marina. No Bairro Peixoto, encontrou seu Nereu na porta do prédio, de tamancos e com as calças arregaçadas, lavando a calçada. Cumprimentou-o e desistiu de colocar o envelope na caixa postal. Achou mais prático — e mais seguro — pegar toda a correspondência que estava no escaninho dos Ferreira e, junto com o bilhete, entregar na mão de Marina. Não correria o risco da garota desconfiar de alguma coisa, ou pior, do coronel interceptar a carta. Marina logo reconheceu a letra da mãe, abriu o envelope ansiosa e imediatamente o seu rosto se iluminou com uma expressão de alívio.

"Notícia boa?", Dagmar perguntou com um sorriso malandro. Os olhos de Marina brilhavam.

"Mamãe está viva, ela está bem..."

E abraçou Dagmar.

"Ela vai voltar, Dagmar... ela fugiu do meu pai... ela não disse onde está, mas ela está bem..."

Começou a chorar baixinho. Dagmar abraçou-a com força e carinho e sentiu seus olhos umedecerem e a voz falhar.

"Louvado seja Deus, minha filha."

Marina disse que a mãe não contara onde estava e pediu a Dagmar que não comentasse o assunto com ninguém. O coronel não podia saber de jeito nenhum, era por causa dele que ela fugira de casa.

Dagmar nem tentou fazer uma falsa expressão de surpresa, continuou sorrindo meio apalermada e concordando com a cabeça, como quem ouve uma criança contando uma história.

"Você vai contar para a polícia?", provocou. Marina embatucou.

"Não sei... ainda não sei... acho que vou contar, eu tenho que contar, vai ajudar a encontrar minha mãe..."

"E para quê? Para sair no jornal? Virar um escândalo? Para obrigá-la a voltar para casa, para o seu pai? Hummm... não sei não... pensa bem aí, menina."

E continuou:

"Se ela quisesse ser achada, tinha te escrito no bilhete. Foi só para te tranqüilizar, por isso ela só contou para você. Ser encontrada agora é o pior que pode acontecer para ela. Se você quiser ajudar sua mãe, tenha paciência, minha filha, tenha confiança nela e não diga nada a ninguém."

"Obrigada, Dagmar, obrigada, é isso mesmo que eu vou fazer", Marina abraçou-a de novo e beijou-a nas bochechas.

No fim da tarde, o coronel Kleber voltou para casa acompanhado de um senhor grisalho, educado e bem-vestido, e o apresentou a Marina e Zé Roberto como o major Gonçalves, do Reservado.

"O major está fazendo uma investigação sigilosa sobre o desaparecimento de sua mãe e precisa fazer algumas perguntas a vocês. E também a Bombril, a Nazaré e a Dagmar. Ela ainda está em casa?", o coronel encaminhou-se com o major para a sala de visitas.

"Não, ela já foi embora. Vem amanhã de manhã. E o Bombril está na aula de inglês e volta só para o jantar", respondeu Marina.

O coronel aceitara a estratégia proposta por Vasquez: apresentá-lo como um major do Reservado, que lhe daria mais autoridade e imporia mais respeito do que um detetive particular especializado em adultérios. Muito elegante em seu terno de tropical inglês cinza-claro, camisa de linho com punhos e colarinho engomados, sentou-se no sofá e aceitou o cafezinho oferecido por Marina. Estava à vontade, em boas condições de trabalho. Mas não tinha nenhuma pista do paradeiro da puladora de cerca.

Vasquez pediu ao coronel que o deixasse a sós com Marina e foi atendido. Conversaram durante vinte minutos e, quando Marina se levantou, Vasquez prometeu encontrar sua mãe, recomendou-lhe sigilo absoluto e pediu que chamasse seu irmão.

A garota, realmente um brotinho lindo, não dissera nada que ele já não soubesse: a mãe tinha sido espancada pelo pai e fugido de casa, dissera com firmeza. Quando Vasquez aumentou a pressão, Marina respondeu com tranqüilidade a todas as perguntas, quase as mesmas que já lhe tinham sido feitas pelo delegado Noronha. Com tranqüilidade até demais para alguém que estava com a mãe desaparecida há três dias, anotou Vasquez em seu caderno. Pediu-lhe que marcasse no caderno de telefones da casa as pessoas mais próximas de Eva. Ficaria de olho na garota, colocaria um auxiliar na sua cola, para segui-la 24 horas por dia. Tinha boas chances de que ela os levasse à mãe. E assim o "major Gonçalves" poderia entregá-la a seu cliente, dar o caso por encerrado e receber seus honorários.

O garoto, Zé Roberto, parecia muito nervoso e estava com um bafo de álcool que Vasquez sentia a distância. Tentou tranqüilizá-lo dizendo que estavam trabalhando para encontrar sua mãe, que tudo se encaminhava para um final feliz, que estava ali para ajudá-los. Zé Roberto acabou contando, aos trancos, gaguejando e segurando o choro, que descobrira que a mãe tinha um amante, mas não tivera coragem de contar nada ao pai. Zé Roberto não sabia que a mãe tinha sido espancada, achava que ela tinha fugido com o amante.

Enquanto o major interrogava o irmão, Marina saiu e foi para a casa de Carol.

Abraçou-se à amiga como um náufrago a uma bóia.

"Estou precisando de ajuda, Carol, estou com medo", balbuciou Marina. A amiga abraçou-a com força e levou-a para seu quarto. Trancou a porta, sentaram-se na cama, Marina contou tudo.

Carol ouviu com atenção e compaixão. Depois do futebol, estava conhecendo uma face ainda mais selvagem do machismo tropical. Sentia muita pena de dona Eva e de Marina. E um certo alívio, porque no seu caso, felizmente, quanto mais amantes tivesse o pai, melhor; estaria mais feliz e satisfeito. Como vinha acontecendo ultimamente.

Marina explicou por que não contaria nada à polícia, Carol concordou, perguntou como poderia ajudar. Ofereceu casa, comida, dinheiro, e até os *marines* da embaixada, conseguindo arrancar um sorriso de Marina.

Dormiria lá aquela noite, não queria ficar perto do pai nem do irmão, tinha medo. Carol emprestou-lhe um baby-doll e ofereceu-lhe uma escova de dentes, americana, toda colorida, um modelo que Marina nunca tinha visto antes. Escovou os dentes com pasta Crest, que tinha um sabor de novidade tão delicioso quanto o do chiclete de bola Bazooca. Lembrou-se da primeira Coca-Cola.

No verão de 1950, com 9 anos, Marina tomara sua primeira Coca-Cola, que estava começando a ser produzida no Brasil, tentando entrar num mercado dominado pelos guaranás da Brahma carioca e da Antarctica paulista. O refrigerante foi alvo até de protestos nacionalistas e antiimperialistas, e as primeiras pesquisas indicaram uma rejeição maciça do sabor da Coca-Cola pelos brasileiros adultos — acostumados à doçura e suavidade do guaraná. Mas entre as crianças a aceitação foi muito maior. Marina tinha adorado.

Saiu do banheiro e encontrou Carol, com um baby-doll de náilon transparente, tomando um guaraná caçula da Antarctica pelo gargalo.

"Isto é uma das melhores coisas do Brasil, mil vezes melhor que a Coca-Cola, não sei como vocês podem gostar daquela água preta fedorenta. No Velho Oeste, ela era vendida como remédio, sabia?"

Apontou a garrafinha contra a luz.

"E olha essa cor, que beleza! É dourada, parece champanhe." E bebeu o que restava de um só gole.

"Quer ouvir um pouco de música?", Carol ofereceu. "É bom para relaxar... música suave... romântica."

Marina aceitou, mas pediu que tocasse bem baixinho. Carol colocou o disco *Chet Baker Sings* na vitrola e apagou a luz do quarto, deixou só o pequeno abajur da cabeceira aceso e se deitou na cama, com os braços cruzados sob a cabeça, ouvindo a música de olhos fechados e com um leve sorriso nos lábios. Marina viu os bicos dos peitões de Carol arrepiados sob o náilon do baby-doll.

"Obrigada, Carol, boa-noite", Marina se deitou, afundou a cabeça no travesseiro de plumas e se cobriu com o lençol. Ficou olhando para o teto branco e alto, deixando-se invadir por aquela voz doce e melancólica, por toda aquela suavidade e leveza, cantando músicas tão lindas, parecia que ele estava sussurrando no seu ouvido, só para ela, e adormeceu no meio de *But Not For Me*. Carol dormiu duas músicas depois.

Às oito da manhã, no morro da Babilônia, seguindo instruções da mãe, Ratão tomou todos os cuidados para não fazer barulho e acordar dona Eva. De calção e chinelo, pegou uma caneca de água e foi escovar os dentes em frente ao barraco. Com a chuva da noite, a terra estava molhada e um fio de água corria morro abaixo pela ruela esburacada. Ratão bochechou e cuspiu a espuma branca da pasta de dentes na água barrenta. Vestiu seu uniforme vermelho e saiu. Parou na birosca, tomou uma média, comeu um pão com manteiga e desceu para Copacabana pensando em dona Eva.

Ao acordar, tinha entreaberto cuidadosamente a cortina que separava os dois cômodos e visto sua perna morena e roliça saindo para fora do lençol. Depois, quando saía do barraco para escovar os dentes, uma lufada de vento entrara pela porta aberta, levantara a cortina e depois o lençol e mostrara inteiro o corpo moreno, cheio de cortes e manchas roxas, mal coberto pela camisola curta, a cabeleira negra se derramando pelo ombro e um seio redondo que arfava e saía quase todo para fora do decote rendado. Descendo o morro, Ratão não conseguia ver outra coisa dentro de sua cabeça, a todo momento botava para o lado o pau que insistia em endurecer, colocava a pasta vermelha na frente como um escudo e tentava pensar em outra coisa. Mas não conseguia.

Ratão também não conseguia guardar um segredo. Muito menos um tão grande como aquele. Apesar das severíssimas advertências e ameaças da mãe, tinha certeza de que não conseguiria se segurar por muito tempo. Afinal, estava se especializando e vivendo disso: como um "vermelho", o seu trabalho era justamente revelar segredos desconfortáveis dos devedores inadimplentes.

Inconfidências cariocas

Depois de uma jornada de trabalho exaustiva, fazendo cinco "visitas de advertência" a devedores renitentes e uma "cobrança agressiva", que quase lhe custou alguns socos e pontapés de um inadimplente da sua altura e bem mais forte, Ratão saiu do trabalho e ainda vestido de "vermelho" — gostava de andar na rua de uniforme, se sentia um militar, um policial, impunha respeito — foi para a praça do Bairro Peixoto encontrar a turma.

"Onde é o circo que tu trabalha, ô palhaço?", gritaram da janela de um carro que passava.

"É no cu da tua mãe, seu puto!", revidou Ratão, provocando grande desconforto em duas velhinhas que passavam e o olhar feroz de uma babá que atravessava a rua com uma criança.

Em frente ao bambuzal, a turma viu, ouviu e aplaudiu. Ratão fechou a cara e marchou trinta passos pesados sob aplausos e vaias até a carrocinha de pipoca de Bené. Pediu um saco grande de misturada, a de sal por cima, e caminhou arrastando os pés enormes até o banco. Detestava aqueles moleques, com raríssimas exceções. Já tinha dado porrada em quase todos. E daria mais em quem fizesse alguma gracinha, estava de saco cheio. E ainda tinha aquele segredo lhe apertando a garganta, louco para sair.

"Qual é, putada?", rosnou, saudando a turma sem esperar resposta. Encarou Bombril e fez um sinal de que queria falar com ele.

"Preciso levar um papo contigo."

Saíram falando em voz baixa, Ratão ofereceu pipoca, Bombril encheu a mão. Caminharam para o botequim.

Ratão pediu uma cerveja, disse que estava muito agoniado, que precisava desabafar — e contou tudo. Bombril ouviu com os olhos arregalados. Não tinha por que duvidar de Ratão, ele não mentia, não tinha imaginação para isso. Era seu amigo e, diante de qualquer ameaça da turma, seu protetor. Gostava dele, parecia uma criança gigantesca, que não sabia direito a força e o tamanho que tinha. Contar um segredo daqueles era uma grande prova de amizade e confiança. Bombril honraria a amizade, mas a confiança... imediatamente veio à sua cabeça a possibilidade de aliviar o sofrimento de Marina contando-lhe que a mãe estava bem. Jurou a Ratão que não falaria nada a ninguém.

Mas que mal haveria em Marina saber que sua mãe estava viva, um pouco machucada mas inteira, num lugar seguro e com pessoas amigas?

Ratão voltou para a praça e Bombril foi para a aula de inglês na casa de Carol. Como ela não permitia que se falasse nenhuma palavra em português e diante da impossibilidade de contar em inglês uma história tão cabeluda, Bombril ainda teria que esperar uma hora e meia para compartilhar com a amiga o espantoso segredo — que também serviria para mostrar o quanto confiava nela.

Mas se desapontou. Carol já sabia de (quase) tudo. Menos o paradeiro de dona Eva.

"Num barraco na favela?", Carol abriu a boca e arregalou os olhos, depois escancarou um sorriso. "Mas é sensacional!"

Bombril não achou muita graça. Carol continuou:

"Marina dormiu aqui ontem, estava com medo do pai e do irmão. Daqui a pouco ela está aqui de volta. Deixa comigo, aqui ela está protegida. Acho melhor você não falar nada com ela, pelo menos por enquanto."

A campainha tocou.

"É ela", Carol se levantou para abrir a porta, Bombril a seguiu.

"Depois a gente se fala, see you later alligator", deu-lhe um beijo na bochecha e abriu a porta para Marina.

Recebeu-a com dois beijos, Bombril beijou Marina e se despediu de Carol:

"Cí iú tumórol."

Carol ajudou Marina a carregar a maleta da escola, uma sacola cheia de livros e outra de roupas e subiram para o quarto.

"Quer tomar um banho?", ofereceu.

Marina, ainda suada da aula de dança, com mechas de cabelo louro molhadas e coladas à testa e ao pescoço, sorriu:

"Por quê? Estou tão fedorenta assim?"

Carol riu e abraçou-a, enfiou o nariz em seu pescoço e aspirou fundo.

"Ai, que delícia de perfume, é francês? Hummm... acho que é brasileiro mesmo..."

"Pára, Carol, pára, eu sinto cócegas", Marina ria e tentava se desvencilhar dos braços fortes e dourados da amiga. Pegou a sacola de roupas, entrou no banheiro e fechou a porta. Carol colocou um disco na vitrola, o ritmo contagiante invadiu o quarto, e Chubby Checker convidou:

"*Come on, let's twist again, how we did last summer...*"

Não precisou insistir, Carol começou a dançar, girando os quadris e se movendo para a frente e para trás ao ritmo do *twist*. E começou a tirar a roupa peça por peça, dançando e se olhando no espelho em frente à cama, sem se preocupar com a cortina entreaberta. Na janelinha do banheiro de empregada, Bombril sentiu o coração acelerar e o pau endurecer.

Carol dançou o resto da música pelada, depois se enrolou em uma toalha e dançou mais duas músicas, foi até a porta do banheiro e entrou. A imaginação de Bombril disparou, sentiu falta de ar, ouviu a mãe batendo na porta.

"Não sai mais desse banheiro, menino? Você vai acabar ficando tuberculoso de tanto fazer porcaria! Sai logo que estou apertada."

Bombril abriu o chuveiro frio e enfiou a cabeça debaixo da água. Suava, seu corpo estava quente como se tivesse febre.

"Anda logo, Ismael, sai daí, menino!"

"Tá um calor danado, mãe, estava me refrescando um pouco", Bombril saiu enxugando a carapinha com uma toalha, Nazaré entrou apressada e trancou a porta.

Bombril trocou de roupa e, quando saía para ir à praça, ouviu Zé Roberto e o pai discutindo na sala.

"Você é um merda, um traidor!", o coronel estava furioso, mastigava e cuspia as palavras. Zé Roberto gaguejava:

"Mas eu não sabia, pai, eu só desconfiava..."

"Mentiroso! Covarde e mentiroso, não assume suas responsabilidades. Estou muito decepcionado com você. Saia da minha vista!"

Zé Roberto começou a chorar. O coronel entrou no quarto e bateu a porta. Bombril sorriu e foi para a praça.

Quando Carol entrou no banheiro, Marina estava fechando o chuveiro e se enrolando em uma toalha.

"Pode deixar a água aberta que eu vou entrar", Carol tirou a toalha e entrou debaixo do chuveiro, cruzando com Marina que saía da banheira. No quarto, enxugando os seus peitinhos alvos e redondos com desconsolo, Marina sentiu inveja dos peitões de Carol.

"Tenho ótimas notícias para você", Carol gritou do chuveiro.

Marina voltou para o banheiro enrolada na toalha. Antes que perguntasse qualquer coisa, Carol foi anunciando, enquanto fazia a cabeleira ruiva desaparecer numa massa branca de espuma do xampu:

"Eu já sei onde sua mãe está."

Marina não acreditou que a mãe estava no barraco de Dagmar.

"Não brinca, Carol, isso é coisa séria."

"É verdade, menina, mas foi uma boa idéia dela, ninguém vai imaginar que ela está numa favela, mas lá sua mãe está segura e muito bem cuidada pela Dagmar. E ainda tem o Ratão para proteger de qualquer coisa."

"Ai, meu Deus, que loucura, que loucura", era só o que Marina conseguia dizer, balançando a cabeça.

Chubby Checker continuava cantando no quarto e o ritmo do *twist* entrava pela porta aberta do banheiro. Debaixo do chuveiro, Carol dançava enxaguando os cabelos ruivos que lhe escorriam pelos ombros.

Marina já estava vestida quando Carol saiu do chuveiro e entrou no quarto se enxugando com uma toalha vermelha. A água escorria de seus cabelos, descia entre seus peitões, pela sua barriga dourada e por seus pentelhos ruivos e desaguava em suas coxas fortes e bronzeadas, deixando um rastro molhado no piso do quarto.

"Claro que sua mãe não vai ficar lá para sempre", Carol sacudia os cabelos como um cachorro molhado, respingando Marina. "Logo ela vai ter que ir para outro lugar... mas é claro que ela não vai voltar para casa, não é?"

"Acho que não, mas não sei... minha mãe é muito... muito...", ia dizer católica... conservadora... rigorosa... medrosa... mas percebeu a tempo que a mãe era muito diferente do que ela sempre imaginara e não completou a frase. Ou talvez fosse mesmo daquele jeito e tivesse sofrido uma mudança brusca, provocada por uma grande paixão, odiava e invejava sua mãe por isso. Tinha pena do pai, mas também sentia muita raiva dele, que sempre lhe inspirara mais temor do que amor. Agora mais do que nunca.

"Olha, se vocês quiserem, você e sua mãe podem ficar aqui com a gente um tempo, até encontrar um lugar, até a sua mãe se recuperar, a casa tem um quarto de hóspedes ótimo", Carol ofereceu, vestindo uma calcinha de náilon e enfiando as pernas em uma calça Lee apertada. "E aqui em casa, você sabe, não falta mais água depois da caixa gigante e da bomba que o papai instalou", Carol sorriu como uma vendedora.

"É, essa é mesmo uma grande vantagem", Marina sorriu de volta. "Muito obrigada, você é uma grande amiga, eu gosto muito de você. Eu adoraria passar uns dias aqui. E acho que minha mãe também."

"Hummm...", Carol fez uma expressão maliciosa, "e meu pai também."

O riso das garotas ainda enchia o quarto e se misturava ao final do disco de Chubby Checker, quando o coronel Simon bateu de leve na porta, chamou por Carol e entrou.

"Good evening, lovely princess", beijou a testa da filha e, com seu sotaque lisboeta cada vez mais carioca, cumprimentou Marina. Estava todo perfumado e elegante, de calça cinza, camisa de linho azul-claro com um blazer azul-marinho de botões dourados e mocassins italianos. Parecia um comodoro do Iate Clube — aonde ia jantar com uma nova amiga, uma morena uruguaia de fechar o comércio, casada com um diplomata, que lhe fora apresentada por Gilda, a morena da praia. Jantariam os três, à beira da piscina, de frente para a baía de Guanabara.

Bafafá na Babilônia

Marina teve pesadelos a noite inteira e acordou cansada e com uma idéia fixa: ver sua mãe.

Tomou café com Carol e não aceitou o convite para ficar na piscina até a hora de ir para o colégio, disse que ia ao dentista e depois direto para as aulas. Do botequim, ligou para Bombril e pediu que fosse encontrá-la na praça, assunto sério. Pouco depois ele chegava, preocupado, tentando amansar a carapinha com as mãos.

Carol contou tudo e Bombril achou melhor fazer de conta que não sabia de nada.

"Você vai me levar ao barraco da Dagmar agora", disse num tom que não admitia contestação.

"Mas eu não sei direito onde é... só estive lá poucas vezes levado pelo Ratão... não sei se me lembro direito... no morro não tem placa de rua nem número de casa, sabia?", Bombril tentou resistir.

"Claro que você sabe, pelo menos sabe chegar perto, lá a gente pergunta. Vamos."

"Posso pelo menos tomar uma média e um pão com manteiga?", Bombril se conformou.

"Eu pago", Marina sorriu, e só aquele sorriso valia qualquer sacrifício.

Saíram rumo à avenida Copacabana para pegar um ônibus até a subida do morro da Babilônia.

No fundo do botequim, o estudante de direito Ubiratã Barbosa fechou o jornal, pagou a despesa e, mantendo prudente distância, seguiu o casal. Conhecido como Bira, era o braço direito do investigador Eládio Vasquez, em mais uma missão de vigilância e controle. Ganhava uma miséria, virava noites em campanas de esposas e maridos infiéis, mas para quem trancara a matrícula na faculdade e pretendia fazer carreira no florescente mercado da infidelidade conjugal, trabalhar com um profissional experiente e competente como Vasquez valia como um curso prático de cornologia.

Num banco da praça, um jovem mulato e magrelo, de óculos escuros e suando dentro de uma jaqueta de náilon preto, apagou o cigarro, se levantou e, com aparente despreocupação, seguiu na mesma direção de Bombril e Marina. O investigador Adãozinho, um dos melhores homens do delegado Noronha, seguiu-os até a avenida Copacabana e entrou no mesmo ônibus que eles. Quando o ônibus já estava se movendo, Bira entrou apressado, sentou no último banco e abriu o jornal.

Saltaram todos no ponto mais próximo da subida do morro da Babilônia. Bira se encaminhou para um botequim, de onde observou Bombril e Marina começando a subir a ladeira. Adãozinho parou numa banca de jornais, deu uma olhada numa revista e um tempo para o casal se distanciar e, sob um sol de rachar, se encaminhou para a escadaria estreita que serpenteava morro acima. Por trás de seu jornal, Bira notou que o rapaz de casaco de náilon que estava no ônibus também seguia na mesma direção dos garotos e pensou que, pela pinta, bem poderia ser um tira.

Depois de dez minutos de caminhada morro acima, sob um sol inclemente, Bombril e Marina chegaram a um descampado, uma pracinha de terra batida, que servia de campinho de futebol para a molecada. Ali havia uma pequena loja de material de construção, um armarinho e uma birosca que vendia comida e bebida. Pediram duas

Coca-Colas. Só tinha guaraná, mas pelo menos estava gelado. Bombril perguntou onde morava dona Dagmar, tinha que entregar uma encomenda. O birosqueiro mostrou duas ruelas esburacadas que saíam da pracinha e subiam pelo morro.

"Você pega aquela da direita, sobe até a próxima encruzilhada e logo vai ver um barraco pintado de azul e branco, debaixo de uma mangueira, é ali."

Era mesmo. Marina logo viu Eva na janela do barraco, entre os dois vasos de gerânios vermelhos, de óculos escuros, lambendo um sorvete. Com o coração disparado, escondeu-se atrás de um tapume, com medo de ter sido vista. Bombril roía as unhas.

Pouco depois, Bira passava pela birosca e subia a ruela em direção ao barraco. Parou quase em frente, olhou ao redor como quem procura alguém ou alguma coisa e desceu apressado por onde tinha vindo. Era ela, não havia a menor dúvida, Bira estudara longa e prazerosamente as fotos de Eva que Vasquez lhe dera. A instrução era comunicar ao chefe imediatamente.

Adãozinho, reluzindo de suor, tirou o casaco de náilon e pediu um guaraná na birosca, de olho na ruela por onde os garotos subiram, como informara o birosqueiro diante da carteira da Polícia. O jovem tira achou estranho, muito estranho, o moreninho de óculos que estava no ônibus e subira o morro atrás deles estar descendo tão apressado.

Bebeu o guaraná observando-o até vê-lo sumir na primeira curva da escadinha. E começou a subir a ruela com cuidado, medindo os passos, observando cada canto, não poderia ser visto nem pela madame — se é que ela estava mesmo lá — nem pelos garotos. Escondido atrás de um barraco, viu que estavam todos lá, a madame na janela do barraco azul e branco e os garotos atrás de um tapume. Não precisava ver mais nada, só avisar o chefe. Desceu apressado até o telefone mais próximo, que era longe, num boteco na subida do morro.

Vasquez e Noronha ficaram sabendo quase ao mesmo tempo. Mas deram instruções diferentes: Bira deveria esperar na banca de jornais e Adãozinho teria que subir de novo e manter vigilância discreta até a chegada de Noronha.

"Mãe!"

Depois de dez minutos angustiantes, com um nó na garganta e apertando com força a mão de Bombril, Marina de repente gritou e correu para o barraco. Eva se assustou e sentiu seu coração bater acelerado, dividida entre a alegria de rever a filha e o pavor de ser encontrada pelo marido. Saiu do barraco e recebeu Marina de braços abertos. Choraram abraçadas, Bombril ficou comovido. Adãozinho, que acabava de voltar a seu posto de observação, era um cana duro, que não gostava de sentimentalismos, mas não conseguiu evitar uma lágrima furtiva se misturando ao suor do rosto. Talvez porque fossem duas belas mulheres.

Vasquez chegou primeiro, guiado por Bira. Passaram pela birosca e pediram uma cerveja. Bira sugeriu que subissem pela ladeira paralela e entrassem à esquerda, para que pudessem observar o barraco do lado oposto àquele em que se encontrava Adãozinho. Era mesmo um cana, o birosqueiro confirmou, gratificado por Vasquez.

Se alguém parecia suspeito naquele ambiente era Vasquez, que tirara o paletó do terno azul-marinho e a gravata, desabotoara o colarinho e arregaçara as mangas da camisa, mas não conseguia disfarçar a qualidade dos tecidos e do corte. O birosqueiro certamente estava pensando que ele era um cana, um bacana importante, um delegado, ou pior, um político em campanha.

Seguindo as indicações de Adãozinho, Noronha chegou à birosca empapado de suor, carregando o paletó amassado sobre o ombro e com a gravata frouxa balançando sobre o peito da camisa molhada. Parecia mesmo um cana. Adãozinho saiu de seu posto de observação e foi encontrar o chefe.

Noronha pediu uma água mineral e estava muito nervoso, Adãozinho não entendia muito bem por quê, afinal a madame tinha sido encontrada e, pelo visto, não ia fugir dali. Fez um relatório completo, culminando com o emocionante encontro de mãe e filha.

Noronha ouvia e respirava fundo, passava o lenço empapado de suor na testa. Sua única preocupação era como seria recebido por Eva — como um salvador ou um perseguidor? Pelo menos ela saberia que podia contar com ele para protegê-la do marido. Queria, desejava, precisava urgentemente falar com ela, mas não ali, diante da filha, numa operação policial.

Queria falar com ela como homem e mulher, precisava esclarecer tudo, tinha rompido definitivamente com Carmita — que por sua vez começara um caso com Sérgio Cavalo, seu provável delator, certamente para fazer ciúmes nele. Mas o delegado só pensava em Eva, em sua timidez e recato se transformando em devassidão e luxúria depois de alguns drinques e beijos, em seu sotaque mineiro e sua fala suave virando palavreado de vagabunda, de cachorra de rua, como se estivesse possuída por uma pomba-gira. Era o que mais o excitava nela, essa transmutação da santidade à putaria, como se entrasse num transe. Era o contrário de Carmita, que desde que abria a porta, na lingerie, nos gestos, nas expressões, fazia questão de se escancarar como uma fêmea faminta por um caralho duro e disposta a tudo para satisfazer seu macho. Era muito gostoso, mas óbvio.

"E agora, chefe, o que fazemos?", Adãozinho interrompeu seus devaneios.

"Cala a boca, caralho! Quando tiver que fazer alguma coisa, eu digo", Noronha irritou-se.

Adãozinho pediu um picolé de groselha e sugou o cilindro de gelo vermelho até que ficasse totalmente branco, depois mastigou o gelo. Seus lábios grossos ficaram vermelhos com a tinta da groselha.

"Você fica muito bem de batom", Noronha debochou com um meio sorriso, o moleque não entendeu nada e o olhou apalermado. Esfregou a palma da mão nos lábios, viu a mancha avermelhada e sorriu amarelo.

"Agora vamos", Noronha ordenou sério.

Com Adãozinho à frente, subiram passo a passo a ladeira esburacada espremida entre os barracos. Pararam na esquina com a ruela de Dagmar, Adãozinho apontou o barraco, se aproximaram cuidadosamente, se esgueirando entre os casebres de madeira. Debaixo de uma mangueira, num barraco azul e branco com dois vasos de gerânios na janela, Noronha viu sua amada abraçada com a filha. Fez sinal para que se abaixassem, não queria ser visto. Mas Vasquez e Bira viram tudo. O grande cornologista sentiu um frio na barriga.

"Delegado Noronha! O senhor aqui!", Marina se virou espantada quando Noronha bateu de leve na porta entreaberta do barraco.

"Bom-dia, Marina, bom-dia, dona Eva, espero não estar interrompendo o reencontro de vocês, que bom que a senhora está bem."

A cabeça de Eva girava, Noronha a olhava nos olhos, beijava com os olhos, comia com os olhos, mas ela não podia olhar para ele, se deixar trair pela emoção.

"Mas como o senhor encontrou a gente?", perguntou Marina. Olhou para fora e viu Adãozinho, de novo vestido com o casaco de náilon preto, e não esperou a resposta.

"Por favor, delegado, eu vou fazer um apelo ao senhor, pelo amor de Deus não leva minha mãe de volta para a casa, o meu pai pode matá-la, o senhor viu o que ele fez com ela."

Seria o último lugar do mundo para onde Noronha levaria Eva, queria que ela estivesse o mais longe possível do filho-da-puta do marido.

"Pode ficar tranqüila, Marina, sua mãe só vai fazer o que quiser, ela não é obrigada a nada. Depois eu gostaria de trocar umas palavras com ela, só para esclarecer alguns pontos e poder fechar o caso."

Olhou-a nos olhos.

"Pode ser, dona Eva? Mais tarde, quando a senhora quiser. Vou até a birosca tomar uma água e volto em meia hora. A senhora está precisando de alguma coisa? Quer um guaraná, um sorvete?"

"Obrigada, delegado, mas agora queria conversar um pouco com minha filha."

Assim que Noronha e Adãozinho se afastaram, Vasquez e Bira caminharam em direção ao barraco. O detetive bateu de leve na porta e falou pausadamente:

"Dona Eva, eu sou o major Gonçalves, do Serviço Reservado do Exército, e gostaria de falar com a senhora."

"É o homem do Exército que foi com o pai lá em casa e interrogou todo mundo", Marina sussurrou temerosa para Eva. Vasquez bateu de novo, de leve.

"Pode ficar tranqüila, dona Eva, estamos aqui justamente para protegê-la."

Eva torcia para que Noronha voltasse logo. Vasquez enfiou a cara na janela, Marina fez menção de fechar, ele estendeu o braço para impedi-la e pediu com cortesia:

"Por favor, senhorita, eu só preciso falar com dona Eva, não há nada a temer, nada de mau vai lhe acontecer."

"Vocês querem levar minha mãe de volta para o meu pai, ele já deu uma surra nela, agora pode dar um tiro, ela não vai de jeito nenhum", Marina gritou, abraçando-se à mãe, "eu vou chamar a polícia", pensou em ir até a birosca chamar Noronha, preferiu mandar Bombril.

"Diz a ele para vir logo, que estão querendo levar a minha mãe."

Bira olhou para o chefe como quem pede uma ordem para deter o crioulinho. Seria fácil, mas inútil, mais cedo ou mais tarde teriam que enfrentar a polícia — e o amante ao mesmo tempo. Dificilmente o coronel veria sua mulher de volta. Mas Vasquez fizera sua parte, localizara a adúltera, dali por diante seria com o marido, cabia a ele convencê-la a voltar para o lar.

Eva sentou na cama, cobriu o rosto com as mãos e começou a chorar em silêncio. Marina ficou ao seu lado, passou o braço sobre os ombros da mãe e puxou-a para si, como mães fazem com filhos.

Pouco depois, seguindo Bombril, chegavam Noronha e Adãozinho, que ao ver os dois homens na porta do barraco puxou a arma. Noronha falou grosso:

"O que é que está acontecendo aqui? Quem são vocês?", gritou para dentro do barraco: "Algum problema, dona Eva?"

Vasquez estendeu a mão.

"Bom-dia, doutor Noronha, eu sou o major Gonçalves, do Serviço Reservado do Exército e estou aqui cumprindo uma missão do Comando, de localização da esposa do coronel Kleber Ferreira."

"Então agora que localizou o senhor já pode ir embora, missão cumprida. O coronel que venha aqui buscar a esposa que ele espancou", Noronha falou duro.

"Um momento, doutor", Vasquez rebateu, "o coronel pode ter se excedido em sua indignação, mas o que motivou a sua atitude foi saber que sua esposa o traía. O coronel é um homem de bem, ele errou mas está arrependido, quer pedir perdão a ela, quer que ela volte para casa e para a família", mentiu.

A expressão serena e irônica de Vasquez fazia Noronha ter certeza de que ele sabia de tudo. E agora mais essa, entrar em confronto com o Exército. Fez um sinal para Adãozinho abaixar a arma, Bira relaxou um pouco, Marina saiu do barraco. Agarrou no braço de Noronha:

"O senhor não vai deixar levarem minha mãe daqui, não é?"

"Ninguém vai obrigar dona Eva a fazer nada, ela vai fazer o que quiser."

"Eles vão contar a meu pai que ela está aqui", Marina temia que o pai viesse ao morro buscar a mãe à força para espancá-la ou dar-lhe um tiro.

"Eu acho que o major já está de saída, não é?", Noronha sugeriu. "Sua missão já está cumprida, major, o caso está encerrado. Foi um prazer conhecê-lo, estou às ordens na 12ª DP para o que o senhor precisar."

"Muito prazer, delegado", Vasquez estendeu a mão para Noronha e fez um sinal para Bira segui-lo. Deu-lhe as chaves do carro e deixou-o de campana na subida do morro, por onde Eva teria obrigatoriamente que passar, caso resolvesse mudar de endereço, o que era mais que provável.

Era só uma questão de tempo para o coronel Kleber subir o morro, talvez até com alguns soldados armados, para resgatar Eva, temia Noronha. Precisava tirá-la dali imediatamente.

Dentro do barraco, Eva e Marina, abraçadas, conversavam em voz baixa. O coração de Noronha disparou quando Eva saiu para o sol, seu vestido solto de algodão leve, vazado pela luz intensa, revelava cada curva de seu corpo moreno. Sua voz firme e fria cortou o coração de Noronha:

"O senhor também já pode ir, delegado, sua missão está cumprida, o senhor já me encontrou, o caso está encerrado, não é?"

Eva colocou suas coisas numa sacola, deu a mão para Marina e chamou Bombril:

"Vamos." Olhou para Noronha, fazendo imenso esforço para não denunciar a emoção.

"Se o senhor quiser, pode nos escoltar até a rua, delegado, eu agradeço. Pode ficar tranqüilo que eu vou para um lugar seguro."

O pequeno grupo desceu o morro em silêncio. Na rua, Bombril parou um táxi e Marina entrou com a mãe. Noronha mandou Adãozinho pegar outro táxi e segui-las, estaria esperando notícias na delegacia. Bira deu a partida no Dodge preto de Vasquez.

Quinze minutos depois Eva, Marina e Bombril saltavam do táxi na porta da casa do coronel Simon.

Um novo lar

Bombril perguntou se não precisavam mais dele, se despediu e foi para casa. A empregada abriu a porta para Eva e Marina e disse que Carol já tinha saído para o colégio. Mas Simon estava em casa, desfrutando o feriado americano do dia de Ação de Graças. Deitado na espreguiçadeira ao lado da piscina, saboreando seu primeiro Lucky Strike do dia, pensava que naquela hora, nos Estados Unidos, num frio de rachar, já estavam começando a preparar seus perus e purês de batata-doce para a ceia em família. Ele também dava graças a Deus, mas por não estar lá.

A noite carioca do coronel fora longa e prazerosa. Começou no apartamento de Gilda, na avenida Atlântica, com os primeiros drinques e beijos. Depois, em um lindo edifício art déco, todo de mármore branco e preto, no Posto Seis, para tomar uma taça de champanhe e buscar Amapola, a uruguaia casada com o cônsul da Suécia, e levá-la para jantar à beira da piscina do Iate Clube.

O cônsul estava em Estocolmo, mas, mesmo se estivesse em casa, não se oporia a que ela fosse jantar fora com amigos. Viviam um casamento bastante liberal em relação aos padrões americanos e brasileiros. Faziam o que queriam, com quem queriam, às vezes até juntos, Gilda contara a Simon com um sorriso malicioso, "mas com a maior discrição e elegância".

Amapola sugeriu que Simon deixasse seu carro estacionado em frente ao edifício, iriam em seu Jaguar conversível, de capota arriada, desfrutando a brisa fresca do mar na noite quente. Simon abriu a porta para que Gilda entrasse, mas ela indicou-lhe o banco de trás e sentou-se ao lado de Amapola. Protegeram os cabelos com lenços de seda amarrados sob o queixo, como Audrey Hepburn, e seguiram pela avenida Atlântica, com o rádio tocando um chachachá que as fazia dançar sentadas. Cruzaram o Túnel Novo conversando animadamente sobre Brasília, Amapola estivera na inauguração, visitando a embaixada da Suécia em construção, nada estava pronto. Passaram pelos velhos casarões da avenida Lauro Muller ouvindo Silvinha Telles cantando bossa nova e entraram no Iate Clube. Simon quase não falou, era muito mais divertido ver e ouvir as duas morenas.

Sentaram a uma mesa à beira da piscina, diante da baía de Guanabara pontilhada de barcos, com uma imensa lua brilhando no céu, e pediram os drinques. Amapola chegara havia pouco ao Brasil, estava gostando muito, embora não entendesse muitas coisas, e pediu a Simon uma opinião sobre o futuro brasileiro.

Com o resultado das eleições, sairiam a simpatia, o otimismo e o desenvolvimentismo de JK e entrariam o moralismo provinciano, o populismo, a feiúra e a deselegância demagógica de Jânio Quadros, eleito numa plataforma de combate à corrupção — que a oposição e a imprensa atribuíam ao governo JK —, simbolizada por uma vassoura que limparia o país. Jânio era o exato oposto de JK. Intolerante, autoritário, imprevisível. Seria uma mudança radical no país, e os brasileiros não pareciam se dar conta. Foi o que Simon disse às senhoras enquanto tomavam os drinques à beira da piscina.

Gilda achava que Simon estava sendo pessimista, estava certa de que JK voltaria triunfalmente assim que Jânio saísse, cinco anos passariam rápido. A campanha JK 65 já estava na rua, o povo o amava, era a imagem do Brasil feliz.

Simon achava que ela estava pensando com o coração, considerava que um estrangeiro como ele, distanciado das paixões locais, geralmente poderia fazer avaliações mais precisas sobre o que acontecia no Brasil, onde tudo era muito passional e pouco objetivo.

Antes que chegassem as lagostas e camarões recomendados pelo maître, Simon sentiu os dedos macios de um pé tocando de leve o seu por baixo da mesa. Olhou para Gilda e para Amapola com casualidade, mas nada mudou nem em suas expressões nem no ritmo da conversa. Talvez tivesse sido apenas um movimento acidental, pensou. Um trio de bossa nova tocava num pequeno palco à beira da piscina, Simon sentiu um pé levantando de leve a barra de sua calça e deslizando sobre sua perna. Estavam em uma mesa redonda, três vértices de um triângulo, o olhar de Simon passava de Gilda a Amapola e vice-versa, o pé continuava alisando sua perna, mas nenhum olhar revelava nada, apenas continuavam rindo e se divertindo com as histórias de uma tia louca de Gilda.

Até que Simon sentiu um outro pé tocando a sua outra perna. Tirou os pés dos mocassins e alisou o pé direito que o tocava, que pensava ser de Gilda, mas era de Amapola; o esquerdo sim, era o de Gilda, as pernas das mulheres se cruzavam e se roçavam debaixo da mesa enquanto alisavam os pés de Simon.

A noite acabou muito bem, na varanda do apartamento de Gilda na Atlântica, com o céu cheio de estrelas e as duas mulheres se despindo, se beijando, se abraçando e se comendo para Simon — ao mesmo tempo se exibiam para ele e agiam como se ele não estivesse ali. Deitado na rede, hipnotizado pela volúpia dos corpos e dos gemidos, comovido pela beleza das duas morenas, não conseguia imaginar nada melhor. Só depois que gozaram elas pareceram notar a presença dele, nu e deitado na rede, com seu pau duro esperando por elas. A rede era baixa, Simon pesado, quase tocava no chão. Gilda abriu as pernas sobre ele e sentou sobre o seu rosto, sua boca e sua língua, Amapola cavalgou o seu pau e lentamente o deslizou para dentro dela, sem tirar os olhos de Gilda, as duas se abraçaram e se beijaram. Depois trocaram. Simon chegou em casa exausto e feliz.

À beira da piscina, ainda sentia os dois perfumes se misturando em sua memória, o gosto de seus sexos em sua boca, quando foi surpreendido pela chegada de Marina e uma senhora desconhecida. Pelas expressões sérias e tensas das duas, que logo reconheceu como mãe e filha, se deu conta de que não era nada agradável. Levantou-se preguiçosamente, cumprimentou-as e perguntou em que podia servi-las, já que Carol só voltaria do colégio no fim da tarde. Era feriado americano, por isso estava em casa.

Para poupar a mãe, Marina se aproximou do coronel e explicou a situação em voz baixa e poucas palavras, sem muitos detalhes, mas o suficiente para o coronel passar a prestar atenção, observando os cortes e hematomas no rosto e nos braços de Eva, balançando a cabeça como quem está entendendo a situação.

"A Carol ofereceu para ficarmos aqui uns dias, até as coisas se acalmarem e a mamãe alugar um apartamento", explicou a garota.

"Vão ser só uns poucos dias, coronel", Eva a interrompeu, "nós lamentamos todo o incômodo, mas é uma emergência."

"Mas não é incômodo nenhum, vocês são muito bem-vindas", Simon foi cavalheiresco, Eva estranhou seu sotaque português. "É um prazer hospedá-las, a Marina é muito querida da Carol, é quase da família, e eu quero que aqui vocês se sintam em casa. Vou levá-las ao quarto de hóspedes, vocês devem estar loucas por um banho e para descansar um pouco. Depois podem vir para a piscina, está quentíssimo e a água deliciosa. Vou mandar preparar um lanche para vocês."

Marina e Eva não sabiam como agradecer tanta gentileza. Simon pegou a sacola de roupas de Eva e convidou-as a subir para mostrar-lhes o quarto de hóspedes.

Era mesmo lindo, forrado de papel de parede de listras rosa-claro e branco, todos os móveis, cama, mesinhas, penteadeira e uma grande poltrona, eram brancos e de linhas modernas, o piso carpetado em cinza-claro, um pequeno lustre de cristal no teto, tudo cheirava a limpo e a novo ali. Eva ficou maravilhada, quando tivesse sua casa, teria um quarto parecido com este.

Simon abriu orgulhoso as portas do grande armário embutido, cheio de prateleiras, gavetas e cabides.

"É todo de vocês", abriu os braços e ofereceu, "fiquem à vontade, descansem, depois espero vocês na piscina."

Eva, que não tomava banho havia três dias, ficou quase uma hora deitada na banheira cheia de água quente e perfumada com sais aromáticos, depois se demorou um bom tempo sob o chuveiro farto, lavando corpo e alma com xampu e sabonete americanos, deliciosos.

Com uma toalha de rosto fez um turbante para os cabelos molhados, enrolou-se em uma grande toalha branca e foi para a varanda. Viu Marina à beira da piscina conversando com o coronel, imaginou que falavam dela, ai que vergonha, pensou Eva, mas também que sorte encontrar um abrigo tão seguro, bonito e confortável como aquele. Era melhor que qualquer hotel de luxo e ali estaria protegida do marido — e até do Exército. O coronel Simon, além de diplomata, era militar, só não podia protegê-la do amor de Noronha.

Olhando o corpo forte e bronzeado de Simon, de short de náilon bordô, estirado na espreguiçadeira, notou em sua coxa direita uma grande cicatriz que, pelo tom avermelhado, parecia recente. Eva estava se tornando uma especialista em cicatrizes. Com as que tinha, não teria coragem de botar um maiô e aparecer diante de ninguém; jamais ficaria nua de novo na frente de Noronha, jurava para si mesma.

"Espeto", disse Noronha para si mesmo e desligou o telefone, depois de falar com Adãozinho. O dono da casa, além de americano, era diplomata e militar, o moleque fizera um bom trabalho, continuaria na vigilância e telefonaria a qualquer movimento suspeito. Pelo menos ali o major e o coronel não incomodariam Eva, sob o risco de provocar um conflito Brasil-Estados Unidos. Mas nunca se sabe, refletiu, um corno enlouquecido é capaz de tudo.

Atrás de sua mesa atulhada de processos, papéis e livros, Noronha pedia paciência, humildade e coragem a seus santos protetores. Era tudo que precisaria para ter Eva de volta, além de um pouco de sorte. Mandou a secretária encontrar o número do telefone no endereço que Adãozinho lhe dera. Ligaria mais tarde, talvez no dia seguinte, quando ela estivesse mais calma.

Bira telefonou dando a nova localização de Eva e Vasquez decidiu comunicar ao coronel a sua descoberta só no dia seguinte. Precisava refletir sobre a nova situação. No estado em que se encontrava, o coronel bem poderia querer botar um tanque na porta da casa de Simon. Era preciso acalmá-lo antes, tarefa espinhosa a que Vasquez se dedicaria com toda a sua competência, nas próximas horas.

Como uma variante da clássica piada, começaria dizendo que o gato de Eva *descera* do telhado — era a boa notícia —, a ruim, que subira em outro, mais alto.

À beira da piscina, Simon recebeu o mensageiro da floricultura com dois grandes buquês de rosas vermelhas e entregou-lhe dois envelopes com cartões de textos idênticos, a serem entregues em endereços diferentes:

"Querida,
Foi uma noite maravilhosa que merece ser repetida.
Um beijo já saudoso,
Francis"

Da varanda, Eva via a cena e não entendia muito bem os dois buquês. Como gostaria de receber um.

* * *

Sob o mesmo teto

Eva não acreditou em seus olhos quando viu Marina passeando à beira da piscina com um maiô de duas-peças vermelho de bolinhas brancas. O que imediatamente veio à sua cabeça foi “ah, se o teu pai te visse assim”. Apesar de tudo que acontecera e do desprezo que sentia por ele, era como um reflexo condicionado, independente de sua vontade. Provavelmente daria na filha uma surra como a que dera na mãe. Eva se sentiu uma idiota por ter deixado aquele pensamento sinistro chegar à sua cabeça. Preferiu admirar a beleza do corpo alvo da filha mergulhando na água transparente e azulada da piscina. E se preocupar com a freqüência com que o coronel virava a cabeça para vê-la. Achou melhor descer, de calças compridas e blusa de mangas longas, abotoada até o pescoço. A vergonha dos ferimentos era maior que o calor e que a vontade de mergulhar na água fresca.

Simon deu-lhe as boas-vindas e perguntou se precisava de alguma coisa. Desculpou-se porque estava de saída para o Gávea Golf Club, onde jogaria uma partida com amigos diplomatas, mas dera instruções à empregada para atender a tudo que pedissem.

“Muito obrigada, coronel, o senhor é muito generoso”, Eva agradeceu.

"Por favor, me chame de Francis, entre amigos não existem patentes", Simon sorriu, "sou apenas um soldado a seu serviço, madame, fique à vontade, aqui a senhora vai estar protegida."

Era confortador. Eva esperou que seu anfitrião saísse para se sentar timidamente na ponta da espreguiçadeira. Marina saiu da piscina e veio encontrá-la pingando água. Eva invejou-a, Marina percebeu:

"Deixa de ser boba, mãe, vai botar um maiô e vem para a piscina, o coronel já saiu e a Carol só vai chegar mais tarde."

"Não, filha, é melhor não, eu nem tenho maiô."

"A Carol tem uma gaveta cheia e não vai se importar se a gente pegar um emprestado. Esse que eu estou foi ela que me deu. Ela é um pouco mais alta que você, e você é um pouco mais cheinha que ela, mas esses maiôs americanos são todos de látex, de malha elástica, esticam. Isso não é problema, vamos lá em cima, mãe", Marina se enrolou numa toalha e puxou-a pela mão em direção à escada de mármore branco.

Enquanto Eva esperava no quarto de hóspedes, Marina foi até o quarto de Carol e achou na gaveta dos maiôs um de látex preto, lindo e discretíssimo, a mãe iria adorar.

Eva se espantou:

"É um maiô de duas-peças, Marina! Mas é lindo", admitiu em voz baixa, alisando carinhosamente o tecido sintético brilhante. Devolveu-o à filha. "Obrigada, mas eu não posso usar um maiô desses."

"Está com medo de quê, mãe? De quem? Não tem ninguém em casa, a Carol só tem maiô de duas-peças e esse é até grande perto dos outros que ela usa", Marina sorriu. "Você vai ficar linda com ele, toma", entregou-lhe o maiô, "estou te esperando na piscina."

Eva ficou mesmo linda no duas-peças de látex preto, com o sutiã levantando os seus seios e a calcinha moldando seus quadris e arredondando sua bunda.

"Ficou um estouro!", Marina saudou-a na piscina. Eva sorriu encabulada, olhou para sua barriga branca em contraste com sua pele morena e para os ferimentos que lhe marcavam o corpo e a alma.

Simon se esquecera dos malditos sapatos de golfe e só se lembrara quando já estava quase na avenida Atlântica. Voltou, subiu, pegou os sapatos e, quando descia a escada para sair, viu, através da porta envidraçada que separava o salão do jardim, Eva de maiô preto. Posicionou-se fora do ângulo de visão dela e admirou longamente seu corpo maduro e moreno. Divertiu-se com a sua pequena faixa de pele branca acima do umbigo, encantou-se com a cabeleira negra desabando sobre os ombros e com os riscos avermelhados e as manchas arroxeadas que lhe marcavam todo o corpo, parecia uma índia pintada para a guerra, imaginou-a nua.

Com Eva na cabeça, partiu para o clube, na distante e selvagem região de São Conrado, entre as praias desertas de ondas perigosas e as florestas exuberantes que circundam a Pedra da Gávea. Além do imponente casarão da sede do clube, da igrejinha branca sobre uma colina e da lanchonete Bar Bem, no Largo de São Conrado, contavam-se nos dedos as construções na área, constatava maravilhado o coronel Simon, entrando no clube e aspirando profundamente o perfume de grama cortada que vinha do "green" misturado à maresia que o vento trazia da praia.

Seus parceiros já o esperavam no "tee" de saída: o embaixador do Reino Unido, o presidente de uma grande companhia anglo-americana de tabaco e um senador brasileiro, sempre muito bem informado sobre os bastidores do poder. Mais do que uma diversão ou uma competição, o que levava o coronel ao golfe, com seu modesto handicap 14, era a busca de informações privilegiadas nas preciosas fontes da elite empresarial e diplomática que freqüentava o clube. Entre uma tacada e outra, caminhando juntos ao longo de 6 quilômetros de gramados e envolvidos por paisagens deslumbrantes, tinham sempre muito que conversar. Para Simon, o golfe era um trabalho, como eram as festas do mundo político e diplomático, lazer seria estar na praia.

Eva e Marina ainda estavam na piscina quando Carol voltou do colégio, suada, descabelada e com os joelhos esfolados em uma queda ao saltar do bonde andando. Pareceu feliz de vê-las ali.

"Nós resolvemos, isto é, tivemos que aceitar o seu convite porque as coisas se complicaram", Marina explicou, "o seu pai foi gentilíssimo, foi um anjo com a gente..."

"Desculpe eu estar usando o seu maiô, a Marina disse que você não se importaria...", Eva a interrompeu.

"É um prazer, dona Eva", Carol respondeu sorridente, "ficou muito bem na senhora, pode usar tudo que precisar, vocês são muito bem-vindas. O daddy já deve ter mostrado tudo a vocês, não é? Deve estar eufórico com a inauguração do quarto de hóspedes, foi ele mesmo que fez a decoração. A Marina vai continuar no meu quarto, já tem até uma gaveta dela", sorriu, "assim a senhora fica mais à vontade."

Vasquez acordou tarde, depois de uma noitada no Beco das Garrafas — uma ruela entre dois edifícios em Copacabana —, o templo do jazz e da bossa nova. Eram diversas pequenas boates, conhecidas como inferninhos, uma ao lado da outra, onde cinqüenta ou sessenta pessoas se espremiam em volta de mesinhas para beber, fumar e ouvir os grandes músicos da nova onda musical: O Bossa Rio, de Sérgio Mendes, o Tamba Trio, o Bossa Três, de Luiz Carlos Vinhas. Depois era enfrentar, no dia seguinte, o uísque falsificado latejando nas têmporas. Nada que um banho frio e um Sonrisal não resolvessem. Vestiu um terno preto de risca-de-giz, escolheu uma gravata discreta em tons de cinza, perfumou-se e partiu ao encontro do coronel Kleber, no restaurantezinho de Botafogo.

Foi uma conversa difícil. Mas depois, a caminho do escritório, no centro da cidade, Vasquez considerou que os resultados superaram as suas expectativas. Nada de tanques na rua, nem tropas invadindo residências diplomáticas, nenhuma vingança bombástica em vista. Vasquez percebeu que, para sua maior desgraça, o coronel estava sofrendo da síndrome do abandono, sua velha conhecida: muitos maridos — que desprezavam as mulheres e as corneavam à vontade — eram tomados por avassaladora paixão, tão logo passava o impulso inicial de ódio ao se descobrirem traídos. Outro clássico da cornologia.

Era o caso do coronel, que não xingava mais a mulher nem falava em vinganças, parecia completamente apaixonado pela esposa infiel. Queria pedir desculpas, começar de novo, não precisou dizer, mas faria qualquer coisa para tê-la de volta. Pobre coronel, nenhuma chance, analisou Vasquez, estacionando o carro na Cinelândia, próximo ao Teatro Municipal, onde ficava seu escritório. Deixaria passar dois dias e pediria a dona Luizinha, sua secretária, para encaminhar ao coronel a cobrança de seus honorários, sua missão fora cumprida. Encomendaria três ternos novos.

Com toda a confusão, Bombril acabou faltando ao colégio e, de volta para casa, teve que se explicar à mãe. Contou tudo que acontecera, que estava acontecendo, com dona Eva e Marina. Nazaré se comoveu, parou de descascar batatas e enxugou as lágrimas com o pano de prato. Bombril abraçou-a. A mãe contou que não tinha visto o coronel, que estava saindo muito cedo e voltando muito tarde. Tinha medo de ficar sozinha em casa com ele. E reclamou de Dagmar, que não lhe contara nada, como se ela fosse uma fofoqueira indigna de confiança, afinal tinha 13 anos de casa. Nazaré não disse, mas Bombril teve certeza de que ela estava se mordendo de ciúmes pela preferência da patroa pelo barraco e pela companhia da colega. Beijou-a e foi para o banheiro de empregada, tomou uma longa chuveirada e, ainda nu e molhado, abriu a janelinha.

Era melhor do que qualquer cinema. Dona Eva de maiô de duas-peças, que estouro! Teve que tocar a sua primeira punheta do dia. Bombril estava fazendo um esforço, tentando reduzir de quatro ou cinco para duas ou três por dia, não tinha medo de ficar tuberculoso ou cego, como ameaçava a mãe, ou dos castigos de Deus aos pecadores, mas se preocupava com a possibilidade de esgotar suas reservas de esperma e algum dia ficar seco. E Bombril queria, depois de se tornar um craque famoso, ter muitos filhos. Só não sabia ainda com quem.

De banho tomado e perfumado, bermuda de linho e camisa Lacoste, o coronel Simon dirigia pela avenida Niemeyer de volta para casa, com a tarde avermelhando e o sol descendo entre as ilhas no espelho retrovisor. Perdera o jogo, tanto os individuais como o de duplas, o que lhe custara US$ 120 em apostas. Mas ganhara preciosas informações sobre a formação do novo governo e sobre o presidente, sua paixão pelo uísque, seu fascínio por saias e seu estilo instável e imprevisível, teria bons argumentos para seus relatórios sobre a infiltração comunista no poder e nas Forças Armadas.

O homem podia tomar um porre e abrir as pernas para Moscou, divertiu-se com a hipótese absurda, sabia que Jânio era um populista conservador e autoritário, que tinha horror de comunistas, como os udenistas que o elegeram. Tal qual o senador golfista e falastrão. No máximo, poderia fazer algum agrado demagógico à esquerda, puro jogo de cena. Mas Washington não precisava ter certeza disso. Estavam preocupados demais com Cuba e com o Vietnã, era necessário manter acesa a chama do "perigo vermelho" no Brasil. Teria mais alguns anos de tranqüilidade, preocupado apenas com a sonhada aposentadoria.

Encontrou Eva sentada no sofá da sala diante da televisão, raramente ligada, era a melhor que ela já tinha visto, uma imagem perfeita. E sem bombril na antena.

De saia e blusa, com os cabelos presos em um rabo-de-cavalo, Eva assistia a um programa para crianças na televisão, onde a vedete Virginia Lane — que Simon reconheceu das colunas de Stanislaw Ponte Preta, baixinha, dentuça e gostosíssima — vestia uma fantasia de coelho, com as pernas roliças de fora, contando histórias e passando desenhos animados para as crianças. Nos Estados Unidos, jamais uma showgirl do teatro burlesco teria um programa infantil na televisão, pensou Simon e sorriu, muito menos com o nome de *Coelhinho Teco-Teco*.

Enfim, os cariocas tinham uma visão bastante peculiar sobre crianças e sexualidade, embora não parecessem se dar conta disso, preferindo manter uma atitude aparentemente rígida e conservadora, mais por temor dos comentários da vizinhança do que para a formação moral das crianças. Com aquele calor e com tanta gente meio pelada nas praias, era inútil tentar evitar que as crianças crescessem familiarizadas com o corpo e começassem a pensar besteira muito cedo. Simon sorriu ao notar na tela da TV um garoto de uns 7 anos que não tirava os olhos das coxas do "Coelhinho".

"Aceita um drinque, dona Eva? Um gim-tônica, um uísque, uma cuba-libre, quem sabe um suco de frutas?", Simon se encaminhou para o barzinho de madeira clara no fundo da sala, com três banquetas de couro vermelho e um respeitável estoque de bebidas importadas nas prateleiras de vidro. Eva agradeceu, tinha tomado um café, Simon preparou um uísque on the rocks e sentou-se a seu lado no sofá. Acendeu um Lucky Strike, olhou-a nos olhos, soltou a fumaça lentamente. Eva desviou o olhar.

"Como a estão tratando na casa, dona Eva?"

"Por favor, Francis, nada de dona, eu sou Eva, mãe da Marina, estão me tratando muito bem, só não posso dizer que me sinto em casa porque em casa estava muito ruim", fez uma pausa e sorriu timidamente, "e aqui está maravilhoso. Sua casa é linda e vocês são uns anjos."

Simon se deliciava com a doçura do sotaque mineiro de Eva, ela achava engraçado o sotaque lusitano dele.

"E as meninas?"

"Estão lá em cima estudando. Você não está ouvindo?", Eva sorriu, Simon levantou-se, aproximou-se da escada e ouviu o som abafado que vinha do quarto fechado de Carol, um calipso animado de Harry Belafonte.

"*Matilda, Matilda, Matilda,*
she takes me money and run Venezuela..."

Simon subiu a escada e bateu na porta:

"*Hello, lovely princess.*"

Carol desligou o som e abriu a porta, beijou o pai, Marina cumprimentou-o. Simon pediu:

"Vamos levar esse disco para tocar na vitrola da sala, assim todo mundo pode ouvir, eu adoro calipso", olhou para Eva. "Você gosta de Belafonte?"

Eva não conhecia. Carol desceu com o disco e colocou-o na vitrola. O ritmo jamaicano encheu a sala, o som metálico das bandas de tambores de gasolina afinados como xilofones, as congas, timbales e bongôs, a voz de veludo de Belafonte cantando *The Banana Boat Song*.

Simon batia palmas no ritmo da música, Carol dançava, ondulando os quadris e os braços, Marina começou timidamente a imitar os movimentos da amiga, Eva sorria, Belafonte cantava.

Jamaica Farewell, a música seguinte, era um calipso dolente e nostálgico, falando de amores e despedidas. Simon foi até o sofá e tirou Eva para dançar. Ela recusou, sorrindo encabulada, Simon insistiu, Carol e Marina a levantaram à força do sofá, Simon tomou-a pela mão, levou-a para o centro do salão de mármore preto e branco e enlaçou-a. Marina e Carol aplaudiram, Eva disse baixinho para Simon:

"Me desculpe, eu não danço há mais de dez anos, acho que não sei mais..."

"Há algumas coisas que nunca se esquece, Eva, é só se deixar levar pelo ritmo", a mão direita de Simon sentia a carne macia das costas de Eva, a esquerda apertava a dela com firme delicadeza. Marina e Carol dançavam, uma de frente para a outra, ondulando os quadris como havaianas e mexendo os braços como Carmen Miranda, alheias ao outro par. Assim que a música terminou, as garotas aplaudiram e Eva voltou quase correndo para o sofá. Belafonte começou outro calipso, Simon saiu dançando com Carol, no meio da música trocou para Marina, no final Eva aplaudiu sorridente e ele voltou ao sofá. As duas garotas começaram a dançar enlaçadas, como homem e mulher.

"Parecem duas irmãs", Eva sorriu.

O coronel Kleber chegou em casa quase às nove da noite, com a cara fechada e uma aparência exausta, avisou a Nazaré que não iria jantar e se trancou no quarto. Pouco depois Zé Roberto chegou, colocou algumas roupas e livros numa sacola e saiu. Debaixo do chuveiro frio, Kleber chorava e deixava a água escorrer pelo seu corpo imóvel como quem quisesse se dissolver.

Depois, de pijama e chinelos, foi à cozinha, preparou um Toddy e comeu dois biscoitos cream-cracker. Tomou o remédio para dormir receitado pelo médico do IME, apagou a luz e deitou de costas, de olhos abertos para a escuridão. Começou a sentir uma moleza gostosa, uma leveza, uma sensação de paz e tranqüilidade. Antes de fechar os olhos e se entregar ao sono, já sabia exatamente o que faria.

No dia seguinte, às nove da manhã, o coronel Kleber, fardado e armado, tocava a campainha da casa do coronel Francis W. Simon.

Escaramuças no portão

Adãozinho chegara havia pouco ao seu ponto de observação, no fundo do boteco, quando viu Kleber na porta do coronel Simon. Telefonou imediatamente para a casa de Noronha, que estava de saída para a delegacia mas iria direto para o Bairro Peixoto. Marcação cerrada, olho vivo e faro fino, recomendou, afinal o homem estava armado.

Carol levou Marina e Eva para o segundo andar, para a varanda de frente da casa, de onde se via o muro e o portão de entrada. Elas se colocaram um pouco atrás, para não serem vistas da rua.

"Pois não, coronel, estou a seu dispor", Simon abriu o portão. "O senhor não quer entrar e tomar um café?", olhou discretamente para o Colt no coldre do militar.

"Obrigado, mas acho melhor falarmos aqui mesmo, coronel", com a mão trêmula, Kleber ensaiou um arremedo de continência que quase fez Simon rir. O homem estava devastado, pensou com alívio, não ia dar tiro em ninguém.

"O senhor deve imaginar o que me traz aqui e quanto constrangimento eu sinto em pedir que o senhor me permita falar com minha mulher", Kleber tentou alguma altivez, Simon sentiu pena. Seria piedoso. E diplomático. Militar, só em último caso.

"Por mim, o senhor fala com ela na hora que quiser, 'mi casa es tu casa', como dizem no México. O problema é que ela não quer falar com o senhor, pelo menos agora, e é meu dever, como seu anfitrião, respeitar as suas vontades. O senhor tem que ter um pouco de paciência, coronel, esperar até as emoções se acalmarem, o senhor sabe, foi tudo muito forte, não é?"

"É verdade, coronel, eu estou muito arrependido do que fiz, mas perdi a cabeça, me senti humilhado, o senhor já foi casado, tem uma filha, deve saber como eu me senti. O que eu quero é só pedir desculpas, coronel", abaixou os olhos.

"É muito digno de sua parte, coronel, mas temo que ela ainda não esteja pronta para receber o seu pedido, certamente ela não aceitaria, pelo menos agora", Simon tentou um tom aparentemente sincero.

Da janelinha do banheiro de empregada, escovando os dentes, Bombril não viu duas garotas nuas, mas dois militares se confrontando na calçada, um fardado e o outro de robe de seda preta. Em outras janelas do edifício, surgiram rostos por trás das cortinas, os homens que estavam no boteco saíram para a rua, seu Nereu parou de lavar a calçada, todos temendo pelo duelo que se anunciava. O Bairro Peixoto era como uma cidade do interior encravada em Copacabana, no coração da capital da República, onde as notícias se espalhavam rápida e venenosamente.

"O senhor compreende, coronel, o senhor é um homem solteiro..."

"Tecnicamente um viúvo, coronel", interrompeu Simon.

"É muito constrangedor a minha esposa estar na casa de um viúvo, de um homem sozinho, com todos esses boatos malignos que devem estar correndo pelo bairro."

Será que o pobre corno pensava que a mulher tinha um caso com ele ou estava preocupado com a língua do povo?, refletiu Simon, se fazendo de desentendido:

“Quanto a isso não se preocupe, coronel, ela está sendo tratada com o mais absoluto respeito, é uma hóspede muito bem-vinda, sua filha é a melhor amiga da Carol.”

“Mas eu queria dizer a ela apenas algumas palavras, tenho certeza de que ela vai entender”, Kleber insistiu.

“O senhor pode ter certeza de que ela não quer falar agora. Quem sabe, para começar, o senhor não lhe escreve uma carta? Terei o maior prazer em entregar a ela, não se esqueça de mandar junto um grande buquê de rosas vermelhas, as mulheres adoram flores, coronel”, Simon não conseguiu evitar alguma ironia.

Marina também não queria falar com o pai, e Simon temia que Eva só admitisse encontrá-lo no escritório do advogado ou então diante do juiz da Vara de Família. Kleber foi se desmanchando dentro da farda, com os olhos úmidos.

“Bom-dia, coronel Simon, bom-dia, coronel Kleber”, Noronha chegou sorridente, de banho tomado, calça cinza e paletó azul-marinho, cheirando a lavanda.

“Sou o delegado Noronha, da 12ª DP, e estou encarregado do caso do desaparecimento de dona Eva Ferreira. Eu gostaria de falar com ela.”

“Eu sou o coronel Francis Simon, adido militar-adjunto na Embaixada dos Estados Unidos”, e estendeu a mão.

“Eu sei”, Noronha o cumprimentou.

Polícia carioca, nada poderia ser pior no momento, pensou Simon, olhando a carteira do delegado e se preparando para uma discussão que poderia terminar em violência ou em um achaque. Ele não conhecia o delegado Noronha.

“Um momento, delegado, eu vou falar com dona Eva, o senhor quer entrar, esperar na varanda?”

“Obrigado, estou bem aqui”, Noronha olhou para Kleber, suando dentro da farda pesada.

O delegado tinha certeza de que Eva não falaria com ele, nem queria na verdade, porque nem eram a hora nem o local apropriados para o que precisava lhe dizer. Pedira para falar com ela apenas para dissolver qualquer má intenção do marido, para marcar presença, para que soubesse que ele pensava nela dia e noite e não desistiria de seu amor. Como policial, precisava encerrar o caso; como amante, recomeçá-lo.

O americano voltou com a resposta negativa mas cortês de Eva, com dor de cabeça, pedindo que passasse no fim do dia, ou telefonasse para marcar uma hora.

Simon tentou argumentar que Eva estava bem, era sua hóspede, estava ali por livre e espontânea vontade e que, para todos os efeitos, o caso já estava encerrado, com a localização da desaparecida. Mas Noronha disse que tinha um caso aberto na delegacia e que precisava fechá-lo. Isso só seria possível depois do depoimento de dona Eva.

"Talvez o caso tenha outras implicações, que devam ser apuradas, nunca se sabe", Noronha olhou para os dois: "Bom-dia, coronel Kleber, bom-dia, coronel Simon."

Nenhum meganha ousaria se intrometer na briga de um militar com sua esposa; nenhum tira se arriscaria a criar um caso com a Embaixada americana, pensavam Kleber e Simon. Eles não conheciam Noronha.

O delegado passou pelo botequim, viu Adãozinho no fim do balcão, tomando um cafezinho, e seguiu em frente pela praça. A ordem era permanecer na vigilância e informar qualquer novidade.

Na porta de Simon, Kleber ainda tentou um último apelo:

"O senhor se importaria se eu telefonasse para ela?"

"Eu não, coronel, acho que é ela quem vai se importar, com todo o respeito, acredito que o senhor tenha pouquíssima chance de ser atendido, mas, se quiser tentar, fique à vontade, o telefone é 27-2824. Posso servi-lo em mais alguma coisa?"

Kleber estendeu-lhe a mão trêmula.

"Conto com a sua colaboração como um pai, um chefe de família, um companheiro de armas, para que minha mulher possa voltar para casa e para a família o mais breve possível", entregou-lhe um cartão de visitas. "Por favor, me telefone quando achar conveniente minha presença, pode ligar a qualquer hora. Bom-dia, coronel."

Fez de novo aquele arremedo de continência e desta vez Simon virou o rosto e voltou para casa rindo e balançando a cabeça.

"Atenção, brotinhos e madames", Simon gritou para o segundo andar, fazendo um cone com as mãos em frente à boca e imitando o som de um serviço de alto-falantes, "temos o prazer de informar que a tempestade já passou e o café vai recomeçar."

Eva, Marina e Carol desceram e o encontraram sentado à cabeceira da mesa, tomando um suco de laranja, pedindo mais ovos mexidos à empregada e um novo café. Recebeu as três com um sorriso e um ar de que nada importante havia acontecido.

"Está tudo resolvido, não há nenhum motivo para preocupação, o coronel é um homem civilizado e entendeu que nem a senhora nem Marina têm condições de falar com ele, pelo menos nesse momento, nos próximos dias. A senhora não vai ser importunada, só vai falar com ele quando quiser e onde quiser. Mas algum dia a senhora terá que falar com ele, não é?" Ainda não conseguia tratá-la de você, era uma senhora, ainda mais naquela situação.

"No momento não estou pensando nisso, primeiro preciso me recuperar, só pretendo falar com ele no escritório do advogado."

"É bem melhor do que numa delegacia", enquanto passava geléia nas torradas recém-chegadas à mesa, Simon olhou para Eva. Um tal delegado Noronha quer falar com você."

Eva sentiu um frio na barriga, tomou um gole de café quente.

"Você também vai ter que falar com ele, mais cedo ou mais tarde. Não me parece nenhum problema, ele me disse que é só para fechar o caso, afinal a desaparecida já apareceu", sorriu.

"Ele não conhece Noronha", pensou Eva, "nem desconfia do que nos liga e nos separa." Sim, teria que falar com ele, ou pior, queria,

queria muito. Simon disse que ele telefonaria para marcar uma hora, viria em casa, ela não teria que ir à delegacia.

No dia seguinte, sábado, Carol e Marina sairiam cedo para o futebol no campinho dos Mayer, onde o Carioquinha enfrentaria o time do Ouro Branco, de Botafogo, bem melhor do que o da Galeria Menescal. Simon anunciou seus planos de sair cedinho para uma jornada de pesca submarina pelas ilhas da baía de Guanabara. Quando, no fim da tarde, Noronha telefonou, Eva respondeu apenas que o receberia às dez da manhã.

Noronha demorou a dormir, apesar dos dois, três, vários uísques que tomou, fumando e ouvindo Dolores Duran e Nora Ney, pensando no que diria quando estivesse sozinho com ela. Eva também ficou um bom tempo no escuro pensando em Noronha, mas tomou uma pílula de sonífero, já não conseguia dormir sem elas, e pouco depois adormeceu nos lençóis de linho do coronel Simon.

Corpo e alma

Quando Eva acordou, todos já tinham saído. Vestiu o robe de náilon rosa emprestado por Carol e desceu. Deu bom-dia à empregada, sentou-se à mesa do café e pensou que pediria a Marina para pegar uma mala de roupas em casa. Às vezes sentia-se como uma mendiga — de roupas e sentimentos. Não podia se mostrar daquele jeito ao coronel Simon, que era um homem fino e educado, um homem encantador, pensava, saboreando um suco de laranja. Tinha sido mesmo um golpe de sorte estar ali, depois de tantos infortúnios.

E aqueles maravilhosos produtos americanos? A pasta de dentes, o xampu, a televisão, a máquina de fazer waffle, aquelas músicas lindas, o colchão de molas, o cheiro de limpeza. Eva se sentia quase feliz. E nervosa, porque dentro de uma hora receberia a visita de Noronha.

Tomaria um longo banho com aquele sabonete delicioso e vestiria seu melhor vestido, um dos dois que tinha levado para o barraco, o mesmo de algodão leve que, na contraluz do morro, revelara suas formas a Noronha e incendiara seu coração de saudades. Um vestido de verão, sem mangas, decotado e com a saia pelos joelhos, porque Eva queria que ele visse os ferimentos e cicatrizes de perto, que se sentisse também responsável por tanta dor e humilhação. Também estava com muitas saudades, mas preparada para resistir a qualquer avanço dele, não permitiria que lhe tocasse um dedo, jamais voltaria a ser sua amante.

A campainha tocou e Eva congelou.

Era apenas o garoto do armazém com uma entrega.

Noronha chegou pouco depois, de camisa esporte e óculos escuros. A empregada encaminhou-o para a sala e foi chamar Eva em seu quarto. De pé, no meio do salão de mármore preto e branco, Noronha viu Eva descer as escadas lentamente, solta dentro de um vestido simples de algodão estampado, mostrando seus braços e pernas morenos cobertos de marcas. Seu coração se acelerou. Estava preparado para agir com calma e paciência, como alguém acostumado a enfrentar bandidos e a desvendar crimes. Primeiro tinha que ganhar a sua confiança de novo, dar-lhe certeza de que Carmita era o passado e que ela era seu presente e futuro.

E se ela não o quisesse mais? Se jamais o perdoasse pelas dores e humilhações por que passara, por ter se sentido enganada e abandonada? Não seria razoável, pensava, afinal ela também enganava o marido. E ele, que enganava as duas? Mas foi Eva que o abandonou, tanto que estava pronto para voltar e ficar com ela, para sempre, mil vezes pensara nisso, sonhando com a festa da reconciliação.

Cara a cara foi diferente do que imaginara, Noronha se sentiu tímido e nervoso; Eva, ao contrário, talvez por estar em seu terreno, estava mais serena e confiante do que esperara, enquanto descia a escada. Como dissera Dagmar, ela estava com as cartas na mão. Mas não sabia qual jogar, não tinha certeza nem se queria jogar. Como voltar a acreditar em um homem que mentira para ela e provocara tudo aquilo? Que segurança teria ao lado dele? Não podia negar para si mesma, sentia muitas saudades, mas queria afastar-se dele como de um vício, de uma droga maldita. Queria mesmo?

A outra opção era dura: viver sozinha como uma mulher desquitada, solta no mundo, que a sociedade marginalizava como uma puta em potencial, que as mulheres temiam como uma ameaça a seus casamentos ou que os homens perseguiam em busca de sexo fácil. Felizmente tinha a loja, podia se sustentar, não precisava de homem para lhe pagar as contas, como a maioria das separadas, que viviam de pensão alimentícia paga por ex-maridos ou eram teúdas e manteúdas de "coronéis" em Kitchenette de Copacabana. Não voltar para casa era uma de suas poucas certezas.

No início, fingindo que lia anotações em uma caderneta, Noronha tentou canhestramente representar o papel de delegado de polícia interrogando uma ex-desaparecida espancada pelo marido, como se nada nunca tivesse acontecido entre eles. Eva se sentiu muito desconfortável. Olhando para os lados, como se estivessem sendo observados ou gravados, Noronha advertiu-a de que legalmente ela ainda era casada e podia ser acusada de abandono do lar, que não tinha nenhuma prova ou testemunha de que seu agressor fosse o marido — poderia ter sido o amante, qualquer advogado de porta de cadeia argumentaria.

"Certamente o major do Serviço Reservado vai confirmar para o juiz que a senhora tinha um amante."

Noronha sentiu-se ridículo dizendo aquilo para ela, mas era tarde demais. Morreu de vergonha e fez grande esforço para manter a compostura. Eva abaixou os olhos, passou-se um longo momento de grande constrangimento, até que conseguiu murmurar:

"Pode ficar à vontade, delegado, não tem ninguém em casa."

Noronha desmontou o personagem e se entregou à emoção:

"Eva", olhou-a nos olhos, "nada disso tem importância, a única coisa que interessa é o nosso amor, eu te amo, Eva, por favor me perdoe por tudo que aconteceu, eu fui fraco, fui covarde, fui um bandido, mereço qualquer punição, só não mereço que você me abandone, porque eu te amo, Eva, tudo aquilo é passado, nada mais me prende, estou livre para ficar com você para sempre, Eva."

Pegou na sua mão trêmula, ela tentou tirar, mas acabou deixando-a ficar, imóvel, sob a dele. E se ele me agarrar e me beijar, meu Deus, eu não posso gritar, fazer um escândalo, não agüento mais um escândalo, Eva olhava para Noronha sem saber o que querer, quando ele a agarrou e beijou. Ela tentou fracamente resistir, quase como uma formalidade, representando tão canhestramente a amante ofendida quanto Noronha interpretara o delegado durão. Apenas entregou-se e beijou-o com paixão, não precisava dizer nada.

"Por favor, pelo amor de Deus", Eva empurrou-o ofegante, "alguém pode entrar."

Com o coração disparado, o rosto pegando fogo e o pau latejando, Noronha continha a euforia, o gelo tinha sido quebrado, faria tudo que ela quisesse para tê-la de novo, paciência, Noronha, paciência, velho, recomendou-se. A empregada entrou com uma bandeja de sucos e um bule de café, colocou na mesinha de centro e voltou para a cozinha. Será que ela viu alguma coisa? Eva e Noronha não precisaram dizer.

Noronha não precisava saber mais nada, o caso estava encerrado, ou melhor, continuava; só pensava em abraçá-la e beijá-la, em entrar nela e ouvir seus gemidos de gozo. Eva poderia, mas, aconselhada por Noronha, não daria queixa do marido, para evitar um escândalo inútil. Queria entrar com o pedido de desquite imediatamente, o advogado viria encontrá-la na segunda-feira para dar entrada no processo.

"Se ele aceitar o amigável é ótimo, mas se estiver mordido, quiser te intimidar, você está preparada para enfrentar um processo litigioso? Ser acusada de ter um amante? Ver os filhos serem chamados para depor? Os vizinhos?", Noronha advertiu-a. Eva lutava contra a tentação de imaginar o que estariam dizendo dela no Bairro Peixoto. Precisava urgentemente alugar um apartamento longe dali, mas perto da loja. Seria um choque para Marina saber que Noronha era seu amante, ela poderia não aceitar, e se Simon tivesse chegado quando eles se beijavam?, os pensamentos se misturavam na cabeça de Eva, sua vontade era pedir a Noronha que a abraçasse e protegesse. Não mais do coronel Kleber, mas de seus próprios desejos.

O que Eva queria era subir para seu quarto e se jogar no colchão de molas e nos lençóis de linho com Noronha, senti-lo beijando e lambendo seu corpo inteiro, acariciando com a língua cada ferimento, enfiando a cara entre suas pernas e fazendo-a gozar em sua boca, beijando-o para sentir seu próprio gosto misturado ao dele, sentindo o pau dele se enfiando nela. Eva queria muito. Mas jamais permitiria que acontecesse ali.

Que diferença entre aquele quarto lindo e limpo e a kitchenette sórdido do Lido, seus móveis escuros e medonhos, seus lençóis puídos fedendo a perfume barato das vagabundas que deitavam neles, o cheiro insuportável de mofo no corredor. Algum dia teria um quarto parecido com aquele — e receberia Noronha nele, nela. Mas não naquele momento, nem em breve, pensava, ia fazê-lo esperar um pouco. Quando sentiu a mão dele se enfiando por baixo do vestido entre as suas pernas, fechou as coxas instintivamente, mas a mão já se fechava em concha sobre o seu sexo e ele continuava olhando para ela como se nada acontecesse — com o sofá de costas para a cozinha, mesmo que a empregada entrasse, não veria nada.

Eva suspirou e abriu as pernas. Olho no olho, arfavam em silêncio. Ela apertou o pau duro de Noronha sobre a calça, os dedos dele afastaram a calcinha, se enfiaram nela e se molharam e massagearam sua carne macia. Eva sentia os olhos fechados revirarem nas órbitas, um calor lhe subindo pelas pernas, o ar lhe faltando. Levantou-se de repente, ofegante, arrumando o vestido, Noronha se pôs de pé assustado.

"O que foi, Eva, algum problema?"

Eva olhou em volta e fez sinal para que a seguisse, entrou com ele em um armário de material de limpeza debaixo da escada. No escuro, entre baldes, vassouras e aspiradores, Noronha sentou em um banquinho e tirou o pau para fora da calça, Eva levantou o vestido e, sem tirar a calcinha, apenas a puxando para o lado, se sentou sobre ele. Mexeram-se, gemeram, grunhiram e gozaram apressados e abafados, com as bocas tapadas um pela mão do outro e as respirações ofegantes. Ouviram passos na sala, Eva sentiu o coração bater na boca. A empregada passou pelo armário, atravessou o salão e abriu a porta de vidro do jardim, Eva reconheceu o rangido do metal. Entreabriu a porta do armário e a viu se encaminhando para a piscina. Fez sinal a Noronha para que saísse e voltassem à sala.

"Por favor, vai embora", pediu, com a respiração entrecortada e se encaminhando para a porta da rua.

"Muito obrigado, dona Eva, agora está tudo esclarecido, qualquer coisa pode me procurar na delegacia", Noronha falou alto para ser ouvido, a empregada voltava da piscina.

"Bom-dia, dona Eva."

"Bom-dia, delegado."

Carnaval no fogo

Depois que Noronha saiu, Eva vestiu o duas-peças preto de Carol e foi para a piscina. Mergulhou de cabeça. Nadando debaixo d'água, atravessou os 10 metros até a borda da parte rasa, respirou fundo e voltou em braçadas largas pela superfície. Foi e voltou várias vezes, até se apoiar na borda, exausta e ofegante. Eva não conseguia se reconhecer na mulher que agira como uma cachorra no cio, se descontrolara completamente, perdera a cabeça. Aquilo não voltaria a acontecer, se prometeu, antes precisava acertar muitas contas com Noronha e ter certeza de que ele queria mesmo ficar com ela, que não era só uma atração animal que os ligava.

Telefonou para a sócia Lucila para dizer que estava bem e saber notícias da Bom Bocado. Não chegou a contar muito, a amiga já sabia de tudo, ou quase, do barraco à casa do coronel Simon, Eva nem perguntou como ela soubera, as notícias corriam rápido no Bairro Peixoto. Lucila encorajou-a a enfrentar o desquite, mesmo litigioso, deporia a seu favor. O importante era se livrar do passado, pensar no futuro. Ela mesma estava pensando em se separar, confidenciou num tom cúmplice, "encontrei coisa melhor", Eva ouviu o risinho abafado da amiga, que também soubera que o americano era um peixão, e riu de novo. Eva não achou graça, agradeceu a solidariedade, pediu discrição e disse que assim que estivesse em condições voltaria ao trabalho.

O dia amanhecera bonito, ensolarado, mas aos poucos foi se nublando e escurecendo. Quando Eva mergulhou outra vez, das nuvens cinzentas que cobriam o Bairro Peixoto começaram a cair os primeiros pingos de chuva sobre a piscina, as gotas mornas pontilhavam a superfície e se misturavam à água fresca. Eva as recebia no rosto como uma carícia, nos olhos fechados, na boca aberta, na língua de fora.

"Bom-dia, Eva", a voz de Simon tirou-a de seus pensamentos e sensações, instintivamente ela cruzou os braços e cobriu a barriga com as mãos.

"Pesca submarina com chuva não funciona, o mar fica turvo e não se vê nada", Simon explicava sua volta antecipada, "mas essa combinação de piscina com chuva me parece muito interessante."

Colocou a máscara de mergulho, os pés-de-pato e o arpão sobre a mesa, tirou a camisa e mergulhou. Atravessou a piscina nadando por baixo d'água, abriu os olhos para ver as pernas de Eva e emergiu em frente a ela, feliz com o que vira.

Além das pernas roliças e morenas, todos os cortes e manchas que lhe cobriam o corpo, que tanto a envergonhavam, estranhamente excitavam Simon, que não era dado a fantasias sadomasoquistas e se surpreendia com a sua reação diante daquela mulher ferida, muito além da compaixão. Talvez fosse o contraste entre o seu aparente recato e o que teria feito para provocar reações tão violentas. Aparentemente não era uma mulher do tipo que enlouquece os homens — e era justamente aí que morava o perigo, nas que parecem mais inocentes.

Atravessou algumas vezes a piscina nadando um *crawl* vigoroso, exibindo sua boa forma para Eva. Simon nadava todos os dias, desde garoto, competira pela universidade, era o seu esporte favorito. Eva encolheu-se em um canto da parte rasa da piscina, Simon subiu pela escadinha, se enrolou numa toalha e se despediu. Comeria alguma coisa leve, tinha um compromisso depois do almoço. Estava servida?

Eva agradeceu, o café-da-manhã tinha sido maravilhoso, à americana, com bacon, ovos, panquecas, não teria fome tão cedo.

Simon sentou-se à mesinha à beira da piscina, protegida da chuva pelo telhado do vestiário, comeu um misto-quente e tomou um milk-shake de chocolate servidos pela empregada e subiu para tomar banho. Voltou para se despedir, de calça branca, camisa havaiana florida e sapatos de lona brancos, um figurino aparentemente incompatível com um dia de chuva, mais apropriado para um baile de carnaval, pensou Eva, retribuindo o aceno de Simon.

Eva levaria um susto se saísse da piscina e olhasse para a frente da casa: ao volante do carro estacionado com a porta aberta, esperava por Simon uma freira, com um chapéu de grandes abas brancas. Uma freira de bigode! E se surpreenderia se soubesse que, pela roupa, acertara o destino de seu anfitrião: o famoso e concorridíssimo baile pré-carnavalesco do "Caju amigo", promovido por Carlinhos Niemeyer e seus amigos da animada e temida Turma dos Cafajestes, numa discreta boate no Posto Seis.

Simon ainda não tinha ido a um baile de carnaval e, convidado pelo amigo e diplomata brasileiro Jairo Domingues, fantasiado de freira bigoduda ao volante de seu carro, estava gostando da idéia de ir a uma festa meio secreta, naquele horário, explicou Jairo, para facilitar a vida dos namorados, noivos e maridos foliões, que se fantasiavam e se esbaldavam a tarde inteira sem despertar suspeitas, e depois chegavam em casa exaustos do "trabalho". Very carioca, comentou.

Na boate, a orquestra tocava sambas e marchinhas, e todo mundo bebia exclusivamente "caju amigo", uma mistura traiçoeira de vodca com suco de caju, aparentemente um suquinho doce, mas que depois de dois copos mostrava o seu poder de fogo. Simon gostou do drinque e se maravilhou com a quantidade e qualidade dos brotos que cantavam e dançavam na pista, pulando abraçadas com seus pares e cercadas por olhares vorazes de todas as idades.

Surpreendeu-se com a grande quantidade de homens, aparentemente machões caçadores, fantasiados de bailarinas, enfermeiras, holandesas e até de freiras. Very Brazilian, pensou, era divertido ver uma melindrosa de pernas cabeludas e com o peito de remador estourando as alças do vestidinho prateado, atracada com uma garota deliciosa, de short e frente-única. Ou a freira de Jairo afastando a aba do chapéu e beijando escandalosamente uma morena no meio do salão. Very exciting, pensou Simon, levantando seu copo em um brinde à lourinha fantasiada de odalisca que passava animada e sorridente.

Ela parou, bebeu do copo de Simon e lhe cobriu o nariz com um lenço de seda encharcado de lança-perfume. Simon aspirou fundo e se sentiu invadido por um aroma gelado e doce, que lhe entrou pelas narinas e penetrou em sua cabeça, fazendo o salão girar e zunirem ao longe sinos e sirenes, ziiiiiiiiiiinnnnn ziiiiiiiiiiiiiiinnnnn, o zumbido pulsava dentro dele, se misturava ao riso da garota e à música, que iam e voltavam como um eco. O bumbo da orquestra batia em seu peito, Simon sentiu um tremor e um calor lhe descendo pelas pernas, pensou que ia cair e abraçou a garota, que se apertou contra ele voluptuosamente, sentindo seu pau se endurecer.

Aos poucos, os efeitos etéreos do éter perfumado foram passando, os sons se colocando em seus lugares, o salão voltando à terra, Simon foi se afastando da garota, que continuava rindo descontroladamente e abraçava-se a ele, enfiando sua perna entre as dele. Simon já ouvira falar de lança-perfume, mas nunca imaginou que o cheiro fosse tão bom, a onda tão gostosa e, principalmente, que fosse tão afrodisíaco. Uma prise de lança-perfume dava tesão em uma múmia, constatou maravilhado, amolecia as defesas das mulheres, abria suas pernas.

Abraçou-a e beijou-a e foi recebido de braços e pernas abertos e uma nova prise, com o lenço entre os dois narizes, enquanto se beijavam. Simon imprensou-a contra uma parede, ela afastou as coxas e puxou-o para si, sem parar de beijá-lo com sofreguidão, teve ímpeto de fodê-la ali mesmo. Mas ela se soltou, saiu cantando e dançando pelo salão, com sua lança-perfume e seu tesão. Simon perdeu-a de vista. Mas havia muitas outras a ver.

Depois do segundo caju e de outra prise de lança-perfume oferecida por Jairo, que tinha duas ampolas metálicas nos bolsos do hábito preto, Simon estava na pista, com o braço passado nos ombros de uma bela morena mais madura, daquelas que os cariocas chamavam de balzaquianas, mulheres de mais de 30. Devia ser mais ou menos da idade de Eva, provavelmente uma desquitada, mas, ao contrário da discrição de Eva, era expansiva e exuberante, movida a caju amigo e sabe-se lá mais o quê.

"Ei, você aí, me dá um dinheiro aí
me dá um dinheiro aí."

Simon cantava a plenos pulmões no meio do salão e pulava abraçado à morena, como alguém que sempre estivera ali.

Divertiu-se até o fim da tarde, cantou e dançou, beijou outras bocas, trocou telefones e voltou de táxi para casa, ainda com cheiro de lança-perfume na camisa, suado e exausto, com os cabelos prateados cheios de confetes coloridos.

Eva estava em seu quarto. Carol e Marina foram ao cinema e depois iriam à lanchonete, informou a empregada. Simon entrou debaixo do chuveiro com a orquestra ainda tocando dentro de sua cabeça, o bumbo batendo junto com seu coração, o perfume da lança em suas narinas. Mas pensando em Eva.

Saiu do banho meio enjoado, afinal, todos aqueles cajus e lança-perfumes alguma hora cobrariam seus impostos, conformou-se. Nem chegou a se enxugar direito, ainda meio molhado deitou-se de costas na cama, abriu os braços e dormiu profundamente até o amanhecer do dia seguinte.

* * *

Eva ainda estava acordada diante da TV, assistindo a uma história de terror no *Câmera Um*, descobrindo o prazer de ver televisão sozinha, sem família nem televizinhos, sem comentários, quando Carol e Marina chegaram. Em momentos como aquele, Eva pensava que a vida também podia ser boa sem os homens. Mas o cheiro de Noronha parecia não se desgrudar dela, mesmo depois da piscina, da chuva e do chuveiro, se esforçava para não se lembrar dele, mas sentia a pressão de suas mãos em seus quadris e o seu pau deslizando para dentro dela.

Em um bar na Prado Júnior, freqüentado por músicos, prostitutas, leões-de-chácara das boates vizinhas e policiais da área, passava de duas da madrugada quando Noronha decidiu que era hora de parar com os uísques, tomar um caldo verde e voltar para casa. Via e revia sua manhã com Eva, em imagens cada vez mais turvas, e pensava que tudo poderia ter sido uma despedida, que ela parecia ainda estar com muita raiva dele e havia cedido mais à fraqueza da carne do que à força do amor, embora para mulheres, geralmente, as duas coisas andassem juntas.

Com a chave na fechadura, concluiu que tinha sido um acidente, um bem-vindo e delicioso acidente, que nem ele ousara esperar e que dificilmente se repetiria. Mas fora também quase um castigo, para enlouquecê-lo de desejo e lembrar-lhe o que havia perdido. A reconquista seria árdua, teria que renunciar à vida de solteiro e se preparar para o pior, ou o melhor, para a assustadora vida a dois. A mãe doente lhe serviria de álibi por algum tempo e o salvaria da temida coabitação, a vida policial o livraria da rotina que, ele tinha certeza, acabava com o amor e a paixão. Pelo menos com ele sempre tinha sido assim. Às vezes, mesmo apaixonado como estava, Noronha se sentia um canalha.

Sombras do passado

Simon acordou cedíssimo — claro, apagara por volta de oito da noite —, mas muito bem-disposto. Enrolado no roupão de toalha, fez ele mesmo os ovos mexidos com presunto, as torradas, o suco de laranja e o café. Levou tudo para a mesa da sala, serviu-se e abriu o *Jornal do Brasil*. Pretendia passar a manhã na praia, jogando vôlei e mergulhando nas águas verdes de Copacabana, depois comeria um churrasco na Gaúcha, em Laranjeiras, e ainda pegaria os últimos páreos das corridas no lindíssimo Hipódromo da Gávea, um típico domingo carioca.

"Bom-dia, Francis, mas que dia mais bonito, hein? Levantou cedo, não", Eva descia a escada com um robe que ele reconheceu ser de Carol e descalça. Simon levantou-se instintivamente ao ouvir aquela voz doce e aquele sotaque que lhe dava um sabor especial.

"Bom-dia, Eva, é que fui dormir muito cedo, assim que amanheceu já estava de pé."

"Ai que inveja", Eva suspirou, tinha dormido pouquíssimo durante a noite, entre a insônia e os pesadelos, estava exausta. Aceitou o convite de Simon e se sentou à mesa, mas só tomaria uma xícara de café, estava sem fome. Se arrependeu, o café era ralo e aguado como um chá. Faria outro assim que ele saísse.

"Então? Animada com a nova vida?", Simon bebia seu café aguado com grande prazer. Eva colocou um pouco de leite no seu, mas ficou pior.

"Você pode me passar os cadernos de classificados? É o melhor dia para começar a procurar um novo lar", pediu Eva.

"Não tem nenhuma pressa, sua presença é muito bem-vinda."

"Obrigada, tem sido maravilhoso estar aqui, mas tenho que recomeçar minha vida", Eva aceitou a torrada com manteiga e mel que Simon lhe oferecia, o café foi posto de lado. Ao fundo, debaixo da escada, a porta do armário de limpeza a olhava.

E Noronha, meu Deus?, pensava Eva enquanto conversava com Simon, certamente sua noite de insônia e pesadelos se devia ao encontro da véspera. Quanto mais pensava sobre ele, pior se sentia. Noronha fora um cafajeste e ela se entregara como uma vadia, comportara-se como as mulheres que desprezava. Aqueles minutos, segundos de prazer, ou talvez de alívio, de perda dos sentidos, estavam lhe custando caro. Mais do que nunca duvidava que poderia construir uma vida com Noronha. Embora ainda o desejasse tanto, reconhecia, olhando os olhos cinza-azulados, ou azul-acinzentados, de Simon, que lhe falava sobre um novo prédio que acabara de ser construído quase na esquina da Santa Clara com a praia.

"Vou visitá-lo, para mim o ponto é ótimo, fica a poucas quadras da minha loja", Eva agradeceu a informação.

"O prédio é muito bonito, todo moderno, tem vários apartamentos de dois ou três quartos para alugar", Simon pescava informações sobre os planos de Eva para a sua vida nova.

"Acho que dois são suficientes, vamos morar só eu e a Marina", Eva percebeu a intenção por trás da pergunta, e gostou.

Simon gostava muito de Copacabana, adorava o Bairro Peixoto.

"É tranqüilo como uma pequena cidade do interior, mas dentro de uma metrópole, uma situação muito interessante."

Era justamente isso que incomodava Eva, mas ela não disse, preferiu concordar; na esquina de Santa Clara com a praia estaria longe das fofocas, julgamentos e bisbilhotices de cidadezinha interiorana. E quase de frente para o mar.

Eva e Simon não viram, mas naquela mesma hora Zé Roberto descia as escadas do prédio vizinho carregando duas malas cheias. Depois subiu e trouxe mais duas sacolas grandes e pesadas. Levou tudo para o terreno baldio ao lado do edifício, fez um grande monte com as peças e esvaziou sobre elas o litro de álcool que trouxera na sacola. Acendeu um fósforo e incendiou todas as roupas e sapatos da mãe, um grosso rolo de fumaça negra e um cheiro de pano queimado encheram o ar.

Simon imaginou que alguém estivesse queimando lixo no terreno baldio e foi para a praia, Eva para a cozinha, passar um café de verdade. Depois leu o jornal, passeou os olhos pela seção de imóveis para alugar em Copacabana, se assustou um pouco com os preços, mas felizmente a loja ia muito bem, ela e a sócia estavam com um bom dinheiro no banco, para ser investido na abertura de uma filial em Ipanema, o bairro começava a crescer, mas o aluguel ainda estava barato. Precisaria usar uma parte desse dinheiro para montar sua casa, Lucila compreenderia, a filial da Bom Bocado poderia esperar um pouco até que a dona se estabelecesse.

Eram mais de dez horas quando Carol e Marina desceram juntas, de maiôs e sandálias, prontas para a piscina. Nem quiseram café, tomaram só um guaraná e uma Coca-Cola e comeram duas fatias de bolo. Fazia um calor medonho, mesmo com as portas e janelas abertas a casa estava abafada, nenhuma brisa balançava as folhas do jardim, a água da piscina estava mais para morna do que para fresca, como as garotas sentiram ao mergulhar.

"Vem mãe, está ótima", Marina acenou.

Eva preferiu subir para descansar, tinha dormido muito mal à noite. O calor sufocante a envolvia e ela se sentia invadida por uma modorra, um amolecimento, uma preguiça, que certamente a levariam ao sono e ao descanso de que tanto precisava.

O melhor do quarto não eram os móveis modernos, nem as roupas de cama finas e macias, nem mesmo os perfumados produtos americanos de toalete, era o ar-condicionado. Eva não conhecia ninguém que tivesse um aparelho em casa. Eram pouquíssimas as lojas de Copacabana que tinham, só raros cinemas ofereciam a sala refrigerada ao público. Famoso pelas temperaturas polares era o Metro Copacabana, muita gente parava diante de suas portas de vidro só para receber um bafo de ar gélido quando alguém entrava ou saía. Bombril adorava.

O aparelho do quarto era grande, americano e novo em folha, Carol a ensinara a mexer nos controles, a regular a temperatura. Eva preferia o ar gelado no máximo, gostava de sentir bastante frio e de se enfiar debaixo de um cobertor e uma colcha e ficar bem quentinha ouvindo o rádio da cabeceira e o zumbido abafado do aparelho. Estava quase dormindo, mas pensava em Noronha.

Se não conseguia resistir quando ele a tocava ou apenas estava por perto, então tinha que evitá-lo, fugir dele. Mas a verdade é que sentia uma enorme falta de sexo com ele. O coronel Kleber fora o primeiro e único homem de sua vida, rápido, burocrático e pouco freqüente na cama, só depois de conhecer Noronha é que Eva descobrira que sexo era outra coisa, muito diferente e muito melhor do que imaginava, uma droga poderosa que a tirava de si. Apaixonou-se, talvez não por ele, mas pelo sexo com ele. O pensamento a fazia se sentir uma cadela.

Havia muito pouco no estilo de Noronha que agradasse a Eva, não gostava do jeito como ele se vestia, de como se penteava, os cabelos colados à cabeça com brilhantina, mas não gostava principalmente da sua maneira de falar. Às vezes falava como um homem educado, às vezes com uma linguagem de bandido. Noronha se desculpava:

"De tanto conviver com a bandidagem, você acaba aprendendo a língua deles, sem ela você não consegue nada no mundo do crime."

Noronha parecia sentir um prazer especial quando falava no "mundo do crime ", gostava de mostrar que era o seu habitat natural, que se movimentava com familiaridade por seus becos e vielas, que conhecia as gírias e expressões que eles inventavam para driblar a polícia. Eva detestava quando ele começava a contar histórias de confrontos e tiroteios com bandidos, de campanas e ciladas, de viaturas e elementos, do dia-a-dia no "mundo do crime", mas ouvia fingindo interesse, ansiosa para tirar a roupa — ou continuar nua — e começar tudo de novo.

Era difícil e penoso admitir, mas o que a ligava a Noronha eram os cheiros e os sabores, as peles e os pêlos, os fluidos e mucos, o sexo pleno e voraz que a incendiava e consumia, que a deixava tonta e sem forças quando voltava a si depois do gozo. Como a lança-perfume que cheirara num distante baile de carnaval em Belo Horizonte e quase a fizera desmaiar.

Lembrou-se do início, do primeiro encontro com Noronha, na Bom Bocado. Tudo começou depois de duas coxinhas e um quindim, que ele elogiou entusiasticamente. Sim, era ela mesma que fazia, Eva agradeceu, aprendera com a avó, em Minas. Ah, mineira? A família de Noronha também era mineira, mentiu. Disse que gostava do tempero e do sotaque, elogiou a beleza da mulher mineira. Eva gostou do jeito dele, era espontâneo e simpático, na verdade um homem bonitão, um senhor muito bem-apanhado, apesar de uma aparência meio cafajeste no paletó xadrez e no cabelo, meio grisalho nas têmporas e cheio de brilhantina, que ele dividia do lado e penteava para trás, colado à cabeça. Só faltava um bigode, desdenhou Eva para si mesma, sorrindo faceira para Noronha.

Delegado de polícia, Eva nunca tinha conhecido um policial, achou excitante, deu corda, perguntou sobre bandidos e perigos, Noronha pediu um guaraná e disse que o dia-a-dia era bem pouco emocionante, brigas de vizinhos, de casais, um ou outro roubo, de vez em quando um tiro, um crime passional, um assalto a uma loja, a vida em Copacabana era bastante tranqüila.

"Mas como o ser humano não vale nada, o mundo do crime é cheio de surpresas e é isso que anima a profissão, de vez em quando a gente se sente um policial de verdade, desses do cinema, enfrentando a bala quadrilhas de bandidos, subindo o morro atrás de malfeitores, perseguindo assaltantes de banco. Mas o dia-a-dia é um tédio mortal", Noronha tinha muitas histórias, teria prazer em contá-las em outra ocasião, estava sendo esperado na delegacia.

Eva queria ouvir, estava irresistivelmente atraída por aquele sujeito tão diferente dos homens que conhecia, ao mesmo tempo sentia medo dele e segurança a seu lado. Era alto, forte, cavalheiresco à moda antiga, despediu-se beijando sua mão e mantendo-a entre as suas, quentes e fortes, fixando seus olhos nos dela.

"Amanhã eu volto para continuar a nossa conversa e comer essas delícias que você faz", disse com uma expressão tão dúbia e tão cafajeste que fez Eva enrubescer.

No dia seguinte voltou, comeu e contou histórias do "mundo do crime", convidou Eva para almoçar no outro dia, ela fez um pouco de doce, afinal era sua profissão, mas acabou aceitando. De manhã saiu de casa como quem ia a uma festa, o cheiro daquele homem a perturbava, o seu jeito meio rude a fascinava e intimidava, sua intensa virilidade a atraía como uma mariposa é atraída pela luz.

Do almoço numa mesa de fundo no Príncipe das Peixadas, no Leme, até a cama da *garçonnière* no Lido, não chegaram a se passar duas semanas de encontros, de mãos se tocando debaixo das mesas, de beijos e abraços no cinema escuro, de corpos se amassando no banco de trás do carro de Noronha estacionado no Arpoador.

Foi como uma vertigem, uma voragem, um crescendo irresistível, não conseguia pensar em nada que não fosse aquele homem, sua boca, suas mãos, seu pau dentro dela. Eva se assustou com a força de seu desejo, antes, durante e depois da primeira vez que se entregou a ele. Sentia-se invadida por uma sensação de liberdade e de plenitude que a exaltavam mas não a saciavam, queria mais, muito mais.

Noronha também se assustara com sua própria reação. Não era só o tesão naquele corpo moreno, naqueles peitos redondos e macios, naquela voz meio rouquinha, com aquele jeito de falar que fazia tudo soar discreto e dissimulado, era muito melhor — ou pior —, estava apaixonado por aquela mulher.

Isso não acontecia há muito tempo, a última vez lhe trazia lembranças tenebrosas, não era alguma coisa que Noronha desejasse, muito pelo contrário, era o que mais temia e do que fugia como o diabo da cruz. Desta vez, todos os cinismos e precauções foram inúteis, não deu tempo nem de fugir, aquela mulher discreta e recatada era muito diferente das que conhecia, perto dela todas pareciam vulgares e oferecidas, era o que mais o atraía nela, tinha uma sensualidade intensa e reprimida que, quando explodia, o fazia estremecer de prazer. E de medo.

A primeira lança-perfume

Carol e Marina ficaram na piscina até a hora do almoço, enquanto Eva sonhava no ar refrigerado, aconchegada debaixo das cobertas. Fritaram ovos, fizeram sanduíches e milk-shakes, comeram e subiram para tomar banho.

"Sabe o que eu vi ontem nas Lojas Americanas?", Marina gritou debaixo do chuveiro para Carol, que lia uma revista de esportes no quarto. "Lança-perfume", ela mesma respondeu.

Carol largou a revista e entrou no banheiro. A água fria descia sobre o corpo claro de Marina, escorria por seus cabelos dourados, brilhava sobre sua pele e eriçava os bicos dos seus seios pequenos e empinados.

"Me lembrei logo de você, que fala tanto de lança-perfume, que quer tanto experimentar", Marina pôs a cabeça para fora do chuveiro, "já tem uma vitrine de Carnaval nas Lojas Americanas, com fantasias, confetes, serpentinas e lança-perfume, você vai ver."

"Então vamos lá amanhã!", Carol tirou o sutiã do maiô, abaixou a calcinha e caminhou para a banheira. Marina enxaguou os cabelos e saiu do chuveiro para que Carol entrasse, na banheira estreita os dois corpos se roçaram, molhados, de frente, os peitos e coxas deslizando, Marina saiu da banheira e se enrolou numa toalha.

"Põe uma música aí", Carol gritou do chuveiro, Marina não hesitou, Paul Anka e suas baladas jovens e românticas, *Put Your Head On My Shoulder*, *Puppy Love*, *Diana*, Marina cantava junto, Carol não agüentava mais ouvir.

"Vai furar o disco de tanto tocar!", gritou do banheiro, "bota a Elza Soares!"

Carol estava apaixonada pela música brasileira em geral e pela bossa nova em particular, tinha os dois LPs de João Gilberto e os de Sylvinha Telles, gostava daquela suavidade ritmada, daquele romantismo moderno, mas também adorava samba tradicional e batucada, estava fascinada pela nova cantora Elza Soares, uma sambista que cantava como uma negra americana, fazendo *scats* como Louis Armstrong, era o sucesso do momento.

"Se acaso você chegasse
no meu chatô e encontrasse
aquela mulher que você deixou..."

Carol voltou para o quarto enrolada numa toalha e cantando alto o samba de Elza Soares em cima da balada de Paul Anka. Marina ria e tentava cantar mais alto ainda, tão alto que elas acabaram acordando Eva, que abriu a porta do quarto assustada.

"O que é isso, meninas? Vocês enlouqueceram?"

"É só uma pequena discordância musical, dona Eva, desculpe ter acordado a senhora, nós já estamos de saída para o cinema", Carol se desculpou. Eva voltou para o frescor do quarto. Ligou o rádio baixinho e adormeceu ouvindo Dolores Duran:

"Hoje eu quero a rosa mais linda que houver,
quero a primeira estrela que vier,
para enfeitar a noite do meu bem..."

Carol e Marina, as duas de calça Lee e com blusinhas leves de verão, foram à sessão das quatro no Metro, na avenida Copacabana.

Tiritaram de frio no ar refrigerado e de medo durante a projeção de *Psicose*, o novo filme de Hitchcock. Gritaram e se apertaram as mãos na cena do chuveiro. Saíram trêmulas e apavoradas do cinema. Mas nada que um waffle e um ice-cream soda na lanchonete Caravelle não resolvesse.

No fim de tarde de domingo, o Bairro Peixoto se reunia para comer e fofocar em volta das mesas do lanche-ajantarado, uma espécie de *brunch* carioca, que substituía o jantar de domingo, quando as cozinheiras estavam de folga e os restaurantes lotados. Um café-da-manhã reforçado por um bolo, um pudim, uma canjica ou uma sopa, e eventualmente sobras do almoço, como a carne assada que recheava os sanduíches. Ou a deliciosa sopa feita com o caldo das carnes e os vegetais do cozido. Ou pastéis com a carne do picadinho da véspera.

Carol adorava, mas não conseguiu implantar esses cardápios na sua casa: o coronel Simon, que era apaixonado pelo Brasil e por sua cultura, tinha sérias incompatibilidades com o paladar brasileiro e com a gastronomia tropical. O café aguado era só um detalhe. Sentia engulhos diante dos caldeirões fumegantes de feijoada, com pés e orelhas de porco borbulhando no caldo preto. Enjoava só de ver os doces amarelos, quindins, ambrosias, fios de ovos, até um que se chamava baba-de-moça e o nome dizia tudo. E a gosma esbranquiçada e arenosa que chamavam de tapioca? Como podiam comer aqueles pedaços de galinha cozidos no molho de sangue preto? Aquelas postas de peixe nadando no dendê e no coentro?

Depois do churrasco regado a chopes na Gaúcha, com amigos da turma do vôlei na praia, Simon passou rapidamente em casa para tomar uma chuveirada, trocar de roupa e partir para o Jockey Clube ainda a tempo de pegar o sexto páreo. Encontrou o amigo Jairo Domingues na tribuna social, de binóculo e com dois brotos sensacionais. Solange e Dorinha se apresentaram, eram primas e adoravam cavalos. Simon apostou nas indicações de Jairo, um turfista militante que se dizia muito bem informado sobre as barbadas e mutretas que corriam na pista de grama da Gávea.

Perdeu nos três páreos. Jairo entendia mais de mulheres do que de cavalos. Simon voltou para casa alguns dólares mais pobre, cansado e feliz.

A casa estava quase silenciosa. Eva ouvia rádio no quarto, talvez folheando uma revista americana ou lendo um livro, imaginou Simon, e as garotas, aparentemente, faziam os deveres do colégio. Pelo menos estavam diante de livros e cadernos quando ele bateu de leve e Carol entreabriu a porta e o beijou. Perguntou a Marina se a mãe estava bem, recebeu agradecimentos e deu boa-noite às duas. Desceu e colocou um disco de Ella Fitzgerald cantando Cole Porter na vitrola, tirou os mocassins e estirou-se no sofá da sala.

Deixou-se embalar pela música, em *Night and Day* já estava com os olhos fechando, não chegou a ouvir *Just One of Those Things* inteira, adormeceu e acordou três horas depois, com muita fome. O disco rodava silencioso, desligou a vitrola e foi para a cozinha preparar o seu lanche-ajantarado de domingo: ovos fritos com bacon, suco de laranja e um delicioso sundae caseiro, preparado com sorvete de baunilha e de chocolate do Bob's que o esperavam no congelador, com uma farta cobertura de marshmallow. O toque brasileiro ficou nas castanhas de caju moídas sobre o sundae. Arrematou com um café aguado, fumou um cigarro e foi dormir feliz.

Carol acordou cedo e ficou a manhã inteira batendo bola contra o muro, treinando chutes a gol por cima de barreiras feitas com bancos do jardim, correndo pelo campo tocando a bola e driblando adversários imaginários. Marina viu da varanda, tinha prova de História e não sabia nada, corria risco de ficar para segunda época — teria de estudar durante as férias e fazer novas provas em fevereiro —, precisava aproveitar até o último minuto. Comeram bife com arroz, feijão e salada e foram para o colégio juntas.

No fim da tarde, Marina saiu do Anglo-Americano, na praia de Botafogo, e foi encontrar Carol na porta do Jacobina, na São Clemente, a dois pontos de bonde de distância. Foram juntas de lotação para Copacabana mas não saltaram no Bairro Peixoto, seguiram até a esquina de Figueiredo Magalhães com a avenida Copacabana e desceram em frente às Lojas Americanas.

Era mesmo verdade: uma vitrine da loja estava totalmente decorada com motivos carnavalescos, cheia de máscaras e de fantasias de pirata, tirolês, caubói, presidiário, bailarina, colombina, melindrosa, anjos e diabos, serpentinas coloridas desciam do teto e confetes forravam o piso, os alto-falantes da loja tocavam sambas e marchinhas. Entre as fantasias, reluziam os tubos metálicos dourados de lança-perfume, de cerca de 15 cm de altura, aninhados em caixas de madeira clara com a marca Rodouro Metálica gravada a fogo. Em cada uma três unidades, mas as lança-perfumes variavam no diâmetro e no preço: as mais grossas e caras, de 7 cm de diâmetro, as médias e as finas, que eram como as bisnagas de vidro, as mais baratas, da marca Colombina, espalhadas pela vitrine.

Dentro da loja, o balcão mais animado e concorrido era o dos produtos de Carnaval. Caixas e caixas de lança-perfume empilhadas, cilindros metálicos alinhados formando uma faixa dourada atrás da balconista e até pendurados em fios que desciam do teto junto com as serpentinas. Ninguém comprava caixas, afinal ainda faltavam dois meses para o Carnaval, alguns compravam uma Rodouro metálica, a maioria se contentava com uma bisnaga de vidro. E começava a usar ali mesmo, esguichando fisgadas geladas nos braços e pernas dos amigos e provocando gritos e risos.

Carol estava maravilhada com o que via, os tubos eram lindos, o cheiro no ar delicioso, mas não entendia as máscaras de plástico colorido. Marina explicou que eram para ser usadas para proteger os olhos dos jatos de lança-perfume, que ardia como éter, porque era éter perfumado. Muitos garotos, de pura malvadeza, miravam justamente nos olhos das pessoas, e pior, esguichavam suas lanças geladas visando o sexo das meninas, para provocar ardência insuportável e constrangedora.

"Não compra de vidro, não", advertiu Marina, "pode estourar na mão."

Carol comprou uma Rodouro grande. Pagou e imediatamente apertou a válvula de metal apontando a lança para Marina, alvejando seus braços, pernas e barriga com jatos gelados e perfumados, que a faziam rir descontroladamente e implorar a Carol que parasse.

Marina virou de costas para se proteger e Carol foi cruel, descendo um jato gelado de alto a baixo da espinha dorsal da vítima. Com o corpo todo arrepiado, Marina se contorcia, gritava e ria, tentava se desviar. Os jatos atingiam outros compradores, que se divertiam, menos uma velhota que comprava meias no balcão ao lado, que foi acertada por um jato na bunda e reagiu furiosamente. Toda a área cheirava a lança-perfume, como um baile de Carnaval.

A caminho da saída, Carol experimentou nas próprias pernas e braços a sensação perfurante da lança-perfume, que entrava no corpo como uma agulha finíssima e ao mesmo tempo anestesiava o ponto que tocava. Já na rua, encharcou a manga da blusa e aspirou profundamente aquele perfume delicioso. Parada na calçada, sentiu a visão se turvar, o coração se acelerar e um zunido dentro da cabeça, a sensação de que o corpo todo adormecia, os carros e pessoas passavam como manchas coloridas na sua frente, o barulho do trânsito era ensurdecedor dentro de sua cabeça, fechava os olhos e se sentia flutuando. Era uma sensação que superava tudo que Eduardo, em Los Angeles, e depois Marina e Bombril tinham lhe falado.

Jogou um jato na manga de Marina, que não quis cheirar.

"Vamos, Carol, a gente está no meio da rua e o Carnaval ainda está longe."

Carol não parava de rir, atravessou a rua meio trôpega, apoiada em Marina, e de vez em quando enfiava o nariz na manga da camisa para sentir a lembrança daquele perfume embriagador. Sacudiu o tubo perto do ouvido, para calcular quanto restava, achou que já tinha esvaziado mais da metade. Outras lanças viriam.

Chegaram em casa muito alegres, falando alto. Eva estava na sala vendo televisão e se levantou sorridente. Quando se aproximou, sentiu o cheiro de lança-perfume.

"Que cheiro é esse? Vocês foram a algum baile de Carnaval?"

"Não, mãe, é que hoje a Carol está debutando na lança-perfume e resolveu experimentar em mim", Marina sorria e fingia um ar resignado.

Carol sacou o tubo da pasta do colégio e alvejou os pés descalços de Eva, fazendo-a gritar e pular, enquanto Marina se sacudia de rir e Eva pedia que parasse, correndo de volta para o sofá.

De banho tomado, terno e gravata, Simon apareceu no alto da escada e se divertiu com a cena. Estava de saída para um chatíssimo jantar diplomático, viu a lança-perfume na mão de Carol e adivinhou suas intenções.

"Nem pensar, hein, Carol? Eu não posso chegar à Embaixada do Japão cheirando a lança-perfume", despediu-se e saiu. Que homem elegante, pensou Eva no sofá, vendo o programa de calouros de Ary Barroso na televisão. Carol e Marina subiram.

No quarto, Carol ligou a vitrola e colocou o disco de Chubby Checker, tirou a blusa e encharcou-a de lança-perfume. Puxou Marina, que também enfiou o rosto no pano e aspirou profundamente. Cheiraram até que o tecido secasse e os sinos, sirenes e zumbidos começassem a soar em suas cabeças e uma onda de calor percorresse os seus corpos. Sentiram a pele se eriçar e a boca secar, olharam-se nos olhos e começaram a rir sem controle, sentindo as pernas bambas e um frio na barriga. Carol tentou fazer uns passos de *twist* e desabou no chão, às gargalhadas, tirou a roupa com grande dificuldade, caminhou trôpega e nua pelo quarto e entrou no banheiro, enquanto Marina ria sentada no chão.

Levantou-se lenta e penosamente, envolvida pela batida do *twist* de Chubby Checker, o tubo dourado jazia sobre a cama, Marina encharcou o travesseiro e se jogou de cabeça, deixou que o éter lhe invadisse as narinas e lhe entrasse pelo corpo, e seguiu respirando o perfume até quase sufocar. Sua vista escureceu, zumbidos agudos atravessavam seus ouvidos, a voz de Chubby Checker ia e voltava como ondas, cores e formas abstratas se misturavam vertiginosamente em sua cabeça, com grande esforço conseguiu se virar e deitar de costas, olhava para o teto e sentia o quarto todo girar em volta da cama.

Abriu os braços e sentiu seu corpo flutuando sobre o colchão, toda a sua pele estava arrepiada e seus pêlos eriçados, Marina alisou de leve os braços, sentiu uma eletricidade lhe percorrendo o corpo e um calor entre as pernas, afastou as coxas e alisou suas partes de dentro com as duas mãos, lentamente, desfrutando duplamente como quem faz e quem recebe a carícia.

Os sininhos e zumbidos e buzinas se misturavam à voz de Chubby Checker dentro de sua cabeça, seu coração batia acelerado, o quarto girava mais rápido, Marina sentiu um bolo no estômago que lhe subia pela garganta, estava muito enjoada. Caminhou lentamente até a porta do banheiro, parou e viu Carol debaixo do chuveiro, com os dedos enfiados entre as pernas, gozando de olhos fechados e gemendo com os lábios apertados.

Ela foi despertada de seu êxtase pelo barulho de Marina vomitando na privada.

Eflúvios etéreos

Carol saiu assustada e molhada do chuveiro para ajudar Marina, ajoelhada diante da privada. Abaixou-se, passou o braço em seus ombros e segurou sua testa, Marina soluçava e dava golfadas de bílis. Carol ajudou-a a se levantar e andar até a pia para lavar a boca e o rosto. Marina se assustou com o que viu no espelho, estava lívida, com os olhos esbugalhados e a boca torta.

"Já estou melhor, obrigada", Marina murmurou, não podia se sentir pior.

Carol se enrolou na toalha e foi para o quarto. No portão, Bombril tocava a campainha. Na euforia dos eflúvios etéreos, Carol tinha esquecido completamente a aula de inglês.

Eva entrou no quarto, Carol se vestia e Marina estava debaixo do chuveiro. Precisava que ela fosse até o apartamento do pai e lhe trouxesse alguns sapatos e roupas, estava só com dois vestidos, Carol disse que daria o recado.

Bombril a esperava de pé no meio da sala, com o caderno debaixo do braço e os *homeworks* feitos. O quanto tinha de boa-praça no futebol, Carol tinha de dura e rigorosa nas aulas de inglês. Não perdoava. Se fosse um zagueiro, já teria lhe quebrado a perna.

Carol sentia a cabeça um pouco zonza, mas pediu um guaraná à empregada e se sentou à mesa da varanda com Bombril. A aula seria sobre Carnaval, ela anunciou num tom que não admitia contestações.

Falaram sobre músicas, traduziram letras, Carol embatucou quando chegou onde mais queria: como encontrar uma palavra em inglês para lança-perfume?

"Perfume-spray" seria ridículo, pensou, "perfume jet", hummm, seria inútil: os americanos não precisariam de uma palavra para uma coisa que não existe nem existiria. Uma pena, não sabiam o que estavam perdendo.

Contou a Bombril, com gestos e em inglês pausado, ele entendeu metade, que ela e Marina tinham comprado uma lança e que tinha adorado, não agüentava esperar o seu primeiro baile de Carnaval e aquelas prises de euforia e sensualidade.

"You feel free, you feel crazy, you feel sexy", traduzia com gestos exagerados, Bombril se divertia.

A aula acabou com Bombril, teoricamente, apto a explicar o que era o Carnaval carioca a um gringo. Menos a lança-perfume, que nem Carol sabia como.

Bombril foi para casa com a cabeça e o caderno cheios de novas palavras, e Carol dizendo "you fíl sécssi" e passando a mão pelos peitos e coxas e fazendo uma boca de beijo.

"You feel sexy", ela repetiu, "you want to kiss", isso Bombril sabia, mas aprendeu uma palavra nova e importante, quando Carol abaixou um pouco a voz e disse "you want to fuck" e fez um movimento tão sacana, abrindo as pernas e puxando alguém para dentro de si, que Bombril sentiu o pau se petrificando entre as pernas e ficou assim até o fim da aula, obrigando-o a se proteger com o caderno até a porta da rua. Foi assim até em casa, direto para o banheiro.

Carol voltou ao quarto, viu que Marina já estava bem, fazendo os trabalhos do colégio, pegou o lança-perfume em cima da cama, encharcou o braço da blusa e enfiou o nariz. Ficou ali rindo sozinha, ouvindo sininhos e falando alto palavras incompreensíveis tanto em inglês como em português. Marina tentava achar graça mas ria meio amarelo, o perfume da lança a nauseava.

Carol deitou na cama e repetiu a operação com o que restava da Rodouro, fechou os olhos, abriu os braços e pernas e aspirou profundamente. E mais e mais e mais, até sentir que a blusa seca tinha só uma lembrança de perfume e que sua cabeça girava como num daqueles brinquedos de parque de diversões, o som de um baile de Carnaval explodia dentro de seus ouvidos, o coro selvagem de milhares de vozes, o batuque infernal, fragmentos de sambas e marchinhas, risos e gargalhadas, foguetes cortando o céu... ziiiiiiiiiinnnnnnnn... ziiiiiiiiiinnnnnnnnnn...

Voltou a si com Marina lhe dando tapinhas no queixo, preocupada.

"Carol, Carol, você está bem?"

"Estava muito melhor antes de você me chamar", Carol riu e virou para o lado, em busca do lança. Sacudiu-o no ouvido e constatou com pesar que estava nas últimas. Esvaziou-o no travesseiro e enfiou o rosto, em busca da continuidade daquelas sensações que iam e vinham em ondas, como em um sonho vertiginoso, quando Marina a chamou novamente.

Carol ria descontroladamente, se remexia na cama como se dançasse e o cheiro de lança-perfume enchia o quarto, quando Eva bateu e entrou. Não gostou do que viu e cheirou, olhou feio para Marina, fechou a cara e a porta e foi para o seu quarto. Mesmo sem querer, não conseguia deixar de pensar, "ah, se seu pai visse isso...".

Ah, se seu pai visse sua mãe no armário debaixo da escada, repensou, envergonhada.

"Estou pegando fogo", Carol se levantou da cama, "preciso de uma chuveirada imediatamente." Colocou o disco de sambas e marchinhas na vitrola e caminhou para o banheiro dançando e cantando junto com Virginia Lane.

"Sa-ssa-ssá-ricando,
todo mundo leva a vida no arame,
sa-ssa-ssá-ricando,
a viúva, o brotinho e a madame..."

Marina ouviu o barulho da água correndo e pensou em que ou em quem Carol estava pensando quando gozava no chuveiro.

Bombril tomou um banho, se vestiu e foi para a praça encontrar a turma no bambuzal. Não se falava de outra coisa, a surra que o coronel dera na mulher quando a flagrara com o amante num barraco do morro da Babilônia, por isso Zé Roberto não aparecia há dias. O amante era um negão, uns diziam que bicheiro e outros que sambista, era perigoso, puxara uma navalha para o coronel, era procurado pela polícia.

O coronel deveria subir o morro com uma tropa e acabar com a raça do bandido, sugeriu Boi, racista metido a besta. Ratão chegou arrastando os pés enormes, com um Continental pendurado na boca, ainda a tempo de ouvir a frase e dar o troco:

"Tu tá mais por fora que umbigo de vedete, seu babaquara, tá pensando que é só crioulo e bandido que mora no morro, caralho! E além do mais, dona Eva não ia ser amante de um favelado, o amante dela deve ser um bacanão", fez uma pausa, "como o coronel Simon."

Todos olharam para Bombril, que freqüentava a casa, tinha saído de lá, sabia melhor do que ninguém o que acontecera com dona Eva, afinal participara de seu resgate no morro, como contara em detalhes: a chegada da polícia, o confronto com o Exército, o tiroteio, a fuga heróica em um caminhão de mudanças até a casa do coronel Simon.

"Pelo menos por enquanto", falou com autoridade, embora de nada soubesse, "nada muito importante aconteceu, mas outro dia ela estava na piscina", lembrou-se do que vira da janelinha, fez uma pausa e disse devagar, "de maiô de duas-peças", esperou a reação. "De duas-peças?", o Magro e Ratão perguntaram incrédulos. "E o coronel estava olhando para ela babando... e ela se mostrando."

"Hummm, dona Eva de maiô de duas-peças deve ser mesmo de endoidar sacristão", o Gordo lambeu os lábios obscenamente, repetindo a expressão que Stanislaw Ponte Preta usava para mulheres gostosas.

"E tem mais: o amante de dona Eva pode ser um favelado ou um bacana, mas ali dando sopa assim, aposto que o coronel Simon vai acabar molhando o biscoito", Bombril era fã do coronel. "O homem é foda, não livra a cara de ninguém, nem de freira. Outro dia teve uma que foi buscar ele de carro. Uma freira!"

"É, mas o coronel Kleber já foi lá e enfiou um revólver na cara do gringo e disse que ia acabar com ele se dona Eva não voltasse para casa", informou o Magro, "o prazo estoura hoje à meia-noite."

As notícias corriam rápido no Bairro Peixoto, embora nem sempre com muita precisão. A vida era pacata, não havia muito a fazer e sobrava tempo para olhar pelas janelas e conversar sobre a vida dos outros.

Quando Simon chegou de seu chatíssimo jantar de lugares marcados na Embaixada do Japão, Eva estava vendo televisão.

"Boa-noite, Eva, algo interessante na televisão?"

"Boa-noite, Francis, nada de bom, estou aqui só passando o tempo."

"Olha, se você gosta de música, temos muitos discos aqui, claro, quase tudo é música americana, ainda não temos muitos discos brasileiros, mas você pode usar à vontade. Música é ótimo para acalmar e clarear os pensamentos, nao acha?"

"É, eu estou precisando mesmo clarear meus pensamentos", Eva sorriu timidamente, como se Simon a estivesse vendo por dentro, soubesse de seus dramas e segredos. "Como foi o seu jantar, comeu bem?"

Simon estava alegre, contou que vários copinhos de saquê o ajudaram a suportar a noitada indigesta, sentado entre o embaixador de Portugal, chatíssimo, com um terrível bafo de onça e falando bem de perto, e a esposa do cônsul da Áustria, que falava péssimo inglês e detestava o Brasil, achava selvagem, estava contando os dias para voltar à civilização.

Eva riu do jeito irreverente dele, falando no mau hálito do embaixador, e da imitação que fizera da austríaca entediada falando mal do Brasil. Nunca imaginara jantares diplomáticos assim, achava que eram parecidos com as festas em palácios das histórias de crianças.

"E a comida, pelo menos estava boa? Deve ser maravilhosa", Eva entrava em sua especialidade.

"Que nada, umas comidas estranhas, que você tem até medo de perguntar o que são, imagine que uma das entradas era peixe cru, isso mesmo, completamente cru. Com algas! Um ocidental nunca vai comer isso."

"E a sobremesa?", Eva provocou.

"Doce sabe do quê? De feijão, Eva, de feijão", Simon fez uma expressão indignada.

"Você gosta de doces?", perguntou casualmente.

Simon sentiu que entraria em terreno minado, Carol lhe contara que Eva tinha uma loja de doces e salgados, ela poderia querer fazer para ele aqueles abomináveis doces de ovos, que lhe provocavam náuseas só de pensar.

"Não gosto muito de doce, não tenho um paladar sofisticado, prefiro uma *apple pie*, *brownies*, *cookies* americanos, você sabe, o homem gosta dos sabores que gostava na infância e minha mãe fazia uma *apple pie* deliciosa..."

Era melhor mudar de assunto, Simon virou o jogo:

"E como estão as meninas?"

"Espero que já estejam dormindo", Eva se levantou, "e eu também já vou indo, amanhã vou acordar cedo para ver um apartamento para alugar. Boa-noite, Francis."

Fardas e vestidos

Quando Eva desceu para o café-da-manhã, ainda de camisola e robe, Simon já tinha comido seus *ham and eggs*, tomado seu café aguado e lia no *Jornal do Brasil* as especulações dos cronistas políticos sobre o futuro governo. Os mais bem informados, como Carlos Castello Branco, asseguravam que Jânio Quadros teria uma política externa "independente", que parecia indicar uma eqüidistância entre os Estados Unidos e a União Soviética.

Provavelmente seria apenas uma esperteza, usar a ameaça de uma aproximação com Moscou para extrair mais vantagens de Tio Sam, nada de novo ou de grave, analisou Simon. Um apetitoso pacote de ajuda militar já estava sendo aprovado no Congresso americano, as Forças Armadas brasileiras estavam em petição de miséria e os militares, embora intensamente nacionalistas, o receberiam com muita alegria. A política desenvolvimentista de JK tinha investido todos os seus recursos em Brasília, na industrialização e nas estradas, sobrando quase nada para as Forças Armadas.

Os maiores problemas do Brasil não eram políticos, Simon tinha certeza, mas econômicos. Para financiar o desenvolvimentismo, o Brasil imprimia moeda como se fosse papel, o custo de vida subia a cada mês, corroendo o poder de compra dos salários, o povo estava assustado com a "carestia".

Outro colunista, muito próximo do novo presidente, assegurava que uma série de medidas moralizadoras de impacto seriam anunciadas por Jânio logo depois da posse. Entre elas, o controle rigoroso da presença do funcionalismo público e a proibição do uso de biquínis (ou mesmo maiôs de duas-peças) nas praias. E também dava como certa a proibição da lança-perfume, que tantos males — e até mortes — causava à família brasileira. Os tempos liberais e otimistas de JK em breve seriam passado, os anos JQ seriam marcados pela austeridade, pelos valores morais e a defesa intransigente da família.

"Bom-dia, Eva, dormiu bem?"

"Como um anjo. Também, naquele colchão de molas...", Eva respondeu sorridente, sentando de frente para Simon, se servindo de suco de laranja e recusando delicadamente o seu café aguado. Carol e Marina, as duas de camisola e descalças, ainda estremunhadas, apontaram no alto da escada. Uma bela visão, pensou Simon, encantado com o contraste entre Carol, alta, forte e bronzeada, e a pele branca, os cabelos louros e os peitos e quadris pequenos e redondos de Marina. Se alguém tivesse que dizer qual das duas era a americana, não hesitaria. Carol já passava facilmente por uma carioca da gema.

"Só vou sair um pouco mais tarde, posso levar vocês até a Santa Clara", Simon ofereceu. Eva aceitou deleitada, se sentiria mais protegida. Graças a Carol, que recebeu da empregada um bule fumegante de café de verdade, finalmente encheu sua xícara. Marina disse que estava meio enjoada, só tomou uma Coca-Cola e comeu um biscoito. Simon pediu licença e subiu para tomar banho e se vestir.

Depois do café, quando desceu, Eva já encontrou Simon sentado no sofá lendo o *Correio da Manhã*. Só quando saiu de trás do jornal e se levantou é que ela o viu no imponente uniforme azul de oficial da Força Aérea dos Estados Unidos, com todas as suas insígnias e condecorações, de quepe na mão. Colocou-o na cabeça, perfilou-se e bateu continência com um sorriso.

"Coronel Francis W. Simon, ID 56468, Segunda Divisão Aerotransportada, Comando Aéreo do Atlântico Sul da United States Air Force, aguardando suas ordens."

Eva sentiu o impacto, não teve como evitar a imagem do coronel Kleber suando em sua farda de sarja verde-oliva, folgada nos ombros e apertada na barriga, com as bainhas das calças se amontoando sobre os sapatos.

Simon não tivera a intenção, queria apenas divertir Eva à custa da obrigação de vestir aquela fantasia para a solenidade de início das operações aeronavais Brasil-Estados Unidos, exercícios militares caríssimos e quase inúteis, que serviam mais à diplomacia do que a estratégias militares para a defesa do Atlântico Sul contra possíveis armadas comunistas. Todos estariam fardados, os ministros militares brasileiros e a alta oficialidade compareceriam, à noite haveria um jantar de congraçamento na embaixada, em uniforme de gala.

"Está muito elegante, parece mais que vai a uma festa do que para a guerra", Eva elogiou sorridente. Simon também riu.

"Não deixa de ser uma guerra, uma guerra contra a chatice e a estupidez — e a gente perde sempre."

Carol e Marina desciam e já no meio da escada estavam aplaudindo Simon alegremente. Raríssimas vezes Carol o via de uniforme, parecia alguém fantasiado, se divertiu com o pensamento e provocou:

"Que baile de Carnaval é esse a que você vai tão cedo? Também quero ir."

"Ah, esse você não pode ir, é o pré-carnavalesco dos militares, das nove ao meio-dia, para facilitar a vida dos casados", Simon riu e pediu que se apressassem, estava atrasado.

Quando o Bel Air turquesa e branco apontou na garagem, os garotos que batiam bola em frente à casa pararam o jogo. Viram Simon e Eva na frente e Carol e Marina atrás, acenando para eles, pareciam uma família. De várias janelas apontaram rostos, de uma delas, escondido atrás da cortina, o coronel Kleber viu Eva de óculos escuros e trocando sorrisos com o americano, teve vontade de dar-lhe um tiro, teve vontade de morrer. Na porta do botequim, conversando numa roda de futebol, Adãozinho parou a xícara do café próxima aos lábios e viu o carro saindo. Nenhum táxi à vista, o Bel Air dobrando a esquina, achou melhor telefonar logo para Noronha.

"Essa dona Eva, hein?", comentou o porteiro Nereu com seu sotaque português na porta do botequim, de vassoura na mão. "Quem diria, hein?"

"Uma balzaca muito bem-apanhada", concordou Adãozinho.

Enquanto isso, no Bel Air, descendo a Barata Ribeiro rumo à Santa Clara, Simon convidou Eva para ser sua acompanhante na festa da embaixada. Sua primeira reação, automática, foi negar e agradecer, enquanto no banco de trás as garotas vibravam como uma torcida de futebol empurrando um time. Simon sabia que teria que insistir, Eva se preparava para aceitar, as garotas gritavam "vai lá! vai lá! vai lá!".

"Está bom, vou ser sua acompanhante com muita honra, coronel Francis Simon..."

A decisão foi comemorada como um gol no banco de trás. Simon sorriu, Eva continuou:

"... mas não tenho nem vestido...", virou-se para trás, "Marina, eu preciso que você vá buscar umas roupas para mim, traz aquele vestido de baile bordô, aquele colar de pérolas, os brinquinhos de pérola, ah, traz um sapato preto, aquele de salto mais alto..."

Depois daria a Marina a lista completa, seria melhor que anotasse para não esquecer nada, não podia falar na frente do coronel sobre as meias de náilon, a calcinha e o sutiã de renda preta.

Simon deixou-as em frente a um novo prédio de arquitetura moderna, mas de gosto duvidoso, com grandes janelas envidraçadas, quase na esquina da Santa Clara com a praia. Poucos apartamentos já estavam ocupados e corretores ainda trabalhavam na portaria. Um deles subiu com Eva e as garotas até o 201. Da janela da sala dava para ver um bom pedaço das areias brancas e do mar azul de Copacabana, os dois quartos eram ótimos, cheios de armários embutidos, os tacos do chão de madeira clara, tudo novo, cheirando a tinta, Nazaré ia adorar a cozinha. Eva gostou muito, era bem claro e arejado, batido pelo sol da manhã e ventilado pela brisa do mar, e cabia perfeitamente dentro de seu orçamento. Fechou negócio. Lucila seria sua fiadora, se mudaria imediatamente. Estaria a três quadras da Bom Bocado. E bem distante do Bairro Peixoto.

"Vamos passar na loja para contar as novidades para a Lucila", Eva deu um braço para cada garota e desceram a Santa Clara em direção à avenida Copacabana. Antes queria passar na Tenreiro, uma loja de móveis modernos uma quadra antes da Galeria Menescal, queria começar a mobiliar a nova casa com uma cama, uma mesa de jantar e uma poltrona, todos de linhas modernas em madeira clara, palhinha e pé palito, que namorava todos os dias quando vinha de casa para a Bom Bocado, mas que jamais Kleber aceitaria, porque detestava móveis modernos.

Marina também se entusiasmou por uma mobília de quarto e Eva chegou à Bom Bocado como feliz proprietária de um mobiliário moderníssimo e de uma dívida salgada, a ser saldada em quatro prestações. Foi recebida festivamente por Lucila, que havia chamado uma sobrinha para ajudá-la no balcão. Assim que descera o morro para a casa de Simon, por telefone, Eva dera todas as instruções para Nazaré continuar a produção dos doces e salgadinhos da loja, que estava fechada desde o seu desaparecimento. Tudo parecia normalizado, o balcão cheio de delícias, a loja cheia de gente, como sempre.

De volta para casa, Carol foi bater bola e Eva pediu a Marina que fosse buscar suas roupas e foi para a piscina. A alegria de ter uma casa só sua, de mobiliá-la como quisesse, sem ter que dividir seu gosto com ninguém, pelo menos lhe dava a sensação de que tantos sofrimentos serviram para alguma coisa: sem eles ainda estaria dormindo na cama pesada de madeira escura do coronel Kleber. E jamais iria a um baile de gala em uma embaixada.

Pouco depois Marina entrou apressada, sem nada nas mãos e prendendo o choro. Eva levantou-se e foi ao seu encontro, com o coração de mãe lhe assegurando que algo ruim tinha acontecido. Marina abraçou-a e soltou o choro em seu ombro.

"Não tem mais nenhuma roupa, mãe, nem sapatos, nem nada", soluçava, "os armários estão vazios, foi tudo queimado."

Nazaré lhe contara que seu Nereu, ao ver uma fumaceira saindo do terreno baldio vizinho, foi lá e encontrou uma pilha de roupas e sapatos queimando e os reconheceu como de dona Eva. Nazaré mostrara a Marina pedaços de pano e couro calcinados, entre eles a parte de cima do vestido de baile bordô. As jóias também sumiram todas. Marina e Eva choraram abraçadas.

Eva estava atônita, mesmo depois de tudo que acontecera não conseguia acreditar que Kleber pudesse descer tão baixo em seu ódio e ressentimento. Enxugava as lágrimas quando o telefone tocou e a empregada veio dizer que o coronel Simon queria falar com ela.

Tentou se recompor e atendeu com voz gentil e o mais calma que conseguia, pensando em como lhe daria a notícia. Ele estava animado mas apressado, a caminho de um banquete com oficiais e diplomatas brasileiros e americanos no Clube Militar, onde fazia um calor do cão e não havia ar-condicionado.

"Então? Tudo pronto? Não vai se atrasar no cabeleireiro, hein?", Simon tinha grande experiência com mulheres. "Estou passando às sete em ponto para buscá-la, horário americano", brincou com a impontualidade brasileira, mas pensava principalmente na feminina. Ficou mudo quando Eva lhe contou em poucas palavras o que tinha acontecido, só conseguiu murmurar "what a son-of-a-bitch".

"Me desculpe, mas você vai ter que arranjar outra acompanhante", Eva disse melancolicamente. Simon sentia uma imensa vontade de voltar a seus tempos guerreiros e dar ao filho-da-puta o que ele merecia. Tinha que desligar, já o chamavam para entrar no carro que o levaria ao salão-forno do banquete, ligaria mais tarde. Simon estava preocupado, um canalha capaz de fazer uma baixeza daquelas era capaz de tudo. Eva — e também Carol e Marina — correu grande risco voltando sozinha da Santa Clara. Um corno enlouquecido e armado era um perigo, os infernos não conheciam fúria maior do que a de um homem rejeitado.

Ligou assim que chegou ao Clube Militar, mas não para Eva, para Carol, que estava saindo para o colégio, a fim de dar instruções sobre uma ação de emergência. Carol foi correndo contar a Marina e combinaram de se encontrar depois das aulas e executar as ordens do coronel.

Às seis e meia da tarde, voltaram para casa com uma grande caixa, que quase matou Eva de susto. Quando a abriu, encontrou um vestido de tafetá bordô, muito mais bonito do que o que queimara — um tomara-que-caia com generoso decote, que jamais Kleber lhe permitira usar —, além de meias de náilon, sapatos e um xale de renda preta. Sentiu-se uma Cinderela. Mais até, porque nem precisaria disputar a atenção do príncipe no baile, logo ele estaria buzinando no portão e ela entrando na carruagem turquesa e branca. Com a garantia de que depois da meia-noite não viraria abóbora e tudo estaria tal e qual. Ou melhor.

Buscas e capturas

"Tem certeza? Vestido de baile?"

Noronha recebeu o telefonema de Adãozinho como uma facada.

"É isso mesmo, chefe", Adãozinho falou mais do que devia, "estava linda, parecia uma princesa", e levou um esporro.

Recebeu ordens de permanecer na campana até que ela voltasse, Noronha estaria em casa esperando as informações, podia ligar a qualquer hora.

Adãozinho não entendia todo o interesse do chefe naquela mulher que tinha fugido de casa, afinal ela já fora localizada e estava muito bem, muito melhor naquele palácio do que em casa, apanhando do marido. Se era um caso encerrado, como dissera o delegado, por que tinha que ser vigiada tão de perto?

Aos olhos de Simon, Eva estava mesmo linda e parecia uma princesa, de cabelos presos em coque, com os brincos e o colar de pérolas emprestados por Carol e as pulseiras douradas de Marina, o xale de renda preta sobre os ombros e braços, escondendo seus ferimentos. Seus peitos morenos arfavam dentro do decote, suas mãos tremiam imperceptivelmente quando um *valet* abriu a porta do carro na entrada da embaixada — um imenso palácio branco na rua São Clemente, cercado de jardins luxuriantes e digno de qualquer conto de fadas — e o coronel Simon, de uniforme de gala, lhe ofereceu o braço.

Subiu as escadarias de mármore flutuando, foi apresentada ao embaixador americano como Lady Eva e entrou no grande salão de festas, cheio de homens de uniforme e de smoking e de mulheres que lhe pareceram gordas e malvestidas, sentados em mesas decoradas com grandes arranjos de flores, bebendo e fumando. Uma orquestra tocava clássicos americanos e alguns pares se aventuravam na pista. Garçons circulavam incessantemente entre as mesas, Eva pediu um Alexander, um coquetel à base de leite condensado e licor de cacau que dava engulhos em Simon.

"Um uísque on the rocks, por favor", pediu.

Eva sentiu um frio no estômago ao ver diversos senhores de uniforme verde-oliva sentados nas mesas em volta, era perfeitamente possível e até provável que algum deles — ou pior, alguma esposa a reconhecesse e a visse tomando drinques e brindando com um americano. Não diria nada a Simon, não queria tocar em assunto tão desagradável.

"Vamos dançar?", Simon entrou de sola.

"Daqui a pouco", Eva recusou instintiva, com um sorriso, "preciso me ambientar um pouco", mas pensou melhor e disse: "Sim, vamos."

A caminho da pista foi inevitável seu pensamento viajar ao distante baile de formatura em Belo Horizonte, quando conheceu Kleber e tudo começou. Não havia comparações possíveis entre o fausto da embaixada e o salão de província, mas em algum lugar escuro de seu coração Eva sentiu uma pontada, quase se arrependeu de ter aceitado dançar. Mas era tarde demais, a orquestra tocava *I'm in the Mood for Love* à maneira de Glenn Miller, como no baile de 18 anos atrás, e Simon a esperava sorridente na pista.

Atraídos pela seqüência de clássicos americanos de orquestras dançantes, *In the Mood*, *Smoke Gets in Your Eyes*, *Night and*

Day, os pares encheram a pista e deslizavam em volta de Eva e Simon enlaçados, mas mantendo respeitosa distância. O que não impediu que Eva sentisse o olhar reprovador de uma matrona que dançava com um general brasileiro, mas talvez fosse só impressão, tinha certeza de que não a conhecia. Ao lado de Simon, se sentia protegida.

Dançaram, comeram, beberam e conversaram até bem depois da meia-noite, quando o salão já estava metade vazio, e pegaram a carruagem turquesa e branca de volta para o palácio do príncipe, onde Cinderela estava hospedada. Eva estava encantada com a educação e o cavalheirismo de Simon, um homem internacional, que falava várias línguas e tinha morado em diversos países, lutara em duas guerras, nunca imaginara conhecer alguém próximo a isso em sua vida. Era viúvo, desimpedido, mas com certeza devia ter uma namorada ou uma amante, ou várias, o pensamento desceu como ducha gelada, ou fumegante, em sua memória afetiva recente. Era melhor evitar as fantasias que levavam a ilusões e a decepções dolorosas, como os acontecimentos recentes ensinavam. Já era uma sorte grande tê-lo como amigo e protetor.

Deitado em um banco da praça como um mendigo, Adãozinho estava quase dormindo quando o Bel Air turquesa e branco parou em frente à garagem e Simon acionou o mecanismo elétrico que abria a porta de metal. O carro entrou e Adãozinho caminhou apressado duas quadras até o telefone público na esquina da Barata Ribeiro. Noronha estava acordado e, pela voz pastosa, Adãozinho imaginou que "melado", como o delegado chamava os bêbados. Recebeu ordens de voltar imediatamente à praça e observar a casa até que todas as luzes se apagassem, só depois poderia ir dormir e deveria estar de volta às oito da manhã.

Noronha estava frustrado, queria detalhes, até que horas as luzes da casa ficaram acesas? Em quais cômodos? Havia sombras nas janelas, por trás das cortinas? O que faziam? Havia música? Adãozinho se precipitara em sair correndo assim que o carro chegou, estava interessado em terminar logo o serviço e não em investigar o comportamento de uma suspeita, acusou. Adãozinho não sabia do que Eva era suspeita mas achou melhor não perguntar, apenas tentou se defender com as ordens de avisar assim que voltassem do baile na embaixada americana — Noronha lera nos jornais —, o grande evento social da semana.

Quando finalmente conseguiu pegar no sono, Noronha não imaginava que, na manhã seguinte, na delegacia, encontraria à sua espera, fardado e com um advogado, o coronel Kleber Weber Ferreira. Queria dar queixa contra a mulher, por adultério e abandono do lar.

"Espeto", pensou ainda sonolento, "me desculpe, coronel, preciso tomar um café urgente porque estou de estômago vazio." Noronha não disse que também estava embrulhado. "Logo vamos registrar sua ocorrência e tomar as providências, o senhor não quer sentar? Já já estou de volta, quer que lhe traga um café?", e saiu para o botequim sem esperar a resposta.

Não, claro que ele não sabe que sou eu, Noronha pensava atravessando a Hilário de Gouveia rumo ao botequim, não pode saber, como saberia? Eva nunca disse seu nome a ninguém, nem a Marina, e para sua felicidade, jamais Vasquez mencionara a sua identidade a Kleber, nem lhe mostrara nenhuma foto em que Noronha pudesse ser identificado, só de longe e de costas, meio desfocado — apesar de ter outras frontais e explícitas —, tudo que lhe dissera sobre o amante é que era um ex-policial, "um meganha", como dizia o coronel.

Entre um pão doce e uma média, esfriou a cabeça e se preparou para cumprir a lei. Iria com o querelante até a casa do coronel Simon, onde se encontrava homiziada a querelada e a citaria judicialmente; caso se recusasse a voltar ao domicílio conjugal, estaria sujeita às penas da lei, no processo de desquite poderia perder o direito à guarda dos filhos, à pensão alimentícia e à partilha do patrimônio do casal. Apesar da gravidade do momento, Noronha teve vontade de rir no balcão do botequim ao se lembrar da expressão jurídica usada pelos magistrados para determinar a condução de alguém à força a um tribunal: "debaixo de vara".

"Pronto, coronel, agora estou à sua inteira disposição", Noronha se sentou e acendeu um cigarro.

Ouviu do advogado uma história bastante diferente da que sabia — e co-protagonizara. O absurdo da situação lhe dava vontade de começar a rir descontroladamente e apontar para o coronel gritando: "O amante sou eu, seu babaca!", "Sou eu que como a sua mulher!", mas lhe cabia apenas ouvir e anotar, chamar o escrivão para o registro, retardando ao máximo a execução da busca e captura de Eva. Avisá-la era a primeira coisa a fazer. Deixou o coronel com o escrivão e foi telefonar de outra sala.

Eva não quis atender, mandou dizer que ligaria mais tarde, pediu para chamar Marina, era urgente que avisasse a mãe do que a esperava nas próximas horas. Estaria do lado dela, mas tinha que cumprir a lei.

Eva ficou muito nervosa, a primeira coisa em que pensou foi que Simon já tinha saído para a embaixada, ligou para o advogado que estava preparando o seu processo de desquite e pediu-lhe que fosse imediatamente encontrá-la. Tarde demais, o advogado telefonou meia hora depois, o coronel Kleber já tinha entrado com um pedido de desquite. Queria partir para a guerra. Mas não era tão simples quanto o advogado dele dizia, Eva tinha seus direitos, tinha sido espancada e ameaçada, a fuga fora em legítima defesa. Claro, o processo seria pavoroso, os filhos seriam chamados a depor, os vizinhos, as empregadas, os depoimentos poderiam vazar, sua vida ficaria totalmente exposta.

O advogado, dr. Ronald Lewinsky, achava um absurdo, depois de tudo que acontecera, sua cliente abrir mão de todos os seus direitos, do patrimônio que ajudara a construir, da guarda dos filhos. Para Eva não era assim tão grave, Marina estaria completando 18 anos nos próximos dias, seria maior de idade, moraria com quem quisesse, e a guarda de Zé Roberto não estava entre as suas maiores aspirações. Kleber que ficasse com tudo que, depois da incineração das roupas e sapatos e o sumiço das jóias, era nada para ela.

Na hora do almoço, quando Noronha tocou a campainha acompanhado do coronel Kleber e seu advogado, Eva mandou dizer que não iria falar com eles. O dr. Lewinsky entregou-lhes uma declaração assinada por ela de que abria mão de todos os seus direitos. Queria apenas o desquite.

Kleber ficou com cara de bunda, o advogado tentou pressionar Noronha para que ordenasse, em nome da lei, que abrissem o portão, ou que o arrombasse, a discussão esquentou, Noronha mandou Kleber tomar no cu, a porta da casa se abriu e Eva se dirigiu em passos firmes até o portão. Olhou Noronha, Kleber e o advogado nos olhos, os homens silenciaram.

"Algum problema? Não receberam a minha declaração?", Kleber desviou os olhos, Noronha gelou com a frieza e confiança daquele olhar, sustentou-o a duras penas. "Então bom-dia, senhores, até nunca mais", virou-se e voltou para casa ondulando os quadris e trazendo a Noronha as mais doces e dolorosas lembranças.

Voltou para a delegacia devastado, tinha certeza de que o "nunca mais" era mais para ele do que para Kleber, que já era carta fora do baralho. O gringo estava com a área limpa para se aproveitar da fragilidade de Eva e dar o bote. O que lhe restava era intensificar a vigilância, pensava como um policial na campana de uma suspeita. Mas para quê? Se deu conta de sua estupidez e da inutilidade de seus gestos, enquanto Adãozinho a vigiava do banco da praça ela simplesmente poderia estar entre os lençóis de Simon, em total segurança e conforto. Sentiu um arrepio e uma onda quente de ódio e impotência lhe subindo pelo peito.

Noronha estava perplexo — consigo mesmo. Nunca imaginara que algum dia estaria naquela situação, completamente à mercê de uma mulher, sem conseguir pensar em nada que não fosse nela e nas maneiras de alcançá-la. Aos 42 anos, finalmente tombava, vítima de paixão fulminante, como as que viu, com olhar debochado, fazendo homens duros chorar em mesas de bar, dispostos a qualquer sacrifício, humilhação ou ridículo para ter suas mulheres de volta. Era um deles.

Assim como o que o fascinava em Eva era a revelação de uma vagabunda obscena dentro de uma mineira doce e recatada, pensava Noronha, certamente ela se surpreenderia com a descoberta de um homem frágil, carente e apaixonado dentro do macho duro e cínico que ela conhecia e que ele aparentava, gostava de ser, naquela mesa de delegacia atulhada de papéis, tomando café frio e pensando nela desesperadamente.

Mas Eva estava longe dali, estirada à beira da piscina, folheando uma revista *Manchete* e pensando em Noronha, sim, mas distante de qualquer sentimento mais nobre, apenas como alguém que despertara a sua sexualidade durante tanto tempo — uma vida — reprimida. Agora o via quase como um desconhecido, como alguém que a estuprava com o seu consentimento e desejo. A ela certamente não comoveriam a sua fragilidade e sua carência, nem mesmo sua paixão dolorosa, era apenas um pau e uma língua que ela demoraria a esquecer, que talvez nunca esquecesse.

Eva também se deu conta de que estava pensando como um homem, um cafajeste, um predador como os que ela temia e desprezava, como Noronha.

Amor para ela era outra coisa.

Máscaras

Depois do jantar, no quarto, Carol e Marina começavam a preparar o baile pré-carnavalesco de aniversário das duas. Carol colocou o disco de sambas e marchinhas na vitrola para dar clima e aprender as letras.

"Lá no Bananal mulher de branco
levou pra índio colar esquisito,
índio viu presente mais bonito,
eu não quer colar, índio quer apito."

A piada, Carol soubera no colégio, era que a mulher de um político tinha ido à ilha do Bananal e, quando distribuía presentes aos selvagens, tinha soltado um pum — e o índio queria o "apito" dela. As duas estouraram numa gargalhada carnavalesca.

"Ê, ê ê ê ê, índio quer apito
se não der pau vai comer."

Encomendariam cinco barris de chope na Brahma, dez engradados de guaraná, Coca-Cola, Crush e Grapette seriam suficientes para cem pessoas? Melhor 12. No bar da sala serviriam hi-fis, cubas-libres e gins-tônicas, precisariam de vodca, rum e gim, três litros de cada, quatro. E gelo, muito gelo, várias pedras. Desistiram de doces e salgadinhos da Bom Bocado oferecidos por Marina, quem quer comer em um baile de Carnaval? E o bolo? Bolo era indispensável, Eva e Nazaré fariam um de chocolate caprichado. À meia-noite a empregada o levaria para o salão, a orquestra tocaria o *Parabéns pra você* em ritmo de marchinha, elas apagariam suas 18 velinhas e o baile continuaria no tablado do jardim, iluminado com lanternas japonesas.

Fariam a decoração com papel crepom, serpentinas e máscaras que comprariam nas Lojas Americanas. E uma caixa de Rodouro grande. Carol já não conseguia imaginar Carnaval sem lança-perfume.

Quem não estiver fantasiado não entra e todo mundo tem que estar mascarado, Carol mais decretou do que propôs, e Marina aplaudiu. Começaram a imaginar suas fantasias. Odalisca para Marina, Carol queria algo mais brasileiro, uma baiana talvez, Marina achou bobo, ia parecer as negras que vendiam cocada na avenida Copacabana. "Nega maluca! Boneca de piche!", Marina se entusiasmou, Carol não sabia o que era, adorou a idéia de se pintar de preto e colocar uma peruca pixaim com um enorme laço colorido, o resto era fácil, uma bocona vermelha, o vestidinho de chita estampada, os brincos, pulseiras e colares de grandes contas coloridas.

"Já imaginou a cara do Bombril quando me ver?", Carol se divertia, "vamos ficar um par perfeito", riram juntas.

Mandariam imprimir os convites e durante a semana entregariam em mãos aos colegas de colégio, amigos da praia e o pessoal do bairro.

No café-da-manhã — Eva ainda dormia, exausta das emoções do baile, prolongando ao máximo seus sonhos —, Carol contou ao pai sobre o baile pré-carnavalesco de aniversário. Simon adorou, bateu palmas, logo se imaginou fantasiado de pirata ou imperador romano? Super-homem? O Fantasma? Isso! A malha inteiriça vermelha cobrindo-o da cabeça aos pés, só deixando o rosto de fora, os olhos cobertos pela máscara negra, as botas, a sunga listrada de amarelo e preto, o revólver no coldre, seria um perfeito Fantasma — e Eva seria sua Diana Palmer.

O problema ia ser encontrar quem fizesse a fantasia e um bom material, se a malha ficasse folgada e marcada nos joelhos e cotovelos pareceria um pijama ridículo, era melhor não arriscar. Mais seguro seria se fantasiar de Mandrake, o mágico, de fraque, cartola e capa, todo de preto, elegantíssimo, com sua varinha mágica, um bigode falso e a máscara lhe cobrindo os olhos. Eva seria sua Princesa Narda. Poderia até se apresentar com um "Lothar" carioca, divertiu-se imaginando o esquelético Bombril com uma sunga de leopardo encarnando o gigante de ébano dos quadrinhos, guarda-costas de Mandrake, difícil seria convencê-lo a raspar a cabeleira que o identificava.

Passava das 11 quando Eva acordou e desceu de robe para o café, as garotas já tinham saído para o colégio e o coronel para a embaixada. Ficou sabendo pela empregada do baile de carnaval, primeiro se assustou e depois achou divertido, estaria mascarada, estariam todos, ninguém a reconheceria, poderia cantar e dançar à vontade, até cheirar lança-perfume, se quisesse.

Precisaria de uma fantasia, talvez uma dama antiga, *belle époque*? Muito quente, descartou, com aqueles panos todos, o chapéu, as luvas. Melhor uma espanhola, bailarina de flamenco, combinava com seu tipo moreno, se imaginou com os cabelos em coque, presos pelo grande pente rendilhado, de onde descia um véu, o vestido vermelho justo, com suas saias sobrepostas, os peitos apertados no decote, a mantilha, as castanholas, os sapatos de flamenco, se vestiria como a bailarina espanhola no rótulo do sabonete Maja.

Em dois dias, os convites estavam prontos e os primeiros a receber foram os garotos que batiam bola em frente à casa. Depois os amigos do colégio, no sábado de manhã entregariam os do pessoal da praia. Simon pediu cinco para amigos da embaixada. A notícia se espalhou como rastilho de pólvora, começando pelo botequim e subindo pelos apartamentos. Adãozinho comunicou imediatamente ao chefe as novidades.

"Todo mundo vai estar fantasiado e mascarado, chefe, vão ser mais de quinhentos convidados, já encomendaram 20 barris de chope."

Noronha desligou o telefone e passou as mãos pelos cabelos com desconsolo.

A caminho da escola, Bombril viu na vitrine carnavalesca das Casas Pernambucanas, entre árabes, tiroleses e caubóis, a fantasia ideal para esconder sua magreza e de certa forma homenagear a elegância de seu ídolo Didi. A roupa era linda, de cetim vermelho, as calças justas até o meio da canela, a jaqueta bordada de lantejoulas sobre a camisa branca, a faixa na cintura e a gravatinha, as meias brancas e as sapatilhas pretas, e o chapeuzinho meio ridículo de duas pontas: seria o primeiro toureiro preto da história e ria sozinho ao imaginar a cara de Carol e de Marina quando o vissem. O mais difícil seria tourear a mãe para conseguir o dinheiro.

No Bairro Peixoto muitos se diziam chamados, mas nem tantos foram escolhidos por Carol e Marina. Quando Chico recebeu seu convite, para tirar onda, comentou na turma da Miguel Lemos sobre a quantidade e qualidade de garotas e de bebida na festa. A turma o cercou entusiasmada, alguns chegaram a lhe dar safanões, todos querendo convites, pressionando Chico, que se dizia amigo da americana, em quem dissera ter dado uns beijos e botado o pau entre as coxas.

De volta para casa, pensou que, se pedisse com jeito, se implorasse a Carol, no máximo, conseguiria dois ou três convites para o pessoal. E seria espancado pelo resto da turma. Lembrou-se de seus tempos de ginásio, quando tinha 15 anos e fundou um colégio. Ou quase.

Como o pai de seu colega Jorjão tinha uma pequena gráfica, Chico convenceu-o a imprimir secretamente centenas de carteiras escolares de um certo "Colégio São Raphael", com um endereço inexistente na Tijuca.

No bar da esquina, Chico atendia a clientela: garotos de 12 e 13 anos que queriam entrar em filmes proibidos para menores de 14, rapazes de 16 e 17 que queriam entrar nos filmes de 18 anos e nas boates. Recolhia 10 cruzeiros por cabeça e uma foto 3x4, e no dia seguinte trazia as carteiras datilografadas, carimbadas e assinadas pelo diretor, padre Henrique Coutinho, ele mesmo. A plastificação ficava por conta do cliente.

Levaria seu convite a uma gráfica e mandaria imprimir cinqüenta cópias, ou setenta, que venderia a preços módicos aos interessados. Não seria por falta de convites que a turma da Miguel Lemos deixaria de comparecer ao grande pré-carnavalesco de Carol e Marina. E Chico faria uma boa caixa para seu próprio Carnaval.

Noronha estava nervoso e irritado, dava voltas na pequena sala de seu apartamento como uma fera na jaula, no quarto ao lado a velha mãe tossia, cada vez mais as coisas pareciam estar fugindo de seu controle, agora um baile de Carnaval. Imaginava Eva bêbada e descontrolada, vestida de odalisca, dançando e rebolando em cima de uma mesa, arrancando um a um os véus até ficar nua em pêlo, com os homens gritando "gostosa!" à sua volta.

Mas quem estava bêbado era ele, ao imaginar a cena incendiária e dolorosa, tinha mamado meia garrafa de Mansion House, um uísque nacional que deixava sempre lembranças amargas no dia seguinte. Estava totalmente melado quando apagou todo vestido no sofá da sala, de sapatos e com a televisão ligada.

No dia seguinte, ligou para Marina oferecendo dois homens da delegacia para protegerem sua mãe, afinal, num baile à fantasia, com mascarados, alguém poderia entrar clandestinamente e tentar fazer algum mal a dona Eva. Ou mesmo a ela, a Carol ou ao coronel Simon. Quem é capaz de fazer o que Kleber fez é capaz de mandar fazer pior. A vigilância seria discreta, um homem estaria no portão, como um motorista esperando o patrão, o outro na festa, fantasiado.

Só interviriam em caso de extrema necessidade, garantia a Marina, que consultou Carol e concordou a contragosto.

Enquanto falava com Marina, Noronha foi montando sua estratégia. Botaria Adãozinho, de terno, gravata e quepe de motorista, no portão, e, todo de negro, de capa e espada, chapéu e máscara, com um revólver aparentemente de fantasia na cintura, iria ele mesmo vestido de Zorro. Ninguém melhor do que ele para dar a Eva toda segurança de que precisasse, mentiu para si mesmo. Uma força irresistível o levava para a festa, num impulso masoquista, queria ver com seus olhos Eva nos braços do americano e ter certeza de que nunca mais a teria nos seus. Por sua culpa.

Bombril recebeu de Nazaré um recado de Zé Roberto para que ligasse para um número. Era da casa de seu colega Robson, onde estava praticamente morando desde que Eva saíra de casa e da briga com o pai. Nazaré contara que ele só aparecia para deixar roupa suja e pegar algum livro, às vezes comia alguma coisa, reclamava da comida na casa do amigo e logo saía, como um cachorro magro. E raivoso.

Zé Roberto queria um convite para a festa de aniversário de sua irmã mas não queria pedir a ela. Queria que Bombril falasse com Marina e conseguisse o convite, era quase uma ordem, que Bombril pensou em esquecer. Mas ficou com pena quando ele pediu como um grande favor, que ficaria devendo. Pobre-diabo, pensou Bombril, e falou com Marina.

"De jeito nenhum!", Marina tinha certeza de que ele iria ficar bêbado, brigar e aprontar confusões, queria o irmão longe de sua festa.

Carol ainda tentou contemporizar, afinal era seu irmão, estava muito abalado, sozinho, mas Marina foi inflexível:

"Ele vai estragar a festa."

Bombril deu o recado para Zé Roberto com indisfarçável prazer. Ouviu uma enxurrada de palavrões e o telefone batendo.

Pouco depois, Robson, que freqüentava a turma da Miguel Lemos, entrou no quarto e disse a Zé Roberto que na rua tinha um cara vendendo convites para a festa a 50 cruzeiros. Zé Roberto sorriu feliz. Uma roupa toda preta, uma capa, uma dentadura de vampiro dessas que vendiam nos camelôs e uma tinta cor de sangue escorrendo nos cantos da boca — e estaria pronta a sua fantasia de Drácula do Bairro Peixoto.

Cheiro de Carnaval

O fim das aulas foi comemorado carnavalescamente por Carol, que esvaziou uma Rodouro nas colegas na saída do colégio, provocando grande rebuliço de risos e gritos, gargalhadas e cafungadas furtivas. Marina foi mais comedida, apenas tomou alguns chopes com as colegas e, com o balanço do bonde, chegou meio enjoada em casa, mas se sentindo aliviada: tinha passado raspando em duas matérias.

Para o coronel Kleber, o final do ano letivo foi um desastre. Era o que o mantinha ocupado dia e noite, formulando questões e corrigindo provas, os exames finais exigiam o seu empenho e atenção — e o impediam de pensar em Eva o tempo todo, embora ela lhe viesse à cabeça muitas vezes ao longo do dia, até durante a dissertação oral de um aluno sobre o rio Amazonas. À noite, sozinho em casa, quando terminava de corrigir as provas, desabava exausto na cama mas não conseguia dormir, só pensar em Eva.

Simon passou quatro dias em Brasília, com um grupo de parlamentares americanos e o pessoal da embaixada. Sentiu-se meio na Lua e meio no Velho Oeste, entre o mármore branco das construções monumentais e a poeira vermelha que cobria tudo, o ar seco do cerrado castigava os pulmões e o verde era um sonho distante.

No bar do hotel, conheceu uma falsa loura de traços meio indígenas, de Belém, uma profissional pioneira naquela terra de homens sozinhos, que tinha uma grande disposição para qualquer coisa por 500 cruzeiros e uma lança-perfume de vidro na bolsa. Subiram para o quarto.

"Isso dá um tesão de bode!", depois de duas cafungadas num lenço, Luzineide encharcou o decote do vestido e o sutiã e puxou o rosto de Simon para o meio dos seus peitões caídos, apertava sua cabeça entre eles e ria. Zumbidos e sininhos se misturavam nos ouvidos de Simon às gargalhadas de Luzineide e ao samba que o rádio tocava no quarto vizinho. Nunca tinha ouvido falar que bodes fossem especialmente tesudos. Ela podia estar enganada no bicho, mas sem dúvida o tesão era animal. Cheirou e comeu, pagou e dormiu.

Acordou com um pouco de dor de cabeça, mais provavelmente pelos vários gins-tônicas do que pela lança-perfume. Desceu para tomar o café-da-manhã com o amigo Jairo Domingues, que estava trabalhando na mudança do Ministério das Relações Exteriores para Brasília. E detestando a experiência. Precisava urgentemente de um posto no exterior, aceitaria até a Colômbia ou o Peru, para fugir daquela cidade fria e sem esquinas. Simon estava fascinado com a lança-perfume, queria saber o que era, como tinha aparecido e se popularizado, que tipo de alucinações provocava, por que dava tanto tesão?

Jairo era um expert em lança-perfume, mas apenas em pesquisas de campo, carecia totalmente de informações históricas, químicas e fisiológicas. Mas tinha um amigo, um velho embaixador aposentado, que estava escrevendo um ensaio sobre o Carnaval brasileiro e que certamente teria informações sobre a lança-perfume.

"Amanhã volto para o Rio e a gente pode combinar de tomar um drinque com ele no fim da tarde", ofereceu Jairo. "Ele mora no Copacabana Palace e é um homem muito fino e divertido, quem sabe ele pode te dar uma aula sobre lança-perfume."

“Fechado”, Simon se despediu, “então até amanhã.” Jairo morreu de inveja ao vê-lo partir para o aeroporto.

O embaixador Luiz Augusto Pinto Lima era conhecido nos meios diplomáticos como Gugu, estava de blazer marinho e calça de linho branca, em ótima forma para seus 70 anos. Magro e empertigado, de gestos nervosos e sorriso fácil, recebeu Simon e Jairo com grande simpatia numa mesa da pérgula do Copacabana Palace, à margem da piscina azul onde uma solitária nadadora dava braçadas preguiçosas.

Entre uísques on the rocks, gins-tônicas e iscas de filé, não foi preciso insistir muito para o embaixador falar sobre essa estranha — e deliciosa, perigosamente deliciosa — criação brasileira que tanto fascinava Simon.

“Seu interesse é acadêmico, coronel?”, o embaixador não lhe deu tempo de responder, “espero que não seja para um possível uso militar — uma distribuição maciça de lança-perfume atrás das linhas inimigas e pronto, a batalha está ganha por nocaute coletivo”, todos riram.

Pinto Lima era um homem irônico e refinado, servira a maior parte de sua carreira em embaixadas européias e considerava os americanos em geral ainda bastante primitivos. Conhecido no Itamaraty como um francófilo apaixonado, teve especial prazer em dissertar sobre as origens — francesas, *bien sûr* — da lança-perfume.

“Foram eles, meu caro coronel, os franceses, esses especialistas em perfumes e em prazeres, que inventaram a lança-perfume. A bem da verdade, por acaso, por pura sorte, ou melhor, por um erro genial”, fez uma pausa para se divertir com a expressão atenta de Simon, que não demonstrou ter sentido o toque de ironia do embaixador, e continuou: “Diz a lenda que, em 1890, um funcionário de um pequeno laboratório francês errou na mistura de cloreto de etila, o popular éter, e perfume de violeta. Mas gostou do resultado, o laboratório também, e imaginaram comercializar o produto em ampolas de vidro fechadas a fogo, com uma tampinha móvel de metal —

como as ampolas de Kelene, um anestésico à base de clorofórmio usado por médicos e dentistas. A novidade foi apresentada na Exposição Universal de Genebra em 1897 e foi...", fez uma pausa dramática, "um estrondoso fracasso!", e explodiu numa gargalhada.

Simon estava surpreso de saber que a lança já tinha setenta anos de história. Pinto Lima molhou a boca no uísque e continuou:

"Quem mudou a história foi um brasileiro visionário, que passou pela Exposição Universal e imaginou que aquele jato gelado e perfumado seria uma sensação no Carnaval carioca — onde o costume era jogar água-de-flores, e outros líquidos menos nobres, uns nos outros. Importou algumas caixas, distribuiu nos bailes de carnaval e lançou a lança-perfume — foi um sucesso retumbante, quem experimentou já não queria mais saber de Carnaval sem ele. A notícia se espalhou rapidamente, as importações se multiplicaram e, dez anos depois, a França já exportava 600 mil unidades para o Brasil no Carnaval."

Fez uma pausa para sentir as reações de Simon e Jairo aos números impressionantes.

"Virou um negócio tão grande que, cinco anos depois, as reservas brasileiras em francos estavam se evaporando como éter e o governo aumentou drasticamente as taxas de importação: a lança-perfume se tornou proibitivo, um artigo de alto luxo. Claro, os ricos pagavam, mas o povo também queria, então os franceses — que não queriam perder aquele mercado colossal — em 1920 abriram uma fábrica no Brasil — a Rhodia — e começaram a produzir a marca 'Rodo', que era 'odor' ao contrário. Hoje vendem milhares, milhões de ampolas, têm lucros alucinantes, virou um negócio da China, ou melhor, da França. Satisfeito, coronel?", perguntou sorridente.

Simon estava impressionado. Jairo com vontade de tomar uma prise. Pinto Lima, satisfeito com o que via, serviu-se de mais um Black Label.

"Já pensou o Mardi Gras de Nova Orleans movido a lança-perfume, coronel? Quem sabe um *businessman* empreendedor não introduz a Rodouro nos Estados Unidos? Pode ficar multimilionário."

"Seria muito divertido, mas acho improvável, mesmo no Mardi Gras, o senhor sabe, a nossa cultura é muito puritana e não aceitaria, diriam que é coisa do demônio", Simon sorriu.

"E é provável que não estejam longe da verdade", o embaixador riu.

"O que me espanta", Simon voltou a um tom sóbrio, "é que, sem dúvida, a lança-perfume é uma droga pesada, pode provocar parada respiratória e cardíaca, pode matar, talvez até mate muita gente, mas é encarado e usado com absoluta inocência e naturalidade pelas famílias brasileiras, dos vovôs aos netinhos."

"É verdade", Jairo acrescentou, "no Carnaval o costume é dar às crianças sacos de confetes, rolos de serpentina e lança-perfume. Já vi muitas crianças de 7, 8 anos, que descobriam o cheirinho gostoso da lança, os efeitos que provocava e cheiravam até cair, não só na rua e nos bailes como em casa. Como aconteceu comigo", e riu ruidosamente.

"Bem, como criança já se diverte em rodar para ficar tonta, para você deve ter sido um grande avanço, uma espécie de rito de passagem", o embaixador se divertia.

Simon cada vez se surpreendia mais com o jeito brasileiro de viver, contraditoriamente tão conservador e tão liberal ao mesmo tempo. Havia até uma moralidade sazonal, que dependia da época: durante o Carnaval, tudo parecia ser permitido, até lança-perfume em bailes infantis, depois tudo voltava ao normal, ou pelo menos às aparências de normalidade.

Qualquer um, de qualquer idade, poderia comprar uma ampola em qualquer camelô e se esbaldar, era uma liberalidade inconcebível, mesmo para brasileiros, pensava Simon, ouvindo o embaixador.

"O interessante é que as pessoas continuam também a esguichar nos outros, por pura diversão", comentou Pinto Lima, "é como se elas se dessem banhos de *scotch* e jogassem nuvens de cocaína umas nas outras", e todos riram, "só o Brasil se dá ao luxo desse desperdício", concluiu Jairo.

"É o combustível dos bailes e dos blocos de Carnaval", Pinto Lima explicou que a lança estava intimamente ligado à dança, que a sua praticidade e mobilidade, a instantaneidade de sua ação e os efeitos que provocava estavam indissoluvelmente associados à euforia carnavalesca, que fazia os foliões mais pular do que dançar. "Por isso se diz pular Carnaval, ninguém fala hoje vou dançar Carnaval no Bola Preta", foi didático.

E o efeito afrodisíaco? Será que dava tesão até nas crianças? Quantas loucuras e desvarios aconteciam sob o impulso perfumado da lança? Era uma droga altamente transgressora, o que tinha de deliciosa tinha de perigosa, Simon pensava e ouvia Pinto Lima.

"E ainda tem a peculiaridade de ser uma droga sazonal, é difícil você encontrar gente com lança-perfume fora da época do Carnaval, ele faz parte da cultura carnavalesca."

"É, mas estão dizendo nos jornais que o Jânio vai proibir a lança-perfume, talvez antes mesmo desse Carnaval", Jairo estava preocupado.

"Ele não é louco, provocaria uma revolta popular", o embaixador encerrou o assunto.

O baile

No dia da festa, 18 de dezembro, uma sexta-feira, fez um calor do cão e choveu sem parar. Carol, talvez por sua pouca familiaridade com o espírito carioca e a sua paixão pelas festas e bocas-livres, temia que o pré-carnavalesco naufragasse, que os convidados não quisessem enfrentar a chuvarada, as ruas alagadas e as calçadas submersas, os gigantescos engarrafamentos em toda a cidade, os carros e ônibus enguiçados com água no motor. Tanto quanto o telefone, as enchentes de verão eram uma praga carioca, como a água e a luz.

"Rio de Janeiro, cidade que me seduz,
de dia falta água, de noite falta luz."

Vindo do rádio da cozinha, o estribilho da marchinha debochada ecoava pela casa, como uma premonição. De repente o rádio silenciou e todas as luzes se apagaram. Era só o que faltava, logo no dia da festa, pensou Simon no seu quarto, recém-chegado do trabalho, se preparando para entrar no banho e vestir sua fantasia de Mandrake. Nem sempre a vida era muito divertida nos trópicos, tateando no escuro, entrou no chuveiro dando graças a Deus pela chama azul do gás no aquecedor e por sua caixa-d'água cheia.

* * *

Em casa, conferindo as peças de sua fantasia de Zorro sobre a cama, Noronha tomava um Mansion House com gelo, quando as luzes se apagaram. Merda! Se deu conta de que não teria como proteger Eva se não soubesse como estava fantasiada — ela também estaria mascarada. O telefone ainda funcionava, mas zumbia e dava estalos, com a chuva estava pior do que nunca. Noronha acendeu o isqueiro, encontrou o número de Simon e chamou Marina. Alegando motivos de segurança, perguntou-lhe que fantasia a mãe usaria na festa, ela riu e provocou:

"Você não é um investigador? Então descubra. Nos vemos no baile, delegado, bye-bye, a linha está péssima."

Não poderia correr o risco de ir para o teatro de operações sem conhecer o seu objetivo, ela poderia demorar a aparecer, talvez quando a casa já estivesse cheia, poderia levar muito tempo procurando, não poderia simplesmente perguntar a todas as morenas se eram Eva ou tirar-lhes as máscaras. Um sacrifício seria necessário. Não dele, mas de Adãozinho, que passara o dia abrigado no botequim, entre chopes e salgadinhos. Às oito ele ligaria para fazer um relatório e lhe daria as novas instruções.

Adãozinho recebeu as ordens como um pontapé no saco. O delegado estava mandando uma viatura para lhe entregar um potente binóculo, e ele deveria subir na laje do edifício onde morava o coronel Kleber e de lá observar atentamente a varanda do quarto de dona Eva e parte do salão da casa, só deveria abandonar seu posto com uma descrição detalhada de sua fantasia. Ah, Noronha também estava mandando um guarda-chuva, para não deixar molhar as lentes do binóculo.

Precariamente protegido por uma lona emprestada pelo porteiro Nereu, com a chuva fustigando-lhe o lombo e os relâmpagos riscando o céu, abriu o guarda-chuva e apontou o binóculo para as duas varandas dos quartos que davam para o gramado e a piscina. O quarto do coronel dava frente para a rua e estaria fora de seu alcance. Estava tudo escuro, Copacabana inteira sem energia.

Encharcado, agradeceu mentalmente ao delegado Noronha pela oportunidade de ver — justamente quando a luz voltava e nas casas comemoravam com gritos e aplausos — Carol de calcinha e sutiã tomando banho de chuva e dançando na varanda do seu quarto, ao som de um disco de Carnaval que tocava alto na vitrola.

Epa! Adãozinho ajustou o foco do binóculo, a garota estava cheirando um lenço, só poderia ser lança-perfume, para estar tão animada assim. No quarto iluminado da suspeita, apenas uma sombra, talvez de robe ou enrolada em uma toalha, Eva passava atrás das cortinas quase transparentes. Adãozinho deu sorte, atraída pelos gritos de Marina, que era arrastada à força por Carol para baixo da chuva, também de calcinha e sutiã, Eva abriu as portas de vidro e saiu para a parte coberta da sua varanda. De robe bordô e sorridente, se divertiu com a cena, pareciam duas irmãs, se puxando e se agarrando sob o aguaceiro, mas não conseguiu deixar de pensar o que faria o pai de Marina se a visse daquele jeito...

Ainda tomou chuva por quase uma hora antes de ver suas preces atendidas e seus esforços premiados. Finalmente Eva apareceu no quarto das garotas fantasiada, Adãozinho podia ver claramente, as cortinas estavam abertas e ela toda vestida de vermelho, com várias saias sobrepostas, uma flor também vermelha nos cabelos, presos por um grande pente de onde saía um véu de renda preta. A máscara era toda de lantejoulas prateadas e lhe cobria o rosto da testa aos lábios, fazendo uma ondulação sobre o nariz. Seria muito difícil reconhecê-la só pela boca vermelha. Adãozinho não sabia do que ela estava fantasiada, mas poderia dar uma descrição detalhada para o delegado, a suspeita estava linda, parecia uma Pomba Gira.

Quando Adãozinho desceu da laje e devolveu a lona ao porteiro, os músicos estavam chegando com seus instrumentos, viu-os entrar na casa tentando proteger os tambores da sua pior inimiga, a água: couro molhado não toca. Telefonou para Noronha, foi parabenizado e recebeu ordens de, a partir do início da festa, estar atento no portão da casa e correr para dentro se ouvisse os silvos agudíssimos de um apito de trânsito, que Noronha achava ser o único som capaz de se impor sobre um baile de carnaval e estaria no bolso de sua fantasia de Zorro.

A chuva amainava, no jardim, as lanternas japonesas projetavam luzes coloridas sobre o grande tablado de madeira no meio do gramado, em volta, as árvores também estavam enfeitadas com pequenas lâmpadas vermelhas, a decoração de Natal se integrava à do Carnaval com naturalidade. Num pequeno palco, coberto por um toldo e enfeitado com bandeirinhas que lhe davam um ar de festa junina, os músicos se acomodavam e testavam o sistema de som. Carol sentiu um arrepio de emoção quando o som vibrante dos metais e o ritmo dos tambores encheram a noite com a empolgante introdução de "Cidade Maravilhosa", o hino do Carnaval carioca, senha de abertura e encerramento de todos os bailes. E emendou com "Mamãe eu quero".

Num impulso irresistível, Carol puxou Marina pela mão e levou-a até a pista molhada e vazia. De mãos dadas e braços levantados, pulavam e cantavam a plenos pulmões, uma nega maluca e uma odalisca explodindo de alegria e vitalidade sob a chuva fina:

"Mamãe eu quero, mamãe eu quero,
mamãe eu quero mamar..."

Da varanda de seu quarto, fantasiada e mascarada, Eva olhava a cena enternecida. Não havia melhor lugar para ver a festa, ela só pretendia descer, se descesse, bem mais tarde, quando todo mundo já tivesse chegado. Fantasiara-se mais para atender ao pedido das meninas e de Simon, não se sentia segura para, mesmo mascarada, se meter no meio de uma multidao de garotos e garotas. Embora estivesse se sentindo, para ser sincera, linda naquele vestido decotado e apertado na cintura, que lhe modelava os quadris, descia em saias sobrepostas e nos joelhos se abria em um rabo-de-peixe, com uma audaciosa fenda lateral que mostrava uma boa parte de sua coxa morena, coberta pela meia rendilhada. Kleber jamais lhe permitiria usar este vestido. Nem Noronha.

Os primeiros a chegar foram duas garotas do colégio de Carol com dois amigos, todos fantasiados, seguidos por um grupo de quatro pierrôs mascarados que só se sabia se eram meninos ou meninas quando andavam e falavam, convidados de Marina. O som da orquestra vibrava e ecoava pelo Bairro Peixoto como um chamado, o ritmo dos tambores era uma senha para a folia, logo uma fila de fantasiados começou a se formar em frente à casa. Entre eles, um grupo de oito rapazes uniformizados como jogadores da seleção brasileira, usando máscaras de plástico amarelo sobre os olhos e bigodões postiços.

Eram os primeiros convidados, ou clientes, de Chico a chegar, todos da turma da Miguel Lemos, com suas lanças na cintura. As máscaras transparentes não escondiam os rostos, eram uma defesa contra eventuais jatos de lança-perfume. À tarde correra um boato na Miguel de que vários integrantes da turma do Leme, liderados pelo temido Clóvis Tarzan, estariam na festa, sua namorada tinha comprado 15 convites na mão de Chico.

As preocupações procediam. Não se passaram nem dez minutos da entrada dos jogadores da seleção, quando chegou um grupo de seis presidiários, de roupas listradas com números no peito e máscaras negras, os Irmãos Metralha da turma do Leme, um deles Clóvis, com sua lança-perfume e seu canivete de mola. Havaianas, colombinas, árabes, piratas, caubóis, índios, tiroleses, a pista se enchia de fantasiados, o ritmo da marchinha e o perfume do lança enchiam o ar.

"Não quero broto, não quero,
não quero não,
não sou garoto pra viver na ilusão,
sete dias na semana
eu preciso ver minha balzaquiana."

Mesmo com o som do baile, Eva ouviu as batidas na porta do quarto, abriu mas não viu ninguém. Já a fechava quando ouviu um grito de "Abracadabra" e Simon se materializou num salto em frente à porta, de cartola e capa preta, fazendo um gesto cabalístico com uma varinha. Estava engraçado com o bigode postiço meio torto sobre a boca e abriu os braços e um grande sorriso quando a viu:

"Whaaaaallll! Olé, Lady Eva! Você está linda!"

Sentiu seu rosto ficar da cor do vestido, mas sorriu feliz.

"Você também está ótimo, muito elegante."

"Então, vamos à festa?"

"Um pouco mais tarde, Francis, eu preciso me ambientar primeiro, estou gostando muito desse camarote, é o melhor da festa", e convidou-o a olhar da varanda.

A pista estava lotada e animadíssima, mesmo com o piso transformado em lamaçal, provocando muitos escorregões e quedas que divertiam ainda mais os foliões. Quem caía, além de se enlamear, virava alvo preferencial das lança-perfumes, se contorcendo no chão com as cócegas provocadas pelos jatos gelados. As meninas protegiam o sexo, os garotos, os olhos.

"Balzac acertou na pinta,
mulher só depois dos trinta."

Noronha chegou pouco depois de dez horas, já com a festa pegando fogo, precisara de alguns Mansion Houses para se animar e mesmo assim não se poderia dizer que seu espírito era carnavalesco. Estava ali a trabalho, mentia para si mesmo, cruzando o portão e adentrando o jardim, com os olhos circulando como radares em busca de uma morena de vestido vermelho e máscara prateada.

Às 11 horas ainda chegava gente, de sua varanda Eva desconfiava que a festa tinha mais, muito mais do que as cem pessoas que Carol e Marina tinham convidado. Achou que nem devia comentar isto com Simon, que tinha dado ordem ao porteiro e aos leões-de-chácara que contratara para que ninguém entrasse sem convite, "nem o papa", certamente elas tinham convidado mais gente na surdina. Havia vários grupos uniformizados, só de presidiários contou 15 na pista.

Também notou um grupo de oito com o uniforme da seleção brasileira de futebol e outro de sete piratas idênticos, camisa de cetim branco com a marca da caveira e as tíbias cruzadas nas costas, calça preta, faixa vermelha na cintura, lenço na cabeça, bigodes postiços, tapa-olho e espada de lata. Eram da Miguel Lemos e se mantinham juntos, prontos para o que desse e viesse, já sabiam que a turma do Leme estava fantasiada de Irmãos Metralha, Clóvis fora identificado, e a notícia se espalhara rápida e fria como um jato de lança.

Um outro bloco, de dez índios e índias estilizados, também era da turma da Miguel, mas não de guerreiros, de casais de namorados, que não tiravam os olhos dos presidiários. A última grande briga com a turma do Leme acontecera justamente porque um cara da Miguel, bêbado e num impulso suicida, tinha tentado agarrar a namorada de Clóvis em um baile de Carnaval no Copaleme.

Com espanto, Eva não viu a uva, mas uma freira de bigodes na pista, abraçando uma morena e cantando e pulando e cheirando lança-perfume como se não houvesse amanhã. Por nada no mundo Jairo Domingues perderia aquela festa.

Tempo quente

"Papai Adão, Papai Adão,
Papai Adão é mesmo o tal,
hoje é Eva quem manobra,
e a culpada foi a cobra."

A marchinha sacudia o salão ao ar livre, Eva se divertia com a citação de sua xará bíblico-carnavalesca; no seu caso, a culpa não fora da cobra, mas dela mesma. Mas, pensando melhor, fora sim, tinha sido enfeitiçada por uma serpente de paletó xadrez e cabelos colados na cabeça com brilhantina. Sua melhor manobra seria se manter longe dela.

Durante uma hora, Noronha circulou pelo jardim e por toda a casa, abrindo todas as portas, olhando em todos os cantos, em busca de uma morena de vestido vermelho, em vão. Em nenhum momento lhe ocorreu olhar para a varanda, onde, em seu camarote de luxo, Eva tomava sua segunda taça de champanhe levada por Simon, ria e lhe apontava um Zorro aparentemente perdido no jardim, como um zumbi, que não dançava nem cantava, só andava e procurava não se sabia o quê.

Quando finalmente Noronha levantou os olhos e viu Eva na varanda, seu coração disparou. O gringo estava a seu lado, de cartola e com aquele bigodinho ridículo, eles riam e brindavam com taças de champanhe. Eva notou que o Zorro agora não circulava mais, estacionara encostado à mangueira e de vez em quando dava uma olhada para a varanda e depois desviava o olhar para o edifício com as janelas apagadas.

Eva viu também Carol e Marina abraçadas com um toureiro preto — que só poderia ser Bombril — pulando e cantando e dividindo com ele generosos jatos de lança-perfume na capa do matador, no véu da odalisca ou no vestido da nega maluca. Viu e não gostou, mas também achou que seria melhor não comentar nada com Simon, afinal, era Carnaval.

Também viu Simon, que descera para o jardim, enfiar o rosto num lenço oferecido pela freira bigoduda e sair pulando pelo tablado, agitando sua varinha mágica como a batuta de um maestro. Gostou quando ele se desvencilhou de uma melindrosa que tentava abraçá-lo.

"Ai, ai, brotinho,
não cresça meu brotinho
nem murche como a flor,
ai, ai, brotinho,
eu sou um galho velho
mas quero o teu amor."

A orquestra acelerava o ritmo, todos cantavam e pulavam, o tablado tremia. Eva ajeitou a máscara e decidiu descer, os dois champanhes e o que vira no espelho lhe davam confiança para circular pelo jardim, sem medo de ser reconhecida. A vida era mesmo engraçada, duas semanas atrás estava levando uma surra de cinto do marido e agora se divertia num baile de Carnaval, cortejada por um Mandrake animadíssimo, que lhe oferecia a ponta da capa de seda, úmida da lança-perfume de Jairo.

Eva tentou recusar, afastou o rosto, mas Simon, como num passe de mágica, cobriu-a com a capa preta e, assim protegidos dos olhares indiscretos, ofereceu-lhe o tecido molhado e perfumado com um sorriso irresistível. Eva aspirou primeiro com cuidado, depois profundamente, sentiu a cabeça rodar e um calor lhe subindo pelas pernas e apoiou-se no braço de Simon. Encostado à mangueira, Zorro a tudo assistia fervendo de raiva e impotência.

A orquestra parecia tocar dentro de sua cabeça, Eva sentia todos os pêlos de seu corpo se eriçarem, um calor que saía de seu útero e ia até seu coração disparado e voltava, cada vez mais quente, sua boca se ressecou, suas pernas tremiam, cravou as unhas no braço de Simon. Ele gostou, sorriu e a abraçou com força, como se ela fosse sua. E era mesmo, pelo menos naquele momento, poderia fazer o que quisesse com ela, ela deixaria, gostaria, mas Simon, mesmo sob os efeitos da lança-perfume, era um gentleman, que jamais se aproveitaria de uma lady nessas condições. Saberia esperar, a paciência era uma de suas virtudes.

Impaciente, a mão de Noronha coçava insistentemente o cabo de madrepérola da Beretta, que todos pensavam ser de brinquedo. Seu coração batia pesado, fundo, com esforço, os Mansion Houses lhe embrulhavam o estômago vazio. Se fosse um homem de verdade, pensou, se tivesse mesmo colhões, ia embora e esquecia aquela vagabunda para sempre, estava claro que ela não o queria mais, era humilhante insistir, mas o Zorro não teria coragem para tanto.

E se acabasse com ela? Ou melhor, com ele? O pensamento maligno passeava por sua mente conturbada, seria fácil, com tanta gente cantando e gritando, com a orquestra tocando tão alto, bastaria esperar um momento em que ele estivesse cafungando uma lança, passar casualmente, enfiar a Beretta na barriga do Mandrake e apertar o gatilho. Depois era correr e subir no palco, mandar parar a música, tirar a máscara e se apresentar como o delegado da 12ª DP, anunciando que um crime tinha acontecido e ordenando que ninguém saísse da casa.

Seria ridículo; do jeito que estava nem sequer conseguiria caminhar reto até o casal, uma nuvem escura nublava sua visão, a mão que apertaria o gatilho tremia para acender o cigarro, a identidade secreta do criminoso não resistiria ao primeiro exame de balística, criaria um caso internacional e passaria o resto da vida na cadeia. Era tão ridículo quanto tentar atravessá-lo com a espada de lata do Zorro.

Como Marina antecipara, mas nunca pensou que realmente aconteceria, Zé Roberto chegou bêbado à festa, com um bafo de onça e os dentes de vampiro pingando sangue de esmalte de unha. Vendera alguns brincos e colares da mãe numa joalheria no centro da cidade e estava vivendo — e bebendo e comprando convite, fantasia e lança-perfume — com esse dinheiro, não teria coragem de pedir nada ao pai, com certeza seria recebido a porradas e aos gritos de "vai trabalhar, vagabundo!".

Chico integrava o grupo dos piratas da Miguel Lemos e não demorou a localizar Carol e Marina abraçadas a um toureiro preto que só poderia ser Bombril — o único negro na festa. Com um copo de chope numa mão e a lança na outra, começou a dançar em volta do trio, pela pele clara reconheceu Marina atrás da máscara e do véu que lhe cobria a boca, mas, a não ser por eliminação, jamais descobriria que a falsa crioula era Carol, mas sem dúvida era ela, teve certeza quando viu os peitões pulando dentro do vestido de chita estampada.

Elas nem desconfiaram que era ele, preferiu ficar no anonimato, poderia observar mais à vontade e escolher o melhor momento para dar o bote. Nada melhor do que lança-perfume para afrouxar as calcinhas das garotas, Chico pensava, vendo-as dividir um lenço encharcado com aquele crioulinho folgado. Como se tivesse recebido uma injeção de fogo, o trio saiu pulando abraçado pela pista, cantando junto com a orquestra, pela enésima vez:

"Não vai dar? Não vai dar não?
Você vai ver a grande confusão
que eu vou fazer bebendo até cair,
me dá, me dá, me dá,
me dá um dinheiro aí."

A coisa foi rápida e ninguém sabia exatamente como começara, um jato de lança-perfume no olho, uma mão-boba na bunda da namorada ou um simples esbarrão, para quem estava a fim de brigar — e calibrado pela bebida e pela lança-perfume — não faltavam pretextos. De repente, os Irmãos Metralha cercaram o grupo de piratas e foram recebidos a tapas, socos e pontapés, abriu-se uma clareira no meio da pista, meninas gritavam e corriam assustadas, a turma de jogadores da seleção partiu para cima dos Metralha em defesa dos piratas, alguns índios tentavam entrar na briga e eram contidos pelas namoradas, a música parou.

Imundos e furiosos, rolavam embolados na lama, o apito agudíssimo de Noronha soou alto e nervoso várias vezes, Adãozinho entrou correndo, de arma na mão, seguido pelos leões-de-chácara. Quando entravam na casa e atravessavam o salão, ouviram um tiro, dois, três, correram para a pista e viram Noronha vestido de Zorro no meio do tablado com a arma apontada para o alto. A briga acabara, os Irmãos Metralha fugiam para a rua, e um pirata jazia enlameado no chão.

A blusa branca estava quase marrom, o garoto chorava e gritava apertando a barriga, Simon se aproximou e se abaixou, perguntou o que ele estava sentindo, Chico gritou "eu não quero morrer". Simon viu uma mancha escura na sua barriga, abriu a camisa e viu o ferimento de faca, sangrando muito. Noronha se debruçou sobre Chico, olhou a ferida e tranqüilizou Simon:

"Canivete, não foi fundo, vai poder até voltar para a festa. Esses garotos assistem a muito filme americano de juventude transviada e ficam querendo imitar."

Sorriu para Chico, que chorava:

"Calma, meu filho, você vai morrer sim, todo mundo vai, mas não desse furinho de merda. Adãozinho", ordenou, "providencie atendimento médico para o acidentado", e sugeriu ao coronel Simon: "O senhor pode continuar a festa."

O irmão Boi, também de pirata, chegou nervosíssimo, ajudou Adãozinho a levantar Chico e, um de cada lado, o levaram até o sofá da sala, seguidos por Carol, Marina e Bombril. Simon fez um sinal e a orquestra recomeçou:

"Ei, você aí, me dá um dinheiro aí,
me dá um dinheiro aí."

Sem chapéu e sem máscara, Noronha recebeu os agradecimentos de Simon, que também tirara a cartola e estava de cara limpa, e aceitou o oferecimento de um champanhe para comemorar a sua pronta e eficiente intervenção, tinha salvado a festa.

Quando a confusão começou, Eva subiu para o quarto e viu tudo da varanda, a briga, os tiros, a ação de Noronha, viu os dois homens de preto, desmascarados, se confraternizando, desceria para ver como estava o garoto. Sentia-se, pela primeira vez, orgulhosa de Noronha.

Deitado no sofá, sem camisa e com Carol lavando o seu ferimento, Chico já não chorava e começava a gostar das atenções, o médico já fora chamado, era só desinfetar e dar uns pontos, talvez nem precisasse de pontos, Marina o encorajava, cercada por outros piratas preocupados, estava se sentindo um herói. Eva tirou a máscara e se apresentou, perguntou como ele estava se sentindo e, com o canto do olho, viu Noronha e Simon se aproximando sorridentes, com taças de champanhe nas mãos.

Eram quase da mesma altura, os dois grisalhos e vestidos quase idênticos, com suas capas pretas e seus chapéus. Além da qualidade dos tecidos, apenas a espada de lata e a varinha mágica os diferenciava.

Um terceiro homem de preto apareceu por trás do Zorro e de Mandrake e fez Eva sentir um frio na espinha, como um jato de lança-perfume. Atraído não pelo sangue mas pela possibilidade da mãe de uma das aniversariantes estar atendendo o ferido, Drácula também se aproximou do sofá, arrastando sua capa preta. Apesar da máscara que lhe cobria quase todo o rosto e de seus caninos sangrentos, foi imediatamente reconhecido pelo coração de mãe, que seria capaz de identificá-lo até de costas, só pelo andar.

Os olhares se cruzaram. Zé Roberto viu a mãe toda de vermelho como uma Pomba Gira, de meia rendada e perna de fora como uma puta, com os peitos quase pulando do decote, estava linda, odiou-a e desejou-a, quis morrer. Sentiu o peso do canivete de mola no bolso e um aperto no coração. Desviou os olhos.

Eva viu o ódio e o desejo nos olhos vermelhos e esbugalhados do filho. Atrás das aberturas da máscara — que isolava e dava ainda mais realce aos olhos — viu o fogo que saía deles, sentiu as lágrimas brotando e se derramando pelo rosto até sua boca vermelha, o gosto de sal, teve medo de que a matasse, abaixou a cabeça e fechou os olhos. Quando os abriu, ele não estava mais lá.

Fim de festa

Quinze minutos depois, o médico chegava, tranqüilizava o acidentado, desinfetava o ferimento com mercurocromo e aplicava com uma seringa pequenas doses de anestésico nas bordas do ferimento. Deu três pontos, passou uma pomada e fez um curativo com uma almofada de gaze e esparadrapo.

Chico se sentou lentamente e agradeceu ao médico. O velhote fechou sua maleta, olhou em volta para ver quem pagaria a conta, Simon se apresentou e subiu para buscar o talão de cheques.

"Está pronto para outra", o doutor encorajou Chico jovialmente com tapinhas no ombro, estava louco para voltar a seu pijama e sua cama. Eram duas da madrugada.

Marina, Carol e Bombril voltaram para a pista, se jogaram no meio da folia abraçados e com os narizes enfiados na capa do toureiro, saíram pulando e cantando como se estivessem acabando de chegar — ou como se a festa estivesse começando a acabar.

Na varanda, Eva tomava champanhe com Simon e Noronha, aparentemente mais à vontade do que os dois, comentando a animação dos foliões e apontando para Chico, sentado em uma cadeira ao lado da pista, exibindo orgulhoso o curativo na barriga e acenando sorridente para os amigos, tinha se tornado a estrela da festa. O Boi estava orgulhoso do irmão, de pé ao seu lado, como um guardião.

Aos poucos a pista foi se esvaziando, a orquestra já não tocava com o mesmo pique, mas — como diziam os repórteres de televisão — o que não faltava era animação. Carol e Marina pulavam abraçadas, sem deixar que outros se agregassem a elas, Bombril saiu em busca de um chope. Quando voltou, não as encontrou mais. Carol estava morrendo de calor, coberta de suor, que dissolvia a tinta preta e a deixava manchada como uma pantera negra com pintas bronzeadas, as constantes cafungadas de lança lhe abriram uma clareira esbranquiçada em volta do nariz, como um focinho branco na cara preta. Chamou Marina para irem até o banheiro, tomar uma chuveirada, fazer xixi e retocar a maquiagem.

Entrou no banheiro, tirou a roupa e abriu o chuveiro.

"Vem", chamou, "você não está com calor?"

"A sua tinta vai sair toda", Marina hesitava.

"Não faz mal, já está toda manchada mesmo, depois eu me pinto de novo", Carol entrou debaixo do chuveiro.

Marina estava transtornada com as lanças, os chopes e tudo o que acontecera, viu o corpo nu e bronzeado de Carol sob o chuveiro, com as marcas claras do maiô nos peitões e nos quadris, os pentelhos ruivos e os braços, as pernas e a cara pretos, e teve um acesso de riso. Carol só se deu conta do que tanto divertia Marina quando se olhou no espelho e explodiu numa gargalhada. Depois de uma breve hesitação, Marina tirou a odalisca e entrou no chuveiro.

Carol recebeu-a de braços abertos, sob a água fresca que jorrava farta, abraçou-a forte, sentiu seus peitos e ventres colados, Marina enfiou a coxa entre as suas e enlaçou-a pela cintura, beijaram-se longamente debaixo da água que lhes cobria os corpos e entrava pelas bocas abertas. Com firme delicadeza Marina afastou Carol com as mãos.

"Eu não estou me sentindo bem, estou enjoada", saiu do chuveiro e se enrolou numa toalha, tremendo de frio.

Carol ainda ficou algum tempo no chuveiro. Quando voltou para o quarto vestida com um roupão de toalha, encontrou Marina, já vestida de odalisca, deitada na cama.

"Melhorou?"

"Já estou melhor, foi uma tontura e um enjôo, está passando. Mas não vou mais beber nem cheirar."

"Está amarelando, é?", Carol provocou, com ambigüidade, "então me ajuda aqui, você pinta as pernas e eu os braços."

Vestiu a fantasia e estendeu-lhe o vidro de tinta preta e um pincel largo. Em cinco minutos, a nega maluca voltava ao salão mais animada do que nunca, com uma nova lança-perfume zerinho e muita vontade de pular e cantar até a orquestra tocar "Cidade Maravilhosa". Tomou uma prise com Bombril, Marina recusou, saíram abraçados pulando pelo salão meio vazio.

"Se alguém te convidar
pra tomar banho em Paquetá,
pra piquenique na Barra da Tijuca
ou pra fazer um programa no Joá,
menina vai, com jeito vai."

Na varanda, a contragosto, Noronha se despediu:

"Bem, acho que está tudo tranqüilo, com certeza vamos ter um final feliz, boa-noite, coronel, boa-noite, dona Eva, parabéns pela festa e pelas filhas."

Caso encerrado, pensava com desconsolo, caminhando de cabeça baixa pela rua vazia em busca de um táxi improvável.

Eva também estava cansada de tantas emoções, deu boa-noite a Simon e agradeceu calorosamente pela festa e por todas as gentilezas. Ele tomou-lhe a mão entre as suas e beijou-a e aspirou-a como quem cheira uma lança-perfume.

"Vou dormir muito feliz, Lady Eva, boa-noite."

"Eu também, boa-noite, Francis, até amanhã."

Pouco mais de vinte foliões, entre eles Carol e Bombril, resistiam na pista, Marina subira para o quarto. A orquestra estava exausta e Carol ainda tinha meio tubo de lança-perfume. E um tesão avassalador que lhe tomava todo o corpo. Os beijos trocados com Marina tinham incendiado seus sentidos, já não era mais capaz de controlar seus desejos, sentia-se free, sexy, cool, esperava que a noite não acabasse nunca.

Quando, às três da manhã, a orquestra tocou a introdução de "Cidade Maravilhosa", só Bombril e Carol ainda dançavam, alguns fantasiados jaziam pelo gramado, outros bebiam cerveja sentados no chão. A orquestra silenciou, a vizinhança deu graças a Deus, a festa acabou.

Os músicos colocaram os instrumentos nas capas, Carol agradeceu-lhes efusivamente pela "grande música" e puxou Bombril pela mão em direção à piscina. Depois do som e fúria carnavalescos, um grande silêncio cobria o Bairro Peixoto. A piscina estava escura, as janelas da casa também, aparentemente todos dormiam. Carol mergulhou de roupa e tudo, emergiu sem a peruca pixaim, sacudindo os cabelos ruivos, tirando o vestido e o jogando em Bombril.

Ele tirou com dificuldade a calça justa, a jaqueta e a camisa molhada e entrou na água só de cueca. Carol dava mergulhos como um golfinho, com os braços e pernas ainda pretos e os peitos e a bunda brancos. Nadou até a borda e procurou a lança-perfume que deixara no gramado, tirou a calcinha e torceu-a, esguichou a lança e chamou Bombril com um gesto e um sorriso. Com água até o pescoço, ela nua e ele de cueca, enfiaram o rosto na calcinha branca da nega maluca.

O efeito foi devastador. Era como se fosse a prise que faltava, que se somava a todas as outras e aos beijos de Marina, à água que parecia estar na mesma temperatura do corpo, ao ar fresco da noite, aos sambas e marchinhas que ainda ecoavam em sua cabeça junto com os sinos e os zumbidos agudos da lança, abraçou Bombril e beijou seus lábios grossos com sofreguidão.

As línguas se enrolaram desajeitadas e famintas, as respirações se alteraram, os corações batiam mais forte e mais rápido,

Bombril sentia os peitões macios de Carol se amassando contra o seu, suas coxas grossas se enfiando entre suas pernas finas, seus pentelhos ruivos esfregando-se em sua barriga negra. Seu pau parecia que ia estourar dentro da cueca, a mão de Carol puxou-o para fora e enfiou-o entre suas coxas. Bombril queria que a noite não acabasse nunca.

Foram para a parte mais rasa da piscina, com água pela cintura. Bombril encostou na borda e Carol tentou montar no seu pau, com muita dificuldade, a água clorada entrava nela e lavava o lubrificante genital. Carol o ajudou com a mão até ele conseguir enfiar a cabeça e gemeu de prazer, mas o pau não entrava mais.

Tentaram inverter, sôfregos e urgentes, Carol encostou na borda com Bombril entre as suas pernas, tentando enfiar o pau de baixo para cima, Carol abriu bem as pernas, com a mão conduzia o pau para sua boceta. O pau deslizou com dificuldade e entrou até a metade, mas não conseguia avançar, Bombril ofegava, Carol sentiu um jato quente lhe invadindo e Bombril estrebuchando nos seus braços. Uma luz se acendeu e ouviu a voz de Marina. Saiu da piscina nua, contornou a casa e, do gramado vazio, disse que estava dando um mergulho e logo ia subir.

Voltou à piscina, Bombril estava se vestindo e parecia envergonhado. Ela também se sentia constrangida, cobria os peitos e o sexo com as mãos e os braços ainda pintados de preto, parecia que não tinham sido eles que haviam feito aquilo, a magia tinha se desfeito, as luzes se acendido e a festa acabado. Não conseguiam se olhar nos olhos, Bombril passou por ela cabisbaixo e murmurou:

"Si iú tumórol", e saiu apressado.

Carol pegou a lança no chão, sacudiu-a no ouvido e esvaziou-a na calcinha.

Mar de lágrimas

De manhã cedo, a empregada deu um grito quando encontrou o corpo de Carol boiando na piscina. Tirou-a da água e deitou-a no gramado, estava nua, roxa e fria, com os olhos verdes abertos. Cobriu-a com seu avental e correu para a casa, chorando e chamando pelo coronel.

De pijama, Simon desceu com um revólver na mão e correu para o jardim, viu o corpo no gramado e jogou-se sobre Carol, imaginando-a desmaiada ou em coma alcoólico. Quando viu seus olhos esbugalhados e tocou seu rosto gelado, sentiu a vista se turvar, o estômago se revirar e desabou sobre ela. O revólver se soltou de sua mão, caiu no chão e disparou, estilhaçando a porta de vidro do salão.

Simon só voltou a si quando o médico chegou e lhe aplicou uma injeção. Por breves instantes, pensou que estava acordando de um pesadelo, deitado na grama, olhando as nuvens passando no céu azul do Rio de Janeiro. Com o canto do olho, viu um corpo coberto por um lençol cercado de velas acesas, sentiu um nó na garganta e explodiu em soluços, se contorcendo de dor e desespero.

Jogou-se sobre a filha, chorando convulsivamente e beijando e abraçando seu corpo frio e inerte. Eva e Marina choravam abraçadas.

O médico, depois de conversar com Simon, Marina e a empregada, tinha poucas dúvidas: Carol provavelmente abusara do álcool e da lança-perfume, sofrera uma parada respiratória na piscina e se afogara. Era ótima nadadora, muito jovem e saudável para um ataque cardíaco e não tinha nenhuma doença congênita, a hipótese de ter sido assassinada era remotíssima, mas só a polícia e o legista poderiam descartar. De qualquer maneira, a polícia teria que ser chamada para liberar o corpo para o funeral.

Noronha chegou poucos minutos depois do telefonema de Simon e abraçou-o com força, emoção e sinceridade. Ouviu uma sofrida descrição dos acontecimentos, fez algumas perguntas técnicas ao médico, sobre água nos pulmões, sinais de violência, provável hora da morte, e ligou para a delegacia. Pediu um legista, um perito e o rabecão.

“Me desculpe, coronel, mas para descartarmos a hipótese de assassinato temos que levar o corpo para exames mais detalhados.”

“Ninguém vai retalhar o corpo da minha filha!”, Simon se levantou e gritou furioso.

“Calma, coronel, não vai haver nenhuma autópsia, não há necessidade, é só para coleta de material para exames de laboratório, saliva, sangue, fezes, talvez possa ser feita aqui mesmo, vou conversar com o legista. Provavelmente o doutor tem razão e ela passou mal na piscina e se afogou, um trágico acidente. Mas, se quisermos ter certeza, temos que fazer alguns exames e ouvir o especialista.”

Carol estava vestida com uma camisola branca e deitada em sua cama, a cabeleira ruiva se espalhando no travesseiro, os olhos fechados e o rosto com uma expressão serena e inocente como a de uma criança.

O legista, dr. Toledo, era um ávido leitor de romances policiais e via em tudo indícios e suspeitas, amava autópsias e hipóteses, se sentia um ativo participante de todas as investigações e não gostou nada da conversa mole de Noronha sobre exames no local. Só poderia dar um laudo conclusivo com a autópsia e os exames toxicológicos. O delegado insistiu, as circunstâncias da morte não justificavam, o pai era um adido militar da Embaixada Americana, tudo deveria ser conduzido na maior discrição, era a determinação da Secretaria de Segurança Pública e do Itamaraty, mentiu.

Todos saíram do quarto, o médico abriu a maleta, tirou seus instrumentos e frascos, vestiu luvas cirúrgicas e levantou a camisola de Carol até o pescoço. Fez punções nos pulmões, no estômago e nos intestinos, colheu sangue, saliva e muco vaginal, examinou com uma lente todos seus orifícios, sua língua, seus olhos vidrados, virou e revirou o corpo, abaixou a camisola, tirou as luvas, tomou algumas notas num caderno, guardou seu material e saiu. Aparentemente o médico da família tinha razão, mas nunca se sabe, a química às vezes tem suas surpresas.

Por determinação e responsabilidade de Noronha, o legista assinou contrafeito a liberação do corpo para o funeral, os exames de laboratório levariam alguns dias, a menina já estava morta, nada justificava prolongar o sofrimento do pai, argumentou Noronha. Nem abriria inquérito, era só por desencargo de consciência.

Bombril foi o primeiro a ser avisado por Marina. Chegou segundos depois, entrou correndo e chorando, subiu as escadas de três em três degraus, abriu a porta do quarto e viu Carol deitada como uma Bela Adormecida. Ficou olhando-a da porta, chorando e soluçando em silêncio, com as mãos cobrindo o rosto, sem coragem de se aproximar. Ficou ali parado um tempo infinito, com as imagens cruzando velozes em sua cabeça, o coração pulando no peito, o baile de carnaval, a foda na piscina, a lança-perfume, Carol morta na cama, nunca mais Carol. Desceu as escadas apressado como se fugisse de alguma coisa.

Simon decidiu fazer o velório no jardim da casa, lembrando-se do que Carol comentara um dia, reclamando da morbidez das capelas funerárias americanas e do inesquecível velório da mãe. "Por que não fazem velórios em jardins, em lugares abertos, bonitos?", perguntara, e Simon não soubera responder.

O Bairro Peixoto adorou a oportunidade de visitar a grande casa modernista onde dona Eva se escondia. Com curiosidade mórbida ou até genuína compaixão, homens, mulheres e crianças, empregadas e patrões, desfilaram o dia inteiro diante do caixão de madeira clara sobre cavaletes no meio do jardim, cercado de coroas de flores. Vieram colegas de colégio uniformizados e amigos do bairro, onde jazia a bela jovem bronzeada de cabelos ruivos que jogava futebol, saltava de bonde andando e adorava Carnaval.

Ao lado do caixão, devastado e surpreso, o coronel Simon recebia condolências de desconhecidos. Eva ficou o dia inteiro fechada no quarto, de vez em quando olhava por trás da cortina e via o acontecimento social em que tinha se transformado o velório de Carol. Odiou aquelas pessoas, queria estar ao lado de Simon e de Marina, queria se despedir de Carol.

Às quatro da tarde, Simon sentou-se ao lado do motorista do carro fúnebre e o mandou seguir para o cemitério São João Batista, mas pediu-lhe que descesse a Santa Clara até a praia e fosse pela avenida Atlântica até o Leme e depois pelo Túnel Novo até a enseada de Botafogo, onde entraria na São Clemente e pegaria a Real Grandeza até o cemitério, num último passeio de Carol pela cidade que tanto amara.

Os banhistas que saíam da praia cheia de sábado estranharam a passagem do carro fúnebre preto, roxo e dourado pela avenida Atlântica, alguns fizeram o sinal-da-cruz, muitos deram graças a Deus por estarem vivos em um lugar tão bonito.

Eva decidira que não iria ao enterro, não podia, estaria exposta à curiosidade e à maledicência daquela gente horrorosa que enchera o velório. Marina e Bombril foram no carro da embaixada, Eva ficou sozinha em casa e se envergonhou de sua covardia, de sua ingratidão com a generosidade de Simon. Pegou um vestido preto no armário de

Carol e tomou um táxi para o cemitério, que ficava muito próximo ao Bairro Peixoto, bastava atravessar o Túnel Velho.

Ainda chegou a tempo, um padre encomendava o corpo e uma multidão cercava a tumba aberta, como se fosse o enterro de um artista famoso. De vestido preto e óculos escuros, Eva caminhou decidida em direção ao túmulo, atraindo os olhares e, sem que pedisse nada, vendo as pessoas abrirem espaço para que passasse. Simon, de terno e gravata pretos, estava com o braço passado nos ombros de Marina, que o abraçava pela cintura com uma mão e dava a outra para Bombril. Ao lado de Simon, duro e solene, de cabeça baixa, Noronha. Colocou-se entre os dois e deu o braço a Simon, olhando nos olhos da multidão muda de espanto.

Coberto pela bandeira azul e amarela do Carioquinha Futebol Clube, o caixão baixou à sepultura sob uma chuva de flores.

De volta para casa, abraçado a Eva e Marina, Simon subiu as escadas com dificuldade, estava ofegante e se sentia tonto. O médico foi chamado, a pressão estava altíssima, não tinha comido o dia inteiro, vomitara várias vezes. Simon implorou por um sedativo tão poderoso que durasse para sempre. Dormiu quase dois dias, não queria mais acordar.

Na delegacia, Noronha atendeu o telefonema do dr. Toledo. Os exames ainda não estavam concluído, mas já podia dizer que a garota morrera por volta de quatro da madrugada, por afogamento, depois de sofrer uma parada respiratória provocada por álcool e uma quantidade industrial de cloreto de etila encontrada em sua corrente sanguínea, ele não tinha dúvidas. Sua única surpresa fora constatar que, apesar do hímen intacto, como verificara no exame do corpo, a garota tinha vestígios de esperma na vagina.

"Tem certeza?", Noronha quase levantou da cadeira.

"Batata", o legista confirmou, "a química não mente jamais."

Noronha sentiu uma corrente elétrica passando pelo seu corpo. Alguém poderia ter tentado violentar Carol, ela perdera os sentidos e fora jogada na piscina, era uma hipótese perfeitamente viável, no estado em que ela estava. Espeto, pensou, faria tudo para resolver o caso sem incomodar nem machucar Simon. A primeira coisa a saber era quem fora a última pessoa a estar com Carol. Começou a telefonar.

A campainha tocou no apartamento do coronel Kleber, Nazaré atendeu e gritou para Bombril no quarto de empregada:

"Ismael, tem um moço da polícia que quer falar com você."

Adãozinho pediu a Bombril que o acompanhasse até a delegacia, o delegado Noronha queria lhe fazer umas perguntas sobre Carol. Bombril tremeu e gelou.

Fora visto pelos músicos da orquestra indo com Carol para a piscina, alguém tinha até comentado, "olha só que crioulinho mais sortudo", os dois leões-de-chácara o viram sair apressado da casa dez minutos depois. O que aconteceu na piscina? Era o que o delegado queria saber.

"Ela era a minha melhor amiga", Bombril gaguejou, "ela tinha bebido muito e cheirado muito lança-perfume, quando eu saí ela ficou na piscina."

A bofetada de Noronha virou a cabeça de Bombril, lágrimas grossas encheram seus olhos arregalados, seus lábios largos tremiam sobre a dentuça.

"Eu quero saber o que você fez com ela na piscina", Noronha falou baixo e num tom ameaçador, "pode se abrir comigo, vai ser melhor para você, a sua situação não é nada boa, garoto."

"Eu não fiz nada a ela, doutor, eu adorava a Carol, nunca faria nada de mal a ela", Bombril chorava, seu nariz escorria, "o senhor pode perguntar ao coronel Simon, a Marina, a dona Eva, a qualquer pessoa do bairro", fungou, "eu amava a Carol."

"Mas não foi só a Carol que bebeu e cheirou lança-perfume, não é? Você sabe, essas coisas tiram as pessoas do seu juízo e às vezes elas fazem muita besteira — e depois esquecem tudo", o delegado apertava, suave e sutil, quase paternal. “Então? Vai me contar o que aconteceu na piscina ou eu vou ter que insistir?”, Noronha falou duro e ameaçador.

Bombril abaixou a cabeça e, chorando e gaguejando, disse que tinham se beijado na piscina.

“Ah, bom, agora estamos no bom caminho”, Noronha sorriu, “você não era namorado dela, era?”

“A Carol não tinha namorado”, Bombril disse com firmeza, “nós éramos amigos, ela me dava aulas de inglês e eu ensinava futebol a ela.”

“Futebol, é?”, Noronha franziu as sobrancelhas. “Não é muito um esporte para garotas, não é? Vai ver que é por isso que ela não tinha namorado, quem sabe ela preferisse uma namorada?”, Bombril tentou defender Carol, Noronha lhe perguntou de chofre: “Vocês já tinham se beijado outras vezes?”

“Não, não”, Bombril tremia, “foi a primeira vez, foi ela que me beijou.”

“Ah, ela que te beijou? Assim de repente? Pegou e beijou. Garoto de sorte, hein?”, estalou outra bofetada em Bombril. “E por que logo naquela noite?”

“Ela estava muito bêbada, louca de lança-perfume, fora de si, não sabia direito o que estava fazendo”, Bombril tentou explicar, abaixou a cabeça e a voz, “e eu também.”

“Quem sabe você não aproveitou que ela estava molinha assim e foi lá e deu o bote?”, Noronha abaixou a voz e se aproximou, cúmplice. “Você sabe muito bem que nada é melhor para afrouxar as calcinhas do que lança-perfume, não é?”

“Eu não sei, eu não sabia, eu não forcei a Carol a nada, ela fez o que queria”, Bombril parou de chorar, “o senhor não conheceu a Carol, ela só fazia o que queria, ninguém a obrigava a nada.”

Noronha estava certo de que logo o garoto confessaria. Estava na cara. Achou que a garota dava mole, louco de tesão de lança-perfume atacou-a, ela lutou com ele e passou mal e ele se apavorou e jogou-a na piscina, talvez até nem tivesse querido matá-la. Mas matou.

Espeto, pensou, a coisa estava preta para o crioulinho, mas o pior seria dizer ao coronel Simon que a filha dele tinha sido estuprada e assassinada, o homem já sofrera demais, não precisava passar por isso. A essa altura preferia até que tivesse sido um simples acidente. Mas um crime daqueles — uma garota de 18 anos linda, no dia do seu aniversário! — não poderia ficar impune.

"Presta atenção, garoto", Noronha olhou-o nos olhos, "eu acho melhor você falar por bem porque senão a coisa pode piorar para o teu lado. Você é menor de idade mas se eu te jogar no reformatório vão fazer contigo o que fazem com os estupradores na cadeia, vão te pagar na mesma moeda, você vai ficar um mês sem poder sentar."

Bombril explodiu em choro convulso:

"Eu não estrupei ninguém, doutor, eu adorava a Carol, o maior sonho da minha vida era que ela me beijasse, eu não ia matar ela logo quando isso aconteceu", havia uma lógica racional dentro da intensa emoção do garoto, Noronha notou. Apesar do neguinho ser feio como a necessidade, talvez ela, gringa, inexperiente, louca de tesão, tenha mesmo o beijado. Mas ele quis ir mais longe, ela não deixou, era virgem, ele forçou, ela passou mal ou ele sufocou-a e jogou-a na piscina.

"E aí, depois que ela te beijou? Não ficou só nisso, ficou?"

Bombril emudeceu, de cabeça baixa.

Gemeu com o tapa de Noronha em sua carapinha.

Levantou a cabeça, olhou-o nos olhos e contou, com lábios trêmulos e voz firme, exatamente tudo que tinha acontecido, as roupas, os beijos, os abraços, a lança-perfume, a trepada, o gozo, a vergonha, e desabou sobre a mesa, chorando e soluçando sobre os braços cruzados.

Contou tudo com tal sinceridade, Noronha diria que até com orgulho, paixão, que o experiente delegado sentiu um certo abalo em suas convicções. E o pau se endurecendo, ao imaginar a garota nua trepando com o neguinho na piscina, envergonhou-se de seus pensamentos e invejou-o.

"Vou deixar você voltar para casa, para ficar com a sua consciência, pensando melhor no que você fez. Vou conversar com outras pessoas e volto a te chamar a qualquer momento. E nem uma palavra sobre isso com ninguém, entendido? Pode ir."

Bombril pensou em agradecer, mas apenas o odiou.

Amores e amizades

Bombril ficou um bom tempo rodando pela praça antes de subir para casa. Entrou direto para o quartinho de empregada, a mãe arrumava a sala e viu-o passando. Abriu a porta, ele estava deitado no seu beliche, olhando para o teto.

"O que é que houve, Ismael? Que cara é essa? Parece que viu assombração. O que é que queriam saber na delegacia? O povo está falando que essa história da menina ter se afogado está mal contada. Como é que uma garota forte daquelas, que nadava todo dia, ia morrer afogada? E logo na festa do seu aniversário?"

"Nada, mãe, nada", Bombril respondeu ríspido, "a Carol se afogou e pronto, foi um acidente horrível, já não basta ela ter morrido? Ficam em cima que nem urubu na carniça", e virou para a parede.

Bombril se sentia sozinho e tinha muito medo. Sua pobre velha Nazaré não o poderia ajudar muito, ela não entenderia nem a verdade. Talvez até achasse que ele tinha mesmo forçado Carol, nunca admitiria que uma garota branca, rica e linda se interessasse por um neguinho magrelo, pobre e dentuço.

Dona Eva também não poderia fazer muito por ele, talvez lhe arranjar um advogado, pensava, olhando para o teto descascado com a lâmpada nua e apagada, se dando conta de que quem precisa de advogado é criminoso, é bandido, é suspeito. O delegado achava que ele tinha matado Carol, também não estava acreditando na verdade, pelas mesmas razões de sua mãe, ninguém acreditaria em tão improvável amor. Nada poderia salvá-lo. Só se Carol ressuscitasse.

Bombril lia sempre nas entrevistas dos craques de futebol, além de seus grandes momentos, as lembranças dolorosas, a grande derrota, o dia mais triste da vida, e pensava que, quando fosse famoso e viessem lhe perguntar, ele responderia: "Foi quando eu tinha 17 anos e perdi o grande amor de minha vida."

Marina também não poderia ajudar muito, mas só ela seria capaz de entendê-lo, de acreditar na verdade, porque era a melhor amiga de Carol e crescera junto com ele. Ela jamais acreditaria que ele tivesse matado Carol. Tomou uma chuveirada, olhou pela janelinha as luzes acesas do quarto de Carol e sentiu uma pontada no coração. As cortinas estavam abertas, Marina deitada na cama e dona Eva sentada, lhe acariciando os cabelos. Aproveitou a água caindo e chorou à vontade. Se vestiu e foi ver Marina.

Cumprimentou dona Eva, que saiu para tentar fazer Simon comer alguma coisa, sentou-se na cama ao lado de Marina, olharam-se nos olhos, ela se levantou e se abraçaram apertado, choraram juntos, mais uma vez.

Bombril contou tudo, o interrogatório de Noronha, as bofetadas, as suspeitas, as ameaças. Marina ficou horrorizada, só conseguia dizer: "Meu Deus, como alguém pode imaginar uma barbaridade dessas?"

O seu erro foi também ter contado, em detalhes que a intimidade lhes permitia, os beijos, os abraços e a foda na piscina. Marina ficou chocada, tentou disfarçar a surpresa, mas Bombril percebeu, achou que talvez tivesse sido o momento errado para falar.

"Você não está achando que eu estrupei a Carol, não é?"

"Claro que não", Marina respondeu com rispidez, virando o rosto, estava com ódio dele, dos dois, que a tinham traído, lembrava-se dos beijos no chuveiro com o coração apaixonado ferido, se sentia até estranhamente culpada pela morte de Carol, por odiá-la depois de morta.

Também se odiava por amá-la tanto e tão tardiamente. Sentia náuseas de imaginar os dois trepando na piscina. Saiu do quarto e se trancou no banheiro, abriu o chuveiro e chorou sentada na privada. Seu grande amor proibido, a que ela hesitara tanto em se entregar, durara menos de uma hora. Era apenas uma ilusão dolorida.

Ela sabia que Bombril não tinha forçado Carol a nada, por isso os odiava. Lavou o rosto e voltou para o quarto. Bombril estava na varanda, olhando o jardim, como se lembrasse tudo que tinha acontecido naquela noite.

"Guardo ainda bem guardada a serpentina
que ela jogou
ela era uma linda colombina
e eu um pobre pierrô."

A música ecoava distante em sua cabeça, junto com pedaços de outras, o sol do fim da tarde avermelhava atrás dos edifícios, se aproximava a hora da aula de futebol de Carol, Bombril contemplava o gramado deserto com os braços cruzados no peito, não percebeu a chegada de Marina.

"Pensando na vida?", se assustou com a voz sussurrada da amiga, "Ou na morte?"

Pensava na vida, na sua, em como salvar a pele da acusação cruel e injusta. Tão cruel e injusta que era quase impossível de ser desmentida.

"Nada não, só estava com saudades da Carol", também não deveria ter dito isso, as palavras entraram no peito de Marina como flechas.

Deveria estar mesmo com muitas saudades dos peitões de Carol, de suas coxas, de sua bocetinha rosada coberta de pentelhos ruivos, Marina olhava Bombril contemplando o gramado e não conseguia pensar em outra coisa. Lembrava-se de Carol nua, pingando água, com os braços, as pernas e a cara ainda pintados de preto, debaixo da varanda, dizendo que já ia subir. Marina estava bêbada e enjoada, apagou a luz e dormiu, só acordou com os gritos da empregada.

Um silêncio pesado ligava Bombril e Marina na varanda de Carol.

"Bom, eu vou indo, só queria desabafar um pouco, só com você eu poderia falar essas coisas, você que amava tanto a Carol."

E Bombril nem imaginava quanto, nem como. Não passava por sua cabeça de palha de aço que Marina, além de sua grande amiga, pudesse ser sua rival no amor de Carol. Nunca saberia.

Ou pior: acabou sabendo. Quando já estava no alto da escada, Marina chamou-o de volta para o quarto. Precisava lhe contar um grande segredo que estava lhe apertando o coração.

"Sabe quando nós saímos da pista e subimos para tomar uma chuveirada?"

E contou tudo, com todos os detalhes, como quem saboreia uma vingança, como Carol a abraçara e beijara, o que fizera com ela, o que lhe dissera debaixo do chuveiro, o prazer que sentira.

Bombril estava atônito, com a beiçola caída e de olhos arregalados, mudo, hipnotizado pelos olhos claros e a fala doce de Marina. Não queria ter ouvido nada daquilo, mas era tarde demais.

"Não foi a primeira vez", Marina mentiu, falou sobre a imensidão do amor secreto que as unia, contra tudo e contra todos, que planejavam morar juntas nos Estados Unidos. Bombril sofria, sua cabeça e seu coração entravam em curto-circuito. Carol só fizera aquilo com ele porque estava louca, fora de si, excitada pelo que tinha feito com Marina, era a ela que amava, ele tinha sido usado, como um pau qualquer. E ela era o amor de sua vida. E estava morta.

"Agora eu vou ter que ir", Bombril se despediu sem olhá-la nos olhos e desceu as escadas apressado como quem foge, segurando as lágrimas.

Entrou em casa de cabeça baixa, disse "oi, mãe", e foi direto para o quarto. Ela foi atrás.

"O que é que houve, menino? O que é que está acontecendo?"

"Nada, mãe, nada, não enche o saco!", se trancou no banheiro do coronel e gritou "eu não vou jantar", tinha um prazer especial em cagar no banheiro do coronel quando ele não estava em casa.

Sairia imediatamente, não para a pracinha, onde a turma estaria fervilhando, falando mentiras e barbaridades de Carol, queria distância daquele bando de tarados punheteiros, iria para longe, para a praia, para qualquer lugar. Queria sumir na noite.

Pouco depois que Bombril saiu, o delegado Noronha tocava a campainha na casa do coronel Simon. Queria falar com Marina.

De manhã cedo, um caminhão de mudança parara em frente à casa do coronel Kleber, que colocara o apartamento à venda e estava se mudando para a Tijuca. Na véspera, Zé Roberto aparecera rapidamente na praça para se despedir, ia acompanhar o pai. Senão, para onde iria? A turma teve pena. Dos dois. Bombril iria morar com a mãe no novo apartamento de dona Eva e Marina na Santa Clara. Ou na prisão de menores, temia.

Eva sofria intensamente, tinha uma filha da mesma idade de Carol, poderia ter sido ela, sua compaixão por Simon era infinita. O homem era duro, um soldado, dois dias depois do enterro, quando acordou da sedação, passou o dia trabalhando na embaixada e voltou tarde da noite, se ficasse naquela casa, com aquele vazio avassalador, enlouqueceria de dor, dissera. Pediu a Eva que adiasse a mudança por uns dias, se antes ela era uma hóspede bem-vinda, agora era uma amiga necessária, disse.

O coração de Marina era um turbilhão, em sua cabeça se misturavam imagens confusas de Carol e de Bombril com ela, na praia, no cinema, no baile de Carnaval, não conseguia imaginar um sem os outros dois. Desceu as escadas lentamente, o delegado Noronha a esperava no meio da sala.

"Boa-noite, delegado, vamos sentar", Marina se encaminhou para o sofá. Parecia tranqüila aos olhos experientes de Noronha, sem dúvida estava muito triste, notava-se, era natural.

"Desculpe incomodar nesse momento difícil, eu vou ser o mais breve possível, mas tenho algumas dúvidas sobre as circunstâncias da morte de Carol e você pode me ajudar a esclarecer alguns pontos importantes."

Marina contou tudo. Confirmou que Carol tinha abusado da bebida e da lança-perfume. Que depois que a festa acabou tinha aparecido nua e molhada debaixo de sua varanda, chamando-a para a piscina. Marina não quis descer, estava com sono, Carol disse que ia nadar um pouco e que depois subiria para dormir.

Noronha pensou um pouco, Marina ofereceu-lhe um café, ele aceitou e perguntou:

"E como ela estava? Parecia triste? Com medo, assustada?"

"Bem, ela estava completamente fora de si, mas me pareceu muito alegre, alegre demais", Marina parecia sincera.

"E o rapaz, Ismael, que vocês chamam de Bombril, quando o viu pela última vez?"

"Acordei com o barulho que eles estavam fazendo na piscina e chamei Carol. Vi o Bombril passar apressado, só de calça, pelo gramado e ir embora sem falar comigo, como alguém que tivesse sido flagrado, também parecia muito bêbado. Pouco depois Carol apareceu me chamando para a piscina. Foi a última vez que eu a vi viva."

Noronha não estava plenamente convencido.

"Alguma vez ela comentou com você sobre ele como mais que um amigo?"

Marina pensou, fez uma longa pausa.

"Muitas vezes. Ela dizia que adorava o Bombril, que o admirava, que confiava nele, que achava os outros garotos bobocas e que se sentia muito feliz perto dele, o senhor sabe, ele ensinou Carol a jogar futebol, eles se gostavam muito", fez uma pausa e concluiu, "ele nunca faria nada de mau a ela."

"Muito obrigado, Marina, podemos dar o caso por encerrado, foi tudo mesmo um trágico acidente", Noronha se despediu. Crioulinho sortudo.

"Delegado", Marina chamou-o, Noronha se virou: "A Carol só fazia o que queria, ninguém a obrigava a nada, tudo que ela fez foi porque quis."

Subiu as escadas chorando, com o coração aos pulos. Bombril estava livre.

Quaresma

Simon suportou estoicamente os dias intermináveis que se seguiram ao enterro de Carol, tentando manter-se ocupado com pesquisas e análises de informações, reunindo-se com militares brasileiros, participando de um seminário sobre geopolítica, saindo cedo para a embaixada e chegando tarde. Acordava cedíssimo, fazia ginástica e corria no gramado até ficar ofegante. Enquanto fazia força e lutava contra a lei da gravidade, não pensava — e isto já era um alívio.

Não há dor maior para um homem do que a perda de uma filha amada, Simon tinha certeza, sua sobrevivência era dolorosa, certamente mais do que a morte, que não dói, mas não havia opção senão enfrentá-la. Era um ser humano devastado.

Eva voltou a trabalhar na loja, o novo apartamento servia quase só como cozinha, onde ela produzia com Nazaré os quitutes da Bom Bocado. Os negócios iam de vento em popa, começaram a fazer serviços para festas, os pedidos cresciam e Dagmar, mesmo não sendo do ramo culinário, foi chamada para ajudar. Não era uma especialista em temperos, mas fazia tudo que Eva mandava e cantava muito bem, parecia sempre alegre e de bom humor.

Aos poucos, os telefonemas de Noronha — todos não atendidos — começaram a se espaçar. Eva disse à empregada que não precisava avisá-la quando ele ligasse, não atenderia nunca, mas não conseguia deixar de pensar nele. Principalmente à noite, sozinha na cama, com um calor lhe subindo entre as pernas.

Simon decidiu que no período do Natal, quando a embaixada estaria fechada, iria para Nova York, para o frio e a neve, para sua terra e sua gente, para sua velha infância, precisava se afastar daqueles cenários, daqueles cheiros e sabores, daqueles sons e sombras que lhe lembravam Carol. E convidou Eva e Marina para acompanhá-lo, por gratidão e solidão.

Como elas não tinham roupas para o frio, abriu-lhes as malas e os armários de Carol e convidou-as a escolher o que quisessem. E mais, que ficassem com todas as roupas, de frio e de calor, os maiôs de duas-peças, as camisas do Carioquinha, as camisolas, calças e vestidos, tinha certeza de que Carol gostaria. O que não quisessem que doassem aos pobres, Simon deixou-as diante dos armários abertos e de seus desejos.

Marina se sentiu entrando na caverna de Ali Babá. Ela era menor do que Carol, mas, com pequenos ajustes, seus blue jeans desbotados a vestiriam à perfeição. Eva ficou muito constrangida em aceitar alguma coisa além dos indispensáveis suéteres, botas, chapéus e casacões de lã; não se sentia à vontade, eram roupas de uma adolescente e não muito apropriadas a uma senhora, embora algumas lhe vestissem muito bem e lhe dessem um discreto ar jovial, Marina a encorajava.

A viagem a Nova York foi um desastre para Simon. Sob um inverno rigoroso, com neve e lama cobrindo as ruas, lojas superlotadas de consumidores ávidos e prósperos, teatros e museus lotados de turistas mal-educados, Simon apenas se deprimiu e se aborreceu. Depois de um musical da Broadway longo e chato e de uma visita ao Museu de História Natural, Simon se recolheu ao seu quarto do Hotel Algonquin enquanto Eva e Marina exploravam as grandes lojas de departamentos.

Fez um grande esforço para manter-se à mesa durante o jantar de Natal no River Café, sob a ponte do Brooklyn, com Manhattan iluminada do outro lado do rio e o pianista tocando bossa nova. Três dias depois estavam de volta ao Rio de Janeiro. Simon ofereceu que Eva e Marina ficassem mais uns dias, ele voltaria porque a neve, o frio e o consumismo americano — e aquelas malditas músicas de Natal que tocavam em toda parte — o deprimiram, com certeza estaria melhor, ou menos mal, entre o sol e o mar. Eva e Marina não admitiram a hipótese de Simon passar o Ano-Novo sozinho na casa do Bairro Peixoto e o acompanharam no vôo da Braniff.

Eva morria de medo de avião, tomou um sonífero e apagou antes mesmo do jantar. Simon tomou um uísque, acendeu um Lucky Strike e pediu a Marina para lhe falar de Carol, o que ela fazia, o que pensava, o que dizia, com que sonhava — embora tivesse ótima relação com a filha, com liberdade e confiança mútuas, certamente o que ela contava e ele percebia como pai era muito diferente do que ela revelava à sua melhor amiga.

Carol estava morta, nada a traria de volta, nada a levaria para longe dos pensamentos e sentimentos de Simon, não havia mais nada a esconder, nem segredos a preservar, então queria saber mais sobre ela, saber tudo, para conhecê-la e amá-la em sua integridade, incondicionalmente, explicou em voz baixa a Marina.

No início hesitante, sem saber como começar, Marina achou melhor principiar pelo futebol, como Carol aprendera com Bombril, a pelada com os garotos da rua, a fundação do Carioquinha, o batismo de bola no campinho dos Mayer, era uma boa história, mostrava bastante como era Carol.

Marina falava e Simon ouvia absorto, se permitindo apenas alguns comentários curtos ou perguntas sobre um detalhe, sempre encorajando Marina a contar tudo que sabia, nada mais seria bom ou ruim, feio ou bonito, certo ou errado, explicou Simon, queria saber como Carol era de verdade, ouviu impassível a história da troca de camisa na frente dos garotos no vestiário, como Carol contara a Marina.

Simon só perguntou se o Carioquinha tinha vencido o jogo e se Carol tinha feito algum gol. Marina estava caindo de sono, o avião cruzava a Amazônia adormecida rumo ao Rio de Janeiro. Duas poltronas atrás, uma senhora asmática não conseguia dormir com a fumaceira e pediu a Simon que a poupasse de seus cigarros.

Foi cavalheirescamente atendida, Simon apagou na mesma hora o cigarro no cinzeiro cheio e pediu desculpas pelo incômodo involuntário. A separação de poltronas entre fumantes e não-fumantes era uma ficção ridícula, Simon sabia, a fumaça enchia toda a cabine e entrava em todos os narizes, era um problema insolúvel, a única maneira seria ninguém fumar — o que era inconcebível, todo mundo fumava e ninguém agüentaria as 15 horas de vôo.

Na noite de Ano-Novo, foram até a praia de Copacabana. Entre vendedores ambulantes de cerveja e de salgadinhos, a lua cheia iluminava alguns pequenos grupos de candomblé e de umbanda. Todos de branco, dançavam em volta de oferendas cercadas de velas acesas, ao som de palmas, cantos e atabaques, sob os olhares curiosos de um ou outro turista parecido com Simon.

Simon era um homem encantador, muito charmoso, pensava Marina, e americano, o que para ela era uma grande qualidade. Não sabia quem era o amante da mãe, se ainda era, nunca ela ousara perguntar-lhe. Simon poderia ser uma ótima opção — quando voltasse ao mundo dos vivos, se voltasse.

Dedicada a fazer companhia a Simon, muitas vezes apenas dividindo o silêncio, Eva estava se tornando uma amiga e quase uma parente. As fugazes fantasias românticas que passearam por sua cabeça no baile da embaixada se desfaziam no cotidiano sofrido e na intimidade com a dor de Simon. E não conseguia deixar de pensar em Noronha.

No foguetório da meia-noite, um grupo de branco entrou pelo mar empurrando um barquinho de madeira cheio de flores, oferenda para Iemanjá, explicou Marina. Simon não entendeu direito, não sentiu qualquer emoção, só achou bonito o mar coalhado de flores brancas. Uma bandinha de Carnaval cercada de poucos mas animados foliões cruzava a avenida Atlântica, os carros buzinavam, feliz 1961.

"São proibidos em todo o território nacional a fabricação, o comércio e o uso de lança-perfumes", dizia o decreto assinado pelo presidente Jânio Quadros em 14 de fevereiro de 1961, dez dias antes do Carnaval, sob protestos generalizados.

Mas não foi surpresa para os que conheciam o estilo do novo presidente: quando governador de São Paulo, em nome do nacionalismo e da tradição, Jânio já havia proibido por decreto a execução de rock and roll em bailes de Carnaval, como começava a acontecer em São Paulo.

A medida já era prevista e fazia parte de um "pacote moralizador" de Jânio, que incluía a proibição do uso de biquínis nas praias, de maiôs muito cavados para misses e de corridas de cavalos em dias de semana. Além das brigas de galo. Comerciantes oportunistas e bem informados fizeram grandes estoques de lança-perfume e, com a procura desesperada e os preços astronômicos, tiveram lucros estratosféricos.

Bombril fora aprovado em um teste para os juvenis do Botafogo, estava exultante, caso se firmasse, teria um contrato de gaveta, jogaria no Maracanã. Marina compartilhou de sua alegria e deu-lhe a boa notícia: o coronel Simon lhe pagaria um curso de inglês no IBEU — Instituto Brasil-Estados Unidos — e lhe daria o jogo de camisas do Carioquinha e todos os equipamentos esportivos de Carol. Ténk iú very match, sâr.

O Carioquinha encerraria sua carreira nos gramados de Copacabana, sem Carol o time não tinha razão de ser. Mas as suas chuteiras, mesmo um pouquinho folgadas, com duas meias se ajustaram aos pés de Bombril, com elas ainda faria um gol para Carol, no Maracanã.

Ele e Nazaré já estavam instalados no novo apartamento, mas dona Eva e Marina continuavam na casa do coronel, apesar do novo lar já estar montado. Todos os dias dona Eva passava pela casa levando peças de cama e mesa, utensílios de cozinha e enfeites. Uma televisão GE de 21 polegadas dominava a sala, desligada o dia inteiro. Nazaré gostava de rádio, à noite Bombril assistia a seus programas favoritos sozinho, refestelado no sofá da sala.

Sempre que falava em se mudar para sua nova casa, Eva enfrentava os pedidos de Simon para que ficasse, só mais um pouco, sentia o coração apertado de imaginá-lo sozinho naquela imensa casa vazia, cheia de lembranças dolorosas. E ficava.

Só até a Semana Santa, pediu, convidando ela e Marina para acompanhá-lo a Ouro Preto, onde ficariam na histórica Pousada do Carmo. Passariam por Belo Horizonte, onde Eva visitaria seus pais, que nada sabiam de suas aventuras e desventuras cariocas, apenas diria que estava se desquitando de Kleber. Nem lhes apresentaria Simon para que não fizessem fantasias e inventassem histórias. Iriam só ela e Marina, ele as esperaria em Ouro Preto.

Sozinho na umidade do quarto da pousada, Simon ouvia os sinos badalando soturnos e via o sol avermelhando sobre o casario colonial, quando finalmente Eva e Marina chegaram de Belo Horizonte. Eva parecia bastante cansada, a família católica recebera a notícia de seu desquite como uma bomba, ouviu choro e ranger de dentes, foi acusada de tudo, não se defendeu de nada, chorou em silêncio a viagem inteira. Mas o rosto de Marina sorrindo, emoldurado pelos cabelos louros, contra o céu vermelho e as fachadas barrocas, entrou na pousada como um sol.

Simon recebeu-as sorridente e caloroso, se sentindo reconfortado pela companhia, começava a achar que não tinha sido uma idéia tão boa ir para Ouro Preto. O frio, a umidade, a neblina que começava a baixar com a noite sem lua, a atmosfera pesada do catolicismo e os sofrimentos da escravidão impregnavam as paredes centenárias. Simon olhava pela janela, admirava a beleza dos sobrados e igrejas, ouvia os sinos e se sentia invadido por uma funda melancolia e pela certeza da inutilidade de tudo aquilo.

No dia seguinte visitariam as igrejas e as estátuas, o esplendor do barroco mineiro, a beleza e a grandiosidade da arte lhe trariam um pouco de alegria, esperava Simon, ao dar boa-noite a Eva e Marina depois do jantar.

Os sinos começaram a tocar antes de sete da manhã, chamando os fiéis para a primeira de uma série de missas e procissões das diversas irmandades de Ouro Preto que, entre velas e cânticos, percorreriam a cidade durante todo o dia. O aroma de incenso saía dos turíbulos e invadia o ar da cidade, como lança-perfume num baile de Carnaval.

A Sexta-feira Santa foi dramática. Simon preferiu ficar no quarto a enfrentar a atmosfera de velório místico que tomava conta da cidade, com o repicar incessante e lúgubre dos sinos, os cânticos e lamentos se misturando ao vozerio das orações e ao cheiro enjoativo do incenso, tudo aquilo o entristecia e deprimia. Salvou seu dia a disposição de Marina de se sentar com ele na sala da pousada e falar-lhe mais sobre Carol, enquanto Eva assistia à missa do Senhor Morto na igreja de São Francisco.

Na conversa, Marina também lhe disse que desistira de fazer vestibular para História, com tudo que acontecera não tivera tempo de se preparar. Simon olhou-a nos olhos e falou com aparente casualidade:

"Você sabe, o ano letivo começa em setembro nos Estados Unidos, então você tem seis meses para se preparar para começar o curso de História na New York University, é um presente que eu te dou em nome da Carol."

Marina engasgou com a Coca-Cola, não sabia o que dizer, pulou em seu pescoço e abraçou-o e beijou-o como se fosse um pai, um amigo, um grande amor.

Eva voltou impregnada da atmosfera densa e sombria da igreja, com o vozerio das rezas ecoando nos ouvidos e a imagem do corpo de Jesus num caixão dourado recebendo beijos dos fiéis e um sacristão limpando a estátua com um lenço depois de cada beijo.

Entrou na pousada e não conseguiu conter o espanto diante de Marina pendurada no pescoço de Simon e o cobrindo de beijos. Seus olhos se encontraram com os dele, perdido entre os cabelos de Marina e seus braços, e beijos, e risos.

"Boa-noite, Eva", Simon se sentiu um pouco desconfortável com o olhar dela.

Marina ouviu e imediatamente se virou para a mãe e pulou em seu pescoço, beijando-a e abraçando-a e anunciando as novidades aos gritos. Ria e chorava ao mesmo tempo, seu sonho ia se realizar, graças a Simon e, de certa forma, a Carol, ou à sua falta, o pensamento passou pela sua cabeça, abraçada à mãe e a Simon.

Nem Marina nem Eva precisavam saber, mas Simon formara ao longo dos anos um fundo para pagar a universidade de Carol, uma pequena fortuna para um militar, que fora economizada desde que Carol nascera e seria usada para bancar o curso de Marina na NYU. A decisão fora coisa de momento, espontânea, mas se sentia bem mais leve e feliz com o que tinha feito, era como se a alegria de Marina amenizasse a sua dor. Pela primeira vez em muito tempo, Simon dormiu sem tomar remédios.

No Sábado de Aleluia, as coisas melhoraram bastante, blocos carnavalescos subiam e desciam as ladeiras, as repúblicas de estudantes fervilhavam, os bares estavam cheios. Simon acordou bem-disposto e passeou com Marina e Eva pelas calçadas de pedras, se divertiu com um grupo de mascarados, compraram lembranças, doces e queijos. Voltaram no domingo para o Rio.

Eva contrataria uma professora particular de inglês para Marina, que era aluna do IBEU e já falava razoavelmente, aprendera muitas expressões com Carol, para que em setembro estivesse pronta para começar seu curso na New York University. Como parte do treinamento, Simon só falaria em inglês com Marina, não responderia a nada falado em português. Pior para Eva, que nos jantares ficaria de fora de boa parte da conversa.

Finalmente Eva se mudou para o seu apartamento, sob a condição imposta por Simon de jantarem sempre juntos, numa casa ou na outra. Eva fingiu que aceitou. Não que a comida na casa de Simon fosse ruim, era muito bem-feita, com ótimos ingredientes, mas tinha pouco sabor. Com certeza, com Eva e Nazaré pilotando o novo fogão de seis bocas e o grande forno elétrico, Simon passaria muito melhor em sua mesa.

"So, what's going on?", pronto, Simon e Marina começavam.

"I'm fine, looking forward to my trip in September."

Eva quase não falava, tentava adivinhar o que diziam pelas expressões, eles conversavam animadamente, de vez em quando Simon fazia alguma correção, riam e contavam piadas, tudo em inglês. Eva estava orgulhosa da filha, mas se sentia uma jeca. Às vezes ficavam assistindo à televisão depois do jantar, e Simon e Marina comentavam o programa, em inglês. Eva morria de raiva.

Mas também morria de pena de Simon quando ele se despedia e voltava para casa sozinho, acompanhava-o da janela, via-o descendo a Santa Clara vazia até a avenida Copacabana e dobrando a esquina. Ficava pensando nele, com sentimentos confusos, às vezes contraditórios, sentia-se ligada a ele, não pelo desejo mas pelo afeto, muito além da compaixão e da gratidão que os unia. Quando estavam com Marina, pareciam uma família, mas ao lado dele se sentia menos como uma esposa do que como uma irmã.

Sim, era um homem muito atraente, viril e cavalheiresco, um lorde, diria Dagmar, que sempre que se abria uma oportunidade estimulava Eva a partir para cima do coronel de garfo e faca, com um guardanapo no pescoço. Eva ria e fingia repreendê-la, não queria dar asas a ilusões nem sofrer com fantasias.

No início, ela até se entusiasmara, Eva admitiu para Dagmar, e aparentemente ele também se mostrara muito interessado e sedutor, mas com o acidente de Carol tudo mudara, Simon estava em farrapos por dentro, não havia espaço para qualquer coisa que não fosse compaixão e solidariedade.

Inspirava carinho e ternura, mas não desejo, Eva não confessaria isso a Dagmar, nem a ninguém. E Simon também parecia alheio a qualquer possibilidade de romance, ou mesmo de sexo, nunca mais Eva percebera olhares esquivos para sua bunda e suas pernas na piscina.

"É só ter paciência, o tempo passa e ele logo volta à terra, é homem e vai sentir necessidade de amor, ou sexo, ou melhor, dos dois", Dagmar ria e recomendava a Eva que afrouxasse as defesas. Ou preparasse a ofensiva.

"Quem vai, vai, quem não vai, fica", era uma das frases favoritas de Dagmar, que logo emendava um samba:

"Eu sou o samba,
a voz do morro sou eu mesmo,
sim senhor."

Como Dagmar cantava bem, Eva sempre gostava de ouvir sua voz — e seus conselhos. Ela tinha razão. Aparentemente Simon era o homem ideal para ela, para qualquer mulher, já havia uma ótima relação entre eles, se gostavam e confiavam um no outro, se ampararam em momentos de abandono e solidão. Tinham tudo a seu favor, inclusive Marina, que Simon tratava como uma filha. Dagmar se convenceria ainda mais de que tinha razão se soubesse que o concorrente do "lorde" era o delegado duro e grosseiro que a interrogara quando a patroa sumira.

Uma tarde, Noronha apareceu de surpresa na Bom Bocado, tinha cortado os cabelos e não usava mais brilhantina, estava de paletó e gravata discretos, quase elegante, notou Eva, com um ramo de flores na mão. Mas ela não quis conversa, apenas o cumprimentou, pegou a bolsa e saiu; desapontado, ele nem tentou pará-la. Queria distância dele, não seria sua mulher, não era homem para ela, um policial, um personagem do "mundo do crime", saiu resmungando pela avenida Copacabana.

Encontros e desencontros

Em julho, no feriado da Independência dos Estados Unidos, iriam passar um *long weekend*, como disse Simon, em Teresópolis, na fazenda da família de Jairo Domingues. Dagmar fizera uma consulta a Pai Jacinto, no seu terreiro no morro da Babilônia, e perguntara sobre Eva. Ele dissera que a fase de pagar tinha passado e que estava chegando a hora dela receber suas recompensas, "mas teria que lutar por elas, pelo que é seu", advertiu Dagmar, "mas ele garantiu que está tudo a favor, é só querer".

Não que Eva acreditasse em macumba, dizia que morria de medo e ouvia de Dagmar que ela só poderia temer alguma coisa em que acreditasse, e ria e cantarolava, "ainda mais quando está a seu favor". Eva dizia que não gostava de ouvir previsões, se considerava muito sugestionável. Mas não conseguia evitar de pensar que, no frio da serra, com a lareira acesa, tomando um vinho e abrindo os corações, quem sabe, não surgiria uma chama para acender as brasas em que ela e ele se consumiam?

Marina pediu para levar um amigo, Márcio, que conhecera em uma festa, um garotão bonito, com cabelos negros encaracolados, uma figura renascentista de blue jeans e camiseta branca. Acabara de voltar após dois anos na Universidade de Maryland, Marina queria trocar experiências com ele, e, se possível, alguns beijos.

Pior para Eva. Subiram a serra com Simon, Marina e Márcio falando inglês, o rádio tocando sambas, boleros e bossa nova, Eva desejando sentir um imenso desejo por Simon e que ele sentisse o mesmo por ela. Estava com um vestido decotado que lhe realçava os peitos morenos e recebeu feliz os elogios dele, quase sorriu ao notar que, durante a viagem, várias vezes ele olhava de esguelha para seus peitos e começava a gostar das curvas da estrada que faziam seu corpo deslizar até o dele. No banco de trás, Marina e Márcio davam as mãos.

Chegaram à fazenda já ao anoitecer, Jairo os esperava com champanhe e pão de queijo, Eva achou graça da combinação mas aprovou o sabor, estavam deliciosos, elogiou com autoridade.

"Não são tão bons como os da Bom Bocado, mas pelo champanhe eu me responsabilizo", galanteou Jairo e Eva gostou e sorriu. Simon não era chegado a pão de queijo, a casca torradinha ainda dava para comer, mas aquele miolo mole e pegajoso, meio cru, definitivamente não agradava a seu palato nova-iorquino. Comeu umas casquinhas e cumprimentou Jairo pela qualidade do Don Perignon.

Eva adorou seu quarto, com uma grande cama colonial e um teto altíssimo, esperava que pelo menos Jairo não falasse inglês com eles.

Simon parecia distraído no jantar, pouco interessado na comida e na conversa. Em português, por exigência de Eva. Márcio e Marina continuavam falando inglês, cochichavam e riam, se davam as mãos por baixo da mesa. Simon quase não comeu, bebeu três taças de champanhe, o que não fazia desde...

O dia amanheceu luminoso, com o sol de montanha brilhando no céu lavado. Jairo mandou trazer os cavalos e convidou-os para um passeio pelas matas da fazenda. Eva relutou um pouco, a égua era mansíssima, garantiu Jairo. Montaram e saíram, muito tempo depois Márcio e Marina desceram para tomar café.

Quando voltaram, com o sol alto no céu, os dois estavam estirados à beira da piscina, em uma conversa interminável, que parecia ter começado no jantar e atravessado o café-da-manhã. Simon já esperava pelos comentários de Jairo diante de Marina no maiô de duas-peças vermelho de Carol.

"Essa sua enteada, hein? Um broto de fechar o comércio."

Simon não achou graça, mas não poderia discordar, apenas o mandou à merda amistosamente:

"Enteada porra nenhuma, Jairo! Eu não tenho nada com a mãe dela."

"Pois devia ter!", Jairo riu, tomou um gole de caipirinha e saudou a chegada de Eva no duas-peças de látex preto e com um grande chapéu de palha. "Tá na cara que ela está a fim de você, eu vi como ela te olhava no passeio, eu conheço mulher, Francis, essa está no papo, é só balançar que cai", cochichou para Simon.

Às vezes Simon não entendia como Jairo podia ser um homem tão fino e educado, um perfeito gentleman, afinal era um diplomata, e ao mesmo tempo, quando o assunto era mulher, se comportar e falar como um cafajeste de botequim. Em várias línguas.

"O garotão não está perdendo tempo", Jairo cutucou Simon e apontou-lhe o jovem casal trocando beijinhos debaixo d'água. Simon fechou a cara e abriu o jornal.

Depois do almoço, Márcio e Marina foram passear a cavalo. Eva ouvia fascinada as histórias que Jairo contava sobre o tempo em que servira em Los Angeles — e conhecera Simon. O clima de euforia do final da guerra, a vitória e o enriquecimento dos Estados Unidos, o glamour de Hollywood, os bares de jazz, a explosão de criatividade. Simon já sabia de tudo aquilo, subiu para tentar dormir, era o que tinha de melhor para fazer.

No jantar, Marina disse que ela e Márcio não esperariam a segunda-feira, desceriam no domingo de ônibus, para assistir a *West Side Story*, não disseram *Amor, Sublime Amor*, que sairia de cartaz, era o último dia do melhor filme que ela vira na vida e queria que Márcio visse, porque ele dizia que não gostava de musicais.

"Mas esse é um musical muito diferente", Jairo entrou na conversa, "tem drama, tem atualidade, as gangues de rua de Nova York, a intolerância racial, isto nunca foi assunto de musical."

"As músicas são maravilhosas", Marina se entusiasmou e cantarolou: "Maria, I've just met a girl named Marina", trocava o nome da personagem pelo seu, Jairo se divertia, Simon não achava tanta graça, e Eva, nenhuma. Não gostava nada da idéia de Marina ir sozinha com o garoto para o Rio, mas Nazaré estaria em casa, ficaria de olho, Marina prometeu que iria do cinema direto para casa, na segunda de manhã tinha aula de inglês.

Depois do jantar, Marina saiu de mãos dadas com Márcio para dar uma volta pelos jardins, enfrentando o frio com gorros e casacos de lã. Simon viu-os recortados contra o arvoredo sob a luz da lua, entre a neblina que começava a baixar, o casaco vermelho e o gorro azul de Carol aqueciam Marina — e a memória dolorosa de Simon.

Jairo ofereceu conhaque e vinho do Porto, disse que tinha uma surpresa e levou-os para uma sala, ligou o projetor de 16 mm, apagou a luz e a tela se encheu de som e imagens de *Acossado*, do diretor suíço Jean Luc Godard, que Jairo conseguira com o adido cultural da Embaixada da França, era a nova sensação do cinema internacional, uma nova linguagem, anunciou.

"Para o Francis não ficar pensando que cinema só se faz em Hollywood", riu, "vocês vão adorar, já é a terceira vez que vejo, é um cinema poético, Francis, você nunca viu nada parecido."

Na tela, Jean Seberg vendia o *New York Times* no Champs Elysées e Jean Paul Belmondo dava um tiro contra o sol. Na poltrona, Simon se entediava com o blablablá interminável e uma história que não parecia ter pé nem cabeça, Jairo tinha razão, ele nunca vira nada parecido.

Quando as luzes se acenderam, Simon cochilava, Eva disse que não tinha entendido direito mas gostara, "é bem romântico". Jairo foi dormir achando que ela ainda não estava preparada para a *nouvelle vague*. Olhando-a subir a escada, ondulando os quadris, não entendia por que Simon não lhe dava um bote.

"Boa-noite, Francis."

"Boa-noite, Jairo, na sua próxima sessão de *Nouvelle Vague*, *include me out*. By the way, o conhaque estava ótimo."

Depois do almoço, Jairo pediu ao caseiro que levasse Marina e Márcio de carro à rodoviária. Eva recomendou-lhe que fosse do cinema para casa, Nazaré estaria esperando, Simon resmungou, quase mecanicamente:

"Have a nice trip, enjoy the movie."

A noite seria muito fria, Jairo anunciou, preparando a lareira e tirando o conhaque Hennessey do armário. Desta vez acertou em cheio com o gosto de Simon, no grande gravador de rolo Grundig rodava uma fita especial, que Jairo montara só com gravações de Billie Holiday, Ella Fitzgerald, Carmen Mac Rae e Dinah Washington. Simon considerou "the best of the best" e Eva, com razão, achou tudo muito romântico.

"Speak low, darling, speak low,
the curtain descends, everything ends,
too soon, too soon..."

Billie cantava, Eva sonhava com as ruas de Manhattan, com os bares enfumaçados do Village, Simon e Jairo conversavam sobre cavalos, sua família era de tradicionais turfistas, donos do Haras Santa Maria, estavam pensando em fazer uma pista de treinos na fazenda e trazer alguns potros e potrancas para adestramento, o clima e o pasto eram maravilhosos. Eva folheava uma velha *Vanity Fair*, via fotos de artistas e de suas casas e piscinas, anúncios de produtos que ninguém conhecia no Brasil. E tomava conhaque e sonhava que falava inglês.

Algumas doses depois, Jairo esvaziou o copo e se levantou.

"Quatro a zero para o conhaque, reconheço a derrota e me retiro. Fiquem à vontade, a casa é de vocês." Voltou a fita ao início, atiçou o fogo da lareira e subiu.

Simon e Eva ficaram se olhando em silêncio, hipnotizados pelas chamas da lareira, que projetava sombras avermelhadas e aquecia seus rostos, tomando conhaque e ouvindo Ella Fitzgerald:

"You do something to me,
something that simply mistifies me."

Eva se inebriava com a música, sentia uma tontura gostosa, uma leveza que há muito não experimentava; como raramente bebia, o conhaque delicioso a deixava lânguida e romântica. Estava animada e confiante, o silêncio de Simon não a intimidava, tudo em volta a fazia se sentir segura e confortável. Com o calor da lareira, tirou o casaco de couro e ficou só com o suéter colante preto.

Não decidira nada, suas idéias eram muito confusas, apenas seguia seu instinto e deixaria que as coisas acontecessem com naturalidade. Não tinha nada a perder e tudo a ganhar, Francis era um homem que qualquer mulher gostaria de ter, poderia ter um futuro com ele, era a possibilidade de recomeçar a vida e se esquecer para sempre de Noronha. Dinah Washington cantava *Blue Gardenia*, Eva se levantou, estendeu a mão e tirou Simon para dançar.

Ele se levantou surpreso e enlaçou-a, como no calipso em casa e no baile da embaixada, mas desta vez Eva colou seu corpo ao dele, apoiou a cabeça em seu ombro forte, sentiu o cheiro másculo de seu corpo. Sentiu a mão dele apertando suas costas e a puxando para mais perto, encostou o rosto no seu pescoço, a barba crescida arranhando-a de leve. Eva se deixava levar pela sala apagada, iluminados só pela lareira dançavam cada vez mais lento e mais juntos, quase sem sair do lugar. Duas, três músicas, Eva sentia o pau dele duro entre as suas pernas, Simon a abraçava com força, as bocas se procuraram, as línguas se encontraram e os corpos se misturaram em abraços e carícias até o sofá.

Ficaram se abraçando e se beijando durante várias canções, as últimas achas de lenha viravam brasas na lareira. Simon se levantou, estendeu a mão para Eva e tomou a direção da escada. Ela parou, soltou a mão dele e tirou toda a roupa, olhando-o nos olhos, nem tão rápido como uma dona de casa nem tão lento como uma stripper. Eva poderia não ter decidido nada, mas, por via das dúvidas, estava com a sua melhor lingerie, preta, de náilon. Essa dona Eva, hein?

Simon tirou a roupa, abraçou-a e se deitaram no sofá. Eva estava muito excitada, Simon parecia nervoso, seria natural que se sentisse assim, beijou seus peitos com sofreguidão e logo se enfiou nela, faminto e sedento. E aconteceu o que Eva mais temia: Simon entrou e saiu dela, chupou-a e beijou-a, entrou de novo, de outro jeito, mas Eva via que ele fazia tudo com competência, mas sem paixão, empenhado em satisfazer a sua dama como um cavalheiro, Eva o sentia distante, mesmo dentro dela.

O que era para ser prazer transformou-se em agonia para ela, afligia-se com os esforços dele em fazê-la gozar, sabia que não gozaria, mas não fingiria para ele. Simon gozou abundantemente, olhando-a nos olhos e vendo o rosto de Marina se misturando ao da mãe sob a luz da lareira.

Subiram juntos, carregando as roupas. Simon deixou-a na porta de seu quarto e beijou-lhe de leve os lábios.

"Boa-noite, lady Eva."

"Boa-noite, Francis, foi tudo muito bom", Eva sabia que não tinha sido, Simon também, a sua dúvida era se algum dia seria, ou se haveria outro dia. Só tinha certeza de que com Noronha era outra coisa.

No dia seguinte, Eva desceu quando Jairo e Simon já estavam à mesa do café-da-manhã, se olharam com um constrangimento que fez Jairo ter certeza de que alguma coisa tinha acontecido, encontrara a fita rodando solta no gravador, as manchas no sofá, cinzeiros cheios e garrafa vazia, a noite fria deve ter sido quente, depois Simon lhe contaria.

Passaram o dia na piscina, Jairo recebeu a visita de um tio, o tal dos cavalos de corridas, e saiu com ele para ver um possível lugar para a pista de adestramento. Simon e Eva ficaram sozinhos, em silêncio, felizmente Jairo deixara a vitrola ligada na sala e a voz de João Gilberto e a batida de seu violão chegavam até a piscina. Não precisavam falar nada, nem tinham vontade.

Simon se sentia grato, interpretara aquilo como uma generosidade dela, se sentia mal de não ter respeitado a sua bebedeira, embora não fosse o caso de pedir desculpas. Mas imaginava que com ela e ele sóbrios aquilo não voltaria a acontecer. "Just friends", era o que pensava, o que disse a Jairo.

Depois do jantar Simon tomou um conhaque, fumou um cigarro e foi dormir. Eva ficou vendo televisão com Jairo, no dia seguinte sairiam cedinho para o Rio, Simon tinha que estar na embaixada às dez da manhã e enfrentar três horas de estrada com o Bel Air.

Eva se sentia envergonhada de ter agido como uma puta, o que Simon não estaria, com bons motivos, pensando dela? Uma galinha oferecida, uma cabra vadia, Eva deixou a fazenda com a certeza de que botara tudo a perder, se é que havia alguma coisa a ser perdida. Mesmo bêbada, não se enganara, seu instinto feminino em nenhum momento sentira o envolvimento de Simon, era apenas um homem diante de uma mulher gostosa e oferecida, as fantasias — e a pouca modéstia — de Eva cediam à vida real.

De volta ao Rio, como ela imaginava, sentiu um certo afastamento de Simon. Não era um esfriamento, ele continuava gentil e afetuoso, mas quase não conversavam, sempre entretido em falar inglês com Marina. Assim que Eva chegou, ela logo perguntou se tinha acontecido alguma coisa entre eles, "nem um beijinho?", a mãe negou categoricamente, jamais lhe contaria o que acontecera na fazenda. Marina estava com a boca doendo de tanto beijar.

Simon mergulhou no trabalho, as coisas estavam mudando rapidamente no Brasil, o humor do país estava diferente, o clima otimista dos anos JK cedia às medidas de austeridade econômica e ao estilo autoritário e moralista de Jânio Quadros, vesgo, com um bigode de piaçava e óculos fundo de garrafa, deselegantíssimo, que parecia — e agia — como um professor rigoroso. Perseguindo os faltosos, intimidando os relapsos, ameaçando os que o contrariavam. Era um personagem histriônico e imprevisível, que às vezes, diante das câmeras, tinha até um ar de louco.

Pouco depois da volta de Teresópolis, Simon se surpreendeu com a notícia de Jânio condecorando ninguém menos do que Che Guevara, que liderava com Fidel Castro a Revolução Comunista cubana e dava uma injeção de ânimo — e eventualmente dinheiro, armas e munições — à esquerda latino-americana e brasileira. Moscou estava gostando. A sua ficção conspiratória começava a se tornar real, Jânio perdia apoio no Congresso.

Em agosto, o homenzinho tentou dar um golpe, chantageou o Congresso para ter poderes extraordinários, sob a ameaça de renunciar. O Congresso aceitou a renúncia e Jânio teve que se escafeder para Santos em um navio, enquanto o Brasil mergulhava em grave crise político-institucional. O Exército e o *establishment* brasileiro não aceitavam que o vice Jango Goulart tomasse posse: era um populista de esquerda, diziam, um homem fraco e incompetente, dominado por seu cunhado incendiário, Leonel Brizola, esse sim, um homem perigoso, analisava Simon.

A solução encontrada foi a instituição de um parlamentarismo de ocasião, com o único objetivo de dar a um primeiro-ministro confiável o poder tirado de quem o conquistara legitimamente nas urnas. Simon sentiu cheiro de pólvora no ar, a fragilidade das instituições e a luta pelo poder prometiam mortos e feridos dos dois lados — e atraso para o Brasil.

Em setembro, quando tomou posse um gabinete parlamentarista de araque, Marina partiu para Nova York. Duas semanas depois, Simon foi chamado ao Departamento de Estado, em Washington, passaria cinco dias e teria o fim de semana livre em Nova York, se encontraria com Marina levando queijos, doces, sabonete Phebo, Leite de Rosas e diversas revistas mandadas por Eva.

Marina estava morando no dormitório da NYU, em Greenwich Village, de frente para a Washington Square. Simon encontrou-a radiante sob o sol do meio-dia, cercada de colegas e tomando uma Coca-Cola no gargalo. De blue jeans e camiseta bordô da NYU, com os cabelos presos num rabo-de-cavalo, parecia perfeitamente integrada às outras lourinhas e também às duas negras e uma oriental do grupo.

Recebeu Simon efusivamente, correndo ao seu encontro tão logo o viu acenando da praça, abraçando-o e beijando-o com saudades. Tanta exuberância afetiva não fazia parte dos hábitos americanos e provocou estranheza entre as garotas, mais ainda quando Marina o apresentou e souberam que ele não era o *father*, nem sequer o *stepfather*, da garota brasileira.

"He's my friend, my best friend", Marina o qualificou.

O seu melhor amigo a convidou para almoçar, cruzaram a praça e subiram pela West Broadway até Astor Place e sentaram a uma mesa no Anarchy Café, Marina estava cansada — em três semanas — dos cafés do Village, disse rindo. Simon se reencontrou com os afrescos anarquistas nas velhas paredes, viu os barbudinhos e as garotas de óculos discutindo, ouviu o *folk* de um pacifista com seu violão, pôs um *quarter* em seu chapéu, mais para que fosse embora do que para que cantasse mais.

Comeram hambúrgueres, tomaram milk-shakes, conversaram muito. Marina estava adorando a vida na universidade, já tinha feito vários amigos, pediu notícias da mãe, do apartamento novo e da loja, tudo ia bem, Simon contou, mas jamais lhe falaria sobre a noite em Teresópolis. Olhava para Marina contra a obscuridade do bar, com a luz vermelha de um abajur lhe iluminando o rosto, e via o rosto de Eva no sofá à luz da lareira, os mesmos traços, apenas em azul e louro o que era castanho e preto, com 18 anos entre eles.

Marina não poderia demorar muito, tinha que fazer um trabalho sobre o Império Romano com um grupo, já estava atrasada, mas tinha visto no jornal que Stan Getz tocaria no Village Vanguard e fizera duas reservas. Simon achou a idéia ótima, gostava de cool jazz e, mais ainda, da atmosfera dos bares do Village, mas não sabia que Getz estava tocando bossa nova. Marina disse que tinha o seu novo disco e que era lindo, ouviriam depois, beijou-o apressada e caminhou pela Terceira Avenida para a estação do metrô.

Um pouco antes das oito da noite, Marina desceu para encontrar Simon na portaria do dormitório e seguiram para o Village Vanguard, na Sétima Avenida. Desceram pela Bleeker enfrentando um vento frio de outono, pisando nas folhas que cobriam o chão, com Marina pendurada no braço de Simon. Quando passaram pelo Café Figaro, Marina foi reconhecida e saudada por colegas que bebiam a uma mesa. Caminhava com familiaridade pelas ruas estreitas, falava sobre os cafés e os clubes de jazz, sobre a cultura boêmia do Village, parecia que sempre tinha estado ali.

Getz era um grande músico, Simon tomou uísque e adorou o show. Marina tomou Coca-Cola e se sentia orgulhosa da bossa nova que ele tocava com seu quarteto, misturada a *standards* de jazz. Na volta fazia um pouco de frio, para os padrões brasileiros, um gelo, Marina reclamou, pararam no Café Dante para tomar *irish coffee*, que ela não conhecia mas gostou. Combinaram que Simon a buscaria às dez da manhã para passearem no Central Park.

"Good night, young lady", Simon beijou-lhe a mão entre as suas.

"Good night, my lord", Marina fez uma imitação de reverência, sorriu e entrou.

No domingo, foram de metrô até a rua 59 e cruzaram o parque em direção ao Metropolitan Museum. Caminhando entre as árvores já desnudadas pelo outono e sobre o tapete de folhas secas vermelhas, laranja e amarelas, Simon contou que tinha sido convidado para assumir um posto no Departamento de Estado, em Washington, mas também tinha a possibilidade de ser designado para a missão americana na ONU, em Nova York. Marina ficou felicíssima, mesmo em Washington ele estaria perto, poderia visitá-la sempre. Mas o bom mesmo seria se ele viesse para Nova York. Em nenhum momento mencionou a mãe, ou que também gostaria de tê-la por perto, Simon notou.

Enfrentaram uma longa fila para ver a exposição "Tesouros dos Faraós", a reconstituição minuciosa da tumba de um faraó deixou Marina extasiada, "dá para sentir o cheiro da morte no ar, parece que ele acabou de ser enterrado". Simon não se impressionou muito, não disse nada mas já tinha visto coisas muito melhores no British Museum, contentava-se mais com o entusiasmo dela do que com os vasos, as jóias e as armas que os faraós levariam para o outro mundo.

Diante da ilusão faraônica da eternidade, a visão deslumbrante de Marina — e a dor pela perda de Carol — lhe asseguravam a fugacidade da vida e a certeza do momento. Compraram cartões e réplicas de objetos e lancharam no café do museu, *muffins*, *cookies*, *donuts*, tudo que gostavam. Simon não poderia demorar muito, ainda tinha que pegar a mala no hotel e voar de volta para o Rio, o avião saía às oito do aeroporto de Idlewild.

Tentou disfarçar a contrariedade quando Marina lhe contou, rindo cúmplice, que já tinha até um *boyfriend*, tinham saído algumas vezes e trocado beijos no cinema, "mas ele é só um garoto bonitinho, mas muito bobinho, é um passatempo". Simon sentiu algo próximo ao alívio, olhava-a falando e gesticulando e a achava cada vez mais bonita, mais livre e segura, mais mulher.

Quis saber dos namorados, das fantasias e aventuras amorosas de Carol no Brasil, sabia que tivera alguns flertes na Califórnia, mas desde pequena ela parecia gostar mais dos garotos para jogar bola do que para brincar de médico, sorriu.

Marina olhou-o com infinita ternura, como alguém em quem poderia confiar plenamente, que a entenderia e a protegeria, com quem poderia dividir seus segredos. E contou-lhe com delicadeza e sinceridade tudo que havia acontecido entre ela e Carol.

Simon ficou mudo, os músculos de seu rosto se crisparam, seus olhos claros umedeceram. Marina pegou a mão dele entre as suas, sorriu candidamente.

"Mas eu já sei que não gosto de meninas, eu gostava era da Carol."

Simon sorriu, não conseguiu evitar que uma lágrima escorresse pelo canto do olho. Marina se debruçou sobre a mesa, pegou o rosto dele entre as mãos e beijou seus olhos como se quisesse secá-los.

"Vamos, senão eu perco o avião", Simon pagou a conta e se levantou, Marina se pendurou no seu braço e encostou a cabeça em seu ombro. Na saída, tiveram a má surpresa de uma chuvarada desabando sobre Manhattan.

Com os táxis cheios, tiveram que enfrentar a chuva por dois quarteirões, até a estação de metrô na Park Avenue. Entraram encharcados no vagão lotado. Em pé, segurando nas alças do teto, as curvas do trem faziam os corpos se apertarem. Simon sentia o calor de Marina e seu coração se acelerando, enquanto via a paisagem de luzes passando veloz pela janela. Saltaram na estação da Terceira Avenida com a rua 4, a duas quadras do dormitório da NYU.

Caminharam sob a chuva em silêncio até a portaria. Sob a pequena marquise, abraçaram-se como se fosse a última vez. Marina beijou-o nas bochechas, ele beijou-a na testa.

"So long, young lady, hope to see you soon. Take care", fez uma pausa olhando-a nos olhos, "please."

Marina viu-o sair para a chuva, com a gola do casaco levantada e as mãos no bolso, contra a luz estilhaçada do poste, e tocou a campainha do prédio.

O porteiro abriu mas ela não entrou, gritou "Francis!" e correu ao encontro de Simon, que se virou e recebeu-a nos seus braços como uma filha, uma amiga, um grande amor. Abraçados sob a chuva, Marina beijou-o na boca como se quisesse se enfiar nele, Simon recebeu o beijo e retribuiu como se o esperasse, o quisesse muito, o merecesse. Um táxi passou milagrosamente vazio, Simon fez sinal, abraçou e beijou Marina apressado e entrou. Ela ficou acenando para ele na chuva, voltou para o dormitório e começou a escrever uma longa carta de amor.

Simon não dormiu o vôo inteiro, se sentia como um adolescente entusiasmado e ao mesmo tempo como alguém muito velho e sofrido. Tomou vários uísques e fumou muitos Lucky Strikes, revendo cenas, fazendo planos, vivendo a vida.

Trocaram cartas durante dois meses intermináveis, Marina lhe mandou fotos com roupas de frio, a curiosidade e a esperança dela se entrelaçavam à sabedoria e experiência dele em planos de viagem, na busca da alegria e do prazer, nos mistérios e promessas do amor.

Simon continuou jantando quase todos os dias com Eva, falavam muito de Marina, ela contava novidades universitárias que ele já sabia, histórias da infância e da adolescência da filha que ele ouvia com prazer. Só pensava na hora de reencontrá-la.

Com sua nomeação para a ONU assinada, no dia de voar para Nova York, Simon tocou a campainha da casa de Eva bem antes da hora habitual. Ela acabara de chegar da Bom Bocado e saía do banho de roupão e com os cabelos pretos enrolados em uma toalha, de cara lavada, estava parecedíssima com Marina. Sem os olhos azuis.

Sentaram-se no sofá, Eva perguntou a razão da visita fora de hora, ouviria notícias importantes?

"Importantíssimas", disse Simon, "amanhã estou voltando de vez para Nova York", fez uma pausa, "e vou me casar com Marina."

Eva ficou muda de susto, pensou que era uma brincadeira.

"Nós nos apaixonamos, somos adultos e eu vou me casar com ela", fez outra pausa, "a vida me deu uma segunda chance", fez outra, "e eu não vou perder."

Eva não sabia o que dizer, jamais diria que Marina tinha idade para ser filha dele, talvez por isso mesmo ele tivesse se apaixonado por ela. Seria seu único argumento, Simon era um homem tão bom que antes Marina o quisera para a mãe — e talvez já estivesse se apaixonando por ele. A noite na fazenda voltava como um flash de pesadelo à sua cabeça, Eva olhava para Simon e via um homem tranqüilo. E apaixonado. Quase invejava Marina.

"Agora eu tenho que ir, senão perco o avião", Simon se levantou, "na semana que vem é o aniversário de Marina e eu vou lhe dar de presente uma aliança, fique tranqüila, ela vai estar em boas mãos, assim que montarmos a casa você vem nos visitar", pegou-a pelos ombros olhando-a nos olhos, "e vai ser muito bem-vinda."

Eva abraçou Simon e chorou baixinho em seu ombro.

"Até logo, Francis, boa viagem."

"Até logo, Eva, obrigado por tudo."

E saiu. Não contara à sogra que duas semanas atrás não conseguira mais suportar a ausência de Marina e do amor que se prometiam nas cartas e voara para Nova York na sexta-feira à noite e voltara no domingo, depois de passar o fim de semana amando Marina nas ruas e nos parques de Manhattan, nos teatros e restaurantes, em sua cama de hotel.

Assim que Simon saiu, o telefone tocou no apartamento de Eva.

Como no dia em que Zé Roberto esquecera a porra do casquete, voltara para casa e ouvira a mãe falando com o amante, era Noronha.

Eva atendeu.

Simon deu a partida no Bel Air, entrou na avenida Atlântica e seguiu para o Bairro Peixoto, ao som do mar e à luz do céu profundo.

EDITORA OBJETIVA LTDA. Rua Cosme Velho, 103
Rio de Janeiro — RJ — CEP: 22241-090
Tel.: (21) 2199-7824 — Fax: (21) 2199-7825
www.objetiva.com.br

Capa e Projeto Gráfico
Luiz Stein Design (LSD)

Designers Assistentes
Darlan Carmo
Felipe Braga

Ilustrações de Capa
LSD

Produção LSD
Solange Barcellos

Revisão
Antônio dos Prazeres
Sônia Peçanha
Fátima Fadel

Editoração Eletrônica
Abreu's System Ltda.

CIP-BRASIL. CATALOGAÇÃO-NA-FONTE
SINDICATO NACIONAL DOS EDITORES DE LIVROS, RJ.

M875a

Motta, Nelson

Ao som do mar e à luz do céu profundo / Nelson Motta. – Rio de Janeiro : Objetiva, 2006

283p. ISBN 85-7302-793-2

1. Romance brasileiro. I. Título

06-3142 CDD 869.93
CDU 821.134.3(81)-3

Impressão e Acabamento:
Geográfica editora